Anónimo
POEMA DE MIO CID

CLÁSICOS UNIVERSALES PLANETA

Dirección:
GABRIEL OLIVER
catedrático de la Universidad de Barcelona

Anónimo

POEMA DE MIO CID

Edición, introducción y notas de
PEDRO M. CÁTEDRA
profesor de la Universidad Autónoma de Barcelona

con la colaboración de
BIENVENIDO CARLOS MORROS

Planeta

© Editorial Planeta, S. A., 1985
        Córcega, 273-277, 08008 Barcelona (España)
Diseño colección y cubierta de Hans Romberg (realización de Jordi Royo)
Primera edición en Clásicos Universales Planeta: marzo de 1985
Depósito legal: B. 40.982-1984
ISBN 84-320-3930-6
Printed in Spain - Impreso en España
T. G. Soler, S. A., Enric Morera, 15, Esplugues de Llobregat (Barcelona)

SUMARIO

INTRODUCCIÓN

El Cid histórico *

E L padre, Diego Laínez —descendiente de Laín Calvo,
uno de los jueces de Castilla—, era un noble de
Vivar (aldea fronteriza con Navarra) que defendió la
frontera del debilitado reino castellano-leonés contra las
tropas de García de Navarra (c. 1054).

El Cid nació hacia 1043, a la muerte de su padre
(¿1058?) pasó a la crianza del infante don Sancho (el hijo
de Fernando I) en la corte y ahí se educó con todos los
infantes al cuidado de sus maestros de letras y de armas: «Rodrigo sobresalió en los ejercicios caballerescos
de modo extraordinario; aprovechó bastante en las letras; por lo menos se distinguió después como técnico
en derecho.» [1] En cuanto a sus acciones bélicas, el joven
guerrero Ruy Díaz intervino ya en mayo de 1063 al lado
de Sancho, en ayuda de Moctádir (tributario de Fernando I) y contra Ramiro I de Aragón, que quería adueñarse
de Graus. Quizá camino de Valencia con el emperador
Fernando I, que entonces estaba enemistado con su pro-
tegido de Zaragoza, firmó en una escritura de donación
al monasterio de Arlanza con fecha de 28 de octubre de
1065. En diciembre de ese mismo año moría Fernando I: es entonces cuando empieza el máximo protago-

---

* Aunque no es el caso de confundir verosimilitud histórica
con la historia realmente documentable, parece necesario introducir el *Poema de Mio Cid* con los datos esenciales de la vida
de la persona del siglo XI sobre la que un poeta hasta ahora
anónimo, a pesar de todos los intentos por descubrírnoslo, ha
fraguado una de las más peculiares historias épicas escritas en
la Europa medieval. Y sobre todo teniendo en cuenta que precisamente la «historicidad» de este *Poema* y de otros testimonios épicos castellanos han permitido a unos caracterizar la originalidad de la épica española medieval, y a otros negar sobre
esa base precisamente esa originalidad y hasta su existencia.
1. Menéndez Pidal, *La España del Cid*, I, Madrid, 1969, p. 128.

nismo del Cid a quien el nuevo rey de Castilla, Sancho, nombra alférez de su ejército; cargo que en Castilla, a pesar de su preeminencia, «solía escogerse entre los jóvenes caballeros, y era [...] bastante mudable. Sin embargo, Rodrigo Díaz lo conservó durante toda la vida de Sancho, y así es él quien dirigirá las múltiples guerras a que se va a lanzar Castilla, ansiosa de expansión y de poder».[2]

La primera acción individual (¿1066?) pudo ser el duelo judicial que mantuvo contra Jiménez Garcés, caballero del rey de Navarra, para dilucidar una cuestión de fronteras entre los dos reinos.[3] En 1067 capitaneó el ejército real en el sitio de Zaragoza, cuyo rey moro (Moctádir) no pagaba las parias convenidas. La crónica hebrea de José ben Zaddic de Arévalo atribuye todo el éxito de la empresa al Cid. Durante ese año y el siguiente actuaría en las guerras que afirman el poder castellano en los montes de Oca, los cuales recupera Sancho como sede episcopal: el nombre de Rodrigo Díaz figura entre los confirmantes del diploma de restauración. Poco después intervino en la batalla de Llantada, primera confrontación entre los hermanos Alfonso de León y Sancho de Castilla. Así también en 1071 medió junto al conde García Ordóñez, personaje bien conocido del Poema, en las negociaciones entre Alfonso y Sancho sobre Galicia; y, según relatos cronísticos que refundían otros poético-legendarios, el mismo Cid liberó en algún combate a Sancho de las manos de los caballeros gallegos y, a su vez, hizo prisionero al rey García. La participación del Cid en los campos de Golpejera (donde se emplazaron los

2. Id., p. 157.
3. El Carmen Campidoctoris nos ha dejado constancia de ese hecho: «Hoc fuit primum singulare bellum / cum adulescens devicit Navarrum; / hinc Campidoctor dictus est maiorum / ore virorum» (ed. Menéndez Pidal, 1969, p. 883). Sobre esta lid, véase la disquisición histórica de Menéndez Pidal id., pp. 693-696. Algunos han visto aquí algo más que un «combate singular», un «famoso combate» (cf. J. Horrent, 1973, pp. 111-112). «Además del combate con el navarro, otra lid singular del Campeador registra la Historia Roderici. Fue con un sarraceno de Medinaceli, a quien no sólo venció, sino mató» (Menéndez Pidal, id., p. 159).

hermanos Sancho y Alfonso para nueva lid) también se halla envuelta en leyendas de que se hacen eco las crónicas.[4] *Ahí Sancho se gana la corona de León y, exhortado por la infanta Urraca, deja ir a su hermano del castillo de Burgos a la corte del rey Mamún en Toledo.*[5] *Parte de la familia de los Beni Gómez que habían acompañado a Alfonso en su destierro y los partidarios de la infanta Urraca se refugiaron en Zamora. Desde allí hostigaban al rey castellano, quien puso cerco a la ciudad. En cuya empresa murió asesinado por un caballero zamorano, según unos, o, según otros, por un súbdito traicionero. Es el caso que algunos relatos legendarios también concedieron aquí un importante papel individual al Cid:*[6] *al menos pudo ser el encargado —según Menéndez Pidal— de llevar los restos de Sancho al monasterio de Oña. Pero a fines del año 1072 Alfonso VI ya recibió los reinos de Castilla y de León (y relatos muy posteriores, quizá de h. 1200, como ha demostrado Horrent,*[7] *configuran la fábula de la jura de Santa Gadea).*[8] *Sí es verdad, en cambio, que el Cid no disfrutó con el nuevo rey de las preeminencias que tuvo con Sancho, por más que la* Historia Roderici *confirme que Alfonso «honorifice eum pro vasallo recepit».*

En abril de 1073 actúa como juez o procurador (por

4. Véanse los relatos (con restos de asonancias) que, procedentes de la *Primera crónica general* y de la *Crónica particular del Cid* (publicada en Burgos el año 1512, pero compilada en el siglo XV), ofrece Carola Reig, *El cantar de Sancho II y Cerco de Zamora*, CSIC (RFE, anejo XXXVII), Madrid, 1947, pp. 90, 103, 233-234, etc., y Julio Puyol, *El cantar de don Sancho II de Castilla*, Madrid, 1911, pp. 100-101.
5. Lo que dio también pábulo a la leyenda...
6. «Más de dos siglos separan la muerte de Sancho II y el momento en que la tradición épica consagrada a los sucesos de su reinado fue recogida en una prosificación, según atestiguan ciertos capítulos de la *Primera crónica general*. Sin embargo, la *Najerense* prueba la existencia de un *Cantar de Sancho* anterior a 1160» (L. Châlon, 1976, p. 332). *El Cantar del cerco de Zamora*, según la prosificación aludida, puede leerse en la cómoda edición de M. Alvar, 1972, pp. 67-120.
7. J. Horrent, 1973, pp. 159-193; y especialmente, p. 193.
8. Menéndez Pidal aducía razones históricas y jurídicas para dar por real la jura de Santa Gadea. Con todo, no podemos considerarla en tales términos (*cf.* Châlon, pp. 329-331).

*designación real) en favor de las monjas de Cardeña.
Cargo que volverá a ejercer en 1075 y que nos permite presentarlo, en efecto, como «un técnico conocedor del derecho».[9] En 1074 siguió a las tropas reales
(ahora el alférez es el conde García Ordóñez) en la in-
vasión de la Rioja contra el rey de Navarra. El principio de la expulsión y destierro a que el rey sometió al
Cid hay que buscarlo en su actuación en favor del rey
Motámid de Sevilla y contra el de Granada: mientras el
Cid estaba recogiendo las parias de Alfonso en Sevilla,
los embajadores del rey castellano en Granada (García
Ordóñez a la cabeza) animaron la incursión de los gra-
nadinos —con el propósito de enemistar entre sí a los
reyes andaluces— en territorio sevillano. Rodrigo, al frente de una pequeña hueste, venció en el encuentro y retu-
vo a los presos castellanos durante tres días.[10] En tanto
el emperador, h. 1081, se hallaba en campaña por el reino
de Toledo, el Cid quedaba en Castilla para vengar (sin
discernir acaso entre tierras rebeldes y tierras fieles)
una acometida mora contra la fortaleza de Gormaz. Así,
el rey Alfonso, atento a envidiosos cortesanos, dio suelta
a su ira desterrando al Cid a mediados de año. Ruy Díaz
tomó la determinación de dirigirse a Barcelona. Pero en
los últimos meses de 1081, sin que sepamos la causa, estaba ya al servicio de Moctádir ben Hud de Zaragoza
a quien sucedió su hijo Mutamin (1081). El nuevo rey
«ensalzó a Rodrigo extraordinariamente, lo colocó al
frente de todas las cosas del gobierno y se aconsejaba de
él para todo».[11]*

*En 1082 emprendió la campaña contra el rey de Lé-
rida, hermano de Mutamin, en la que llegó a arrebatarle*

9. Menéndez Pidal, p. 202.
10. En un afán de promocionar la figura del Cid más allá incluso de lo que nos aconsejan los mismos documentos (considerando como tales la *Historia* latina y el *Poema*), Menéndez Pidal
creía que el desterrado habría decidido no atacar a su rey y con-
tinuar por su cuenta la labor de reconquista que Alfonso reali-
zaba en la zona occidental del reino de Toledo (p. 280).
11. Menéndez Pidal, p. 284. Para la actuación del Cid en ambientes musulmanes, véase ahora la antología de textos de Epal-
za-Guelloux, 1983.

fortalezas importantes. Aquél, en coalición con el conde de Barcelona y otros, planteó la batalla cerca de Almenar, cuyos preparativos nos cuenta el Carmen Campidoctoris.[12] *El Cid, que antes había ofrecido la negociación, capturó al conde de Barcelona (episodio reelaborado en el* Poema*) pero pronto lo dejó en libertad.*

En 1083, al poco que Abulfalac había urdido una trampa para daño del rey Alfonso en Rueda (allí sucumbieron algunos de sus ilustres acompañantes), el Cid acudió en seguida, desde Tudela, en ayuda del rey. Tal empeño era razón jurídica suficiente para levantar el destierro: la acogida de Alfonso en principio fue buena, pero rápidamente se mostró hostil instigado por los mezcladores de la corte. Al servicio, de nuevo, del rey Mutamin, asoló Morella (1084), construyó el castillo de Olocau y derrotó en Tortosa (por agosto) al rey de Aragón, Sancho Ramírez, aliado del de Lérida.[13]

El Cid estuvo en Zaragoza hasta la muerte de Mutamin en 1085 y permaneció ahí algún tiempo más bajo el reinado de Mostain II. También en ese mismo año Alfonso —sin el concurso del Cid— había conquistado To-

12. Poema cuya composición se ha remitido a los años 1093-1094 (J. Horrent, pp. 93-122) y se ha adjudicado, distintamente pero con igual imprecisión, a un poeta castellano (Ríos, Baist, Menéndez Pelayo y Beer), a otro catalán, poco amigo de Berenguer aunque sí del Campeador (Du Méril, Milá, Menéndez Pidal y Horrent), o a uno mozárabe o aragonés (Châlon, p. 3). *Carmen* que describe así de heroico —y con otros tantos ecos poéticos— al Cid aprestándose a la batalla de Almenar: «Primus et ipse indutus lorica, / nec meliorem homo vidit illa; / romphea cinctus, auro fabrefacta / manu magistra; // accipit hastam mirifice factam, / nobilis silve fraxino dolatam, / quam ferro forti fecerat limatam, / cuspide rectam. // Clipeum gestat brachio sinistro, / qui totus erat figuratus auro, / in quo depictus ferus erat draco / lucido modo. // Caput munivit gelea(m) fulgenti / quam decoravit laminis argenti / faber, et opus aptavit electri / giro circinni. // Equum ascendit quem trans mare vexit / barbarus quidam, nec ne com[m]utavit / aureis mille, qui plus vento currit, / plus cervo sallit. // Talibus armis ornatus et equo, / Paris vel Hector melioris illo / nunquam fuerunt in Troiano bello, / sunt neque modo» (ed. Menéndez Pidal, *op. cit.*, páginas 883-884).

13. Véase el juicio de Horrent, p. 27, sobre los resultados de la batalla en que difieren la *Gesta Roderici* y las crónicas navarro-aragonesas más tardías.

ledo y había desplazado a su rey Alcadir a Valencia; allí Alvar Fáñez, en la cúspide de su afortunada carrera militar, se hizo con el dominio administrativo de la ciudad. La intromisión del emperador en la conquista de Zaragoza puso en gran compromiso al Cid, quien, sin embargo, eludió el combate contra su señor. Tampoco participó en la batalla de Sagrajas (del 23 de octubre de 1086) donde los almorávides, venidos a la península a requerimiento de los reyes de Granada, Sevilla y Badajoz para minar las fuerzas ascendentes de Alfonso, derrotaron a toda una confederación cristiana.

La reconciliación del desterrado y su rey ocurrió entre 1086 y 1087 en Toledo (el Cid le rinde vasallaje y Alfonso le otorga, entre otros bienes, el castillo de Gormaz). Tal avenencia no impidió que Rodrigo siguiera manteniendo algunos compromisos con el rey de Zaragoza; así, le acompaña cuando se dirige a Valencia en ayuda de Alcadir, a quien tenía sitiado el rey de Lérida. Con todo, el Cid no permite que Mostaín II tome la ciudad, cosa que le agradece el emperador. «En 1089 el rey y el Cid llegan a un trato: todo lo que el Cid conquiste de los moros formará parte del reino castellano, pero será posesión cidiana, que pasará a sus descendientes en herencia.» [14]

Pero no se avinieron por mucho tiempo. Con los caballeros que quisieron unírsele, Rodrigo se llegó a Valencia (cercada entonces por el rey de Zaragoza y su aliado Berenguer de Barcelona) para asegurar de nuevo a Alcadir en su reino. Así las cosas, Mutamid de Sevilla pidió por segunda vez auxilio a los almorávides, que tras el desembarco cercaron inmediatamente a Aledo.[15] Alfon-

14. Horrent, pp. 30-31.
15. «No se puede comprender la razón que haya impulsado al Cid, recientemente aún escrupuloso cumplidor de sus obligaciones de vasallo, a no ser fiel a su palabra; es igualmente difícil imaginarse qué interés personal podría tener en que sucumbiera Aledo o en la victoria de Yúçuf. Quizá le importa la presencia de cristianos al oeste del reino de Valencia, en el que había puesto sus miras, y contara con mucho maquiavelismo con Yúçuf para deshacerse de ella. Pero esto hubiera sido, para un jefe tan sagaz como era él, tomar riesgos singulares al permitir

so reclamó la ayuda del Cid, levantó el cerco y se replegó (el Campeador había llegado tarde a Molina: retraso disculpable por el cambio de itinerario del rey). Una vez más los envidiosos de la corte explotaron y atizaron la ira del rey por la conducta del Cid. Pues se le acusó de traición, se le confiscaron los bienes y llevaron a prisión a Jimena y a sus hijos Diego, María y Cristina. Según la Gesta Roderici *envió «quendam militum suorum probissimimus» a que le exculparan y para que concertasen en su nombre un duelo judicial contra esos enemigos cortesanos. El rey no hizo caso de tales exculpaciones, aunque, eso sí, dejó en libertad a su mujer e hijos. Ante la negativa del rey, Rodrigo procedió (también ahora en balde) a exculparse por escrito, aduciendo cuatro formas diversas de juramento.*[16]

En Denia tomó por asalto el castillo de Polop y limpió la caverna de los tesoros que allí guardaba Alhaŷib. También se procuró otros dones y tributos vendiendo su protección a Alhaŷib mismo (de Lérida), que anhelaba Valencia, y a Alcadir (1080).[17] *Pero aquél, al saber de*

---

que se hiciera así más sólido el poder del que podría ser su enemigo, y un enemigo temible, el vencedor de Sagrajas, con el que aún no se había medido. Teniendo en cuenta todo esto, es muy probable que el Cid faltó a su promesa sin quererlo expresamente. // Lo cierto es que los caballeros castellanos que acababan de unírsele desean volver a Castilla, cosa que les permite (Gesta Roderici, 33), pues ven al Cid en mala postura con el rey y prefieren abandonarlo. ¿Por temor al rey? ¿Por reprobación de la conducta de Rodrigo? Esta partida la pone en duda. ¿Es que el Cid, sin querer faltar a su promesa, no haría todo lo necesario para unirse con el rey? ¿No se detendría demasiado en su campamento de Onteniente?» (Horrent, pp. 32-33).

16. «En él, afirma el deseo que tenía de ayudar al rey en la campaña de Aledo, declara que si no lo pudo hacer es porque no ha sabido ni podido saber dónde se encontraba el rey, invoca a Dios al jurar solemnemente no haber tenido ninguna mala intención, no haber querido nunca que el rey cayera en manos de los sarracenos, y se presta de nuevo al duelo jurídico. En esos juramentos, el Cid no niega, pues, el hecho innegable del que es acusado. Simplemente, rechaza las intenciones criminales que le achacan sus acusadores y, según las costumbres jurídicas de la época, se disculpa jurando su buena fe. El rey rechaza estos argumentos, con la arbitrariedad normal de la época» (id., páginas 34-35).

17. «A pesar de los silencios de la Gesta Roderici y de Menén-

la sumisión de Valencia al Cid, se alió con el conde de Barcelona y, en principio, con el rey de Zaragoza. Los tres fueron al encuentro del Campeador en Iber (lugar donde nos lo sitúa la Gesta Roderici*) o en Tébar (si hacemos caso al* Poema*).[18] En una escapada hacia el conde, Rodrigo cayó del caballo; pero sus hombres acabaron al fin por prender al catalán. Berenguer Ramón II pleiteó su rescate con el propio Cid y pasada la primavera de 1090 hizo otro tanto para concertar las paces entre ambos (el Campeador dio el sí a cambio del protectorado de las tierras de Lérida y Tortosa).[19]*

En 1091, accediendo a los ruegos de la reina Constanza, unió su ejército al de Alfonso que se dirigía a Granada para hostigar a Abú Bekr (el Búcar del Poema*). El primo de Yúçuf quedaba en Al-Andalus para preservar la lealtad de los reyes moros. En Granada los mezcladores siguieron enemistando al Cid con el rey (por aquellos tiempos ya bastante susceptible): todos —por*

---

dez Pidal, parece claro que el Cid juega al astuto con los reyes que mendigan su ayuda, sacando de unos y otros grandes provechos con la sola promesa de su protección: ataca a Alhaŷib, lo saquea, le impone una paz onerosa y le promete ayudarle a tomar Valencia; Alcádir le compra esta misma ayuda para defenderle» (*id.*, p. 36).

18. Aquí el *Poema* «a concentré en un seul episode la longue hostilité qui oppossa son héros à Berenguer Ramón II de Barcelone: il ne mentione pas la bataille de Tamarite et la première captivité du comte en 1082; il situe anachronicament le combat de Tévar —lequel date en réalité de (mai?) 1090— environ dix mois aprés le départ du Cid en exil, il tait l'alliance du comte catalan avec Alhaŷib de Lérida, véritable origine des conflits de Tamarite et de Tévar (la guerre opposant les rois de Lérida et de Saragosse ayant entrainé celle de Berenguer de Barcelone et du Campeador, leurs alliés ressentifs). Cette dernière omission s'explique vraisemblablement par le silence que le poète garde sur l'amitié de son héros avec les rois musulmans de Saragosse; on observera cependant que le Cantar fait état de la présence de Maures dans l'armée du comte catalan» (Châlon, p. 176). Para la divergencia en la narración de la batalla entre la *Gesta Roderici* y la *Primera crónica general*, que recurre a fuentes árabes y poéticas (no el *Poema*), *cf.* Horrent, pp. 36-37, n. 62.

19. «... tiene bajo su poder todo el territorio de la costa central de Mediterráneo desde Denia hasta Tortosa, y una cabeza de puente en el interior, en Albarracín» (Horrent, p. 38).

asentar sus tiendas ante las del rey— lo tacharon de arrogante.[20] *Ante una escalada de éxitos almorávides, que se apoderaron de muchas plazas ya conquistadas y que derrotaron en Almodóvar un ejército de Alfonso mandado por Álvar Fáñez, el Cid fortificó su frontera por el sur. Por otro lado, entre 1091 y 1092, como protector de la zona, afianzó su amistad con Mostain de Zaragoza y con Sancho Ramírez de Aragón.*[21]

En la primavera de 1092, Alfonso organizó una pequeña cruzada en connivencia con aragoneses, catalanes, pisanos y genoveses para apoderarse de Valencia y allí hacerse con los tributos que correspondían al Cid. No obstante, el Campeador nunca faltó a su rey: sólo se la buscó —cierto privilegio del desterrado le amparaba— a los maldicientes de la corte. Así, con la ayuda de los reyes de Zaragoza y de Lérida, arrasó la Rioja (especialmente las tierras de García Ordóñez). Parece, en efecto, que esta acción obligó a Alfonso a abandonar la suya en Valencia. De ese modo, el rey decidió atraerse al Cid ofreciéndole el perdón y dejándole volver a Castilla.[22] *Ben Aŷixa, a*

20. La *Gesta Roderici* sí nos dice algo de la presunta ofensa del Cid al rey en la acampada ante Granada; discordias por las que algunos de sus soldados se reintegraron a las filas del rey. «¿Por qué? ¿Por temor al rey o porque el Cid, que pecaba quizá de jactancia, no es tan irreprochable como quiere presentarlo su turiferario?» (Horrent, pp. 39-40).

21. Vale la pena volver por enésima vez al comentario de Horrent: «Durante este tiempo, Rodrigo no es ya jurídicamente vasallo de Alfonso, pero evita todo choque con él. Protege a reyes musulmanes, Alcádir en Valencia, Sulaimán en el reino de Lérida-Tortosa-Denia, es enemigo de los almorávides, de cuya presencia preserva a Valencia, Lérida, Tortosa y Denia. Es amigo de Mostain de Zaragoza. Es un cristiano al que las circunstancias han hecho vivir entre y con los musulmanes. Es erróneo pues hacer de él un cruzado o un misionero con la tarea de extender la fe cristiana por la fuerza o por la persuasión» (p. 43). Sin llegar a los extremos de Dozy u otros arabistas, disloca algo el retrato de Menéndez Pidal, cuya expresión más acabada en este aspecto nos la resumió en *El Cid en la historia*, Madrid, 1921 (conferencia pronunciada en Burgos con motivo del traslado de los restos del Cid).

22. Es de nuevo Horrent quien enjuicia el hecho: «Vuelve a conceder sus favores al Cid como al más fuerte de los suyos, no como al mejor de entre ellos. ¿Piensa utilizarle en el Levante? Parece que no inmediatamente, pues le invita a volver a Castilla. ¿Ve en él la única posibilidad de éxito cristiano en el Levante?

su vez, no sólo corrió Valencia —gracias a Ben Ŷehhaf, cadí y gobernador de Valencia— en su arremetida de 1092: pasó por Denia y Alcira; poco antes los caballeros del Cid habían desamparado la ciudad de Valencia. Pero el Cid lentamente alcanzó esas tierras para tomar posiciones en los alrededores de la ciudad: se reforzó en Murviedro y tomó el castillo de Cebolla. Una serie de hechos precipitaron el desenlace: luchas intestinas en Valencia forzaron a Ben Ŷehhaf a pactar con el Cid, que ya se había apoderado de las plazas de los arrabales.[23] Al fin Valencia se rindió con la condición de que los almorávides saliesen de la zona en salvo y pagasen un antiguo tributo de 1 000 dinares semanales. En principio relajó los términos de la capitulación recién firmada a la espera del ejército del emir almorávide Yuçuf. Entretanto quedó en los arrabales asegurando su situación contra los señores y reyezuelos proalmorávides: devastó las tierras del señor de Alcira e hizo lo mismo con las del rey Ben Razín, que había pactado con el de Aragón (a uno y a otro venció el Campeador).

A finales de año, tras haberse repuesto de las heridas que sufrió en Albarracín, se enteró (por Ben Ŷehhaf) que el ejército almorávide al mando de Abú Bekr acechaba ya a la connivente Valencia. A la par que el Cid esperaba en Rayosa, el ejército africano (en medio de las diluviales tinieblas de la noche) optaba por la retirada. El Campeador no esperó mucho para poner cerco a Valencia: supo aprovecharse de las disidencias internas y consiguió persuadir, con el concurso de Al-Uacaxí, a Ben Ŷehhaf de que nadie iría a socorrerle.[24] Pronto la ciudad

---

Es poco probable, pues hasta entonces Rodrigo no había conquistado nada en la región, habiéndose limitado a proteger los reyes musulmanes» (p. 52).

23. Para el proceso de acercamiento, véase Horrent, pp. 60-63.

24. *Cf.* Horrent, pp. 71-75. A Ben Ŷehhaf lo rebasa —no acabó por avenirse del todo a las condiciones que le había impuesto el Cid— el integrista Banu Wagib y su clan, a quienes dejaron los valencianos —siempre de inquebrantable partidismo proalmorávide— al confirmarse la retirada del ejército de Abú Bekr. El cerco de Valencia podría haber finalizado aquí; pero la resistencia de Ben Ŷehhaf a entregar el tesoro de Alcádir endurece al Cid en el

capitularía bajo algunas condiciones (Ben Ŷehhaf seguiría de cadí, etc., etc.):[25] *a 15 de junio de 1094 el Cid entraba en Valencia y tranquilizaba a sus habitantes prometiéndoles las mayores garantías jurídicas.*[26] *Por esos días también llegaban a la ciudad Jimena y sus hijos.*[27]

Pero la situación para los moros de Al-Andalus no era muy tranquilizadora: así, lograron que Yuçuf enviase un ejército al mando de Mohámmad ben Texufín, noticia que ya se conocía en Valencia hacia agosto de 1094. En

---

cerco: ahí se enumeran las crueldades que hicieron del Campeador uno de los guerreros más aborrecibles para los historiadores musulmanes (*cf.* Menéndez Pidal, p. 480, y Horrent, p. 74).

25. «Los sitiados podrán enviar mensajes al rey de Zaragoza y a Ben Aŷixa, gobernador almorávide de Murcia, para pedirles que vengan a socorrer Valencia en un plazo de quince días, pero si la ayuda no viene, la ciudad se rendirá al Cid con las siguientes condiciones: Ibn Yahhaf conservará su puesto de gobernador de la ciudad, sin que su persona, riquezas y familia sufran perjuicio alguno; las rentas de la ciudad no serán administradas por él, sino por el almojarife del Cid, que administraba ya las de Alcudia; el visir de la ciudad será un moro de confianza del Cid; los guardianes de la ciudad serían cristianos, el mismo Cid residirá en Juballa, pero no modificará en nada ni los fueros de los moros, ni los tributos, ni su sistema de pesas y medidas, ni su moneda» (Horrent, p. 75).

26. *Cf. Primera Crónica general*, cap. 918: mandaba a sus soldados «que fiziersen mucha onrra a los moros».

27. «Es probable que la familia del Cid, mujer e hijas, autorizada desde hacía ya algún tiempo por Alfonso VI a reunirse con Rodrigo, se encuentren ya con él» (Horrent, p. 78). Es casi seguro, por otra parte, que el hijo del Cid, Diego, permanecería en la corte cerca de Alfonso: su muerte en la batalla de Consuegra en 1097 podría confirmarlo así. Noticias suyas cabría esperarlas en aquellas obras que recogieron la historia y la leyenda del Cid (*cf.* Horrent, p. 79). Pero, sin embargo, la *Gesta Roderici* «d'ordinaire si bien informée comment elle aussi une erreur à propos des enfants du Campéador: "Dominam Eximinam neptem suam, Didaci comitis Ouetensis filiam, ei in uxorem dedit, ex qua genuit filios et filias"» (Châlon, p. 26). De ese modo, el desconocimiento que muestra el *Poema* no puede ser ajeno a la circunstancia de que los ámbitos de producción de la leyenda del Cid son principalmente orientales, y justamente el hecho de que Diego Rodríguez pase desapercibido incluso habiendo dejado constancia de su heroicidad («comment expliquer que le poète, s'il eût connu la fin glorieuse de Diego à Consuegra, n'ait pas consacré quelques vers à nous décrire le douleur du père apprenant la part de sou unique fils?», según se interroga Châlon, p. 26) probaría la producción escrita tardía y fuera de ámbitos castellanos de, al menos, parte de la literatura cidiana.

septiembre los cuatro mil jinetes y la numerosa infan-
tería almorávide acampaba en el llano del Cuarte. El Cid,
sitiado, dispuso una celada en el valle a la vez que él,
con sus caballeros, acometía directamente el campamen-
to de Mohámmad. De suerte que si unos (el Cid y sus
caballeros) se dejaban perseguir por los jinetes enemi-
gos que habían salido a repelerlos, los otros aprovecha-
ban el desamparo en que éstos habían dejado su cam-
pamento para asolarlo.[28] *El mandato del Cid sobre Va-*
lencia, que la declaró de su señor Alfonso, vino a realzar-
se después de la última intentona almorávide. Ya estaba,
pues, el Cid libre de la amenaza almorávide; aquel in-
vierno encarceló al cadí Ben Ŷehhaf acusado del asesi-
nato del rey Alcadir y del robo de su tesoro particular.
Una vez que se reconoció convicto del crimen, Ben
Ŷehhaf fue quemado (de acuerdo con las leyes musul-
manas, por las que parece que siempre gobernó el Cid
en Valencia). A mediados de mayo de 1095, como con-
secuencia del endurecimiento del gobierno cristiano,
hubo en Valencia algunos levantamientos a los que el
Cid contestó con cierta vehemencia. La instalación de
los cristianos en la ciudad exigía un paso más: la cris-
tianización de su mezquita mayor, que en 1098 dejaría de
ser iglesia para convertirse en catedral bajo la regencia
del cluniacense francés Jerónimo de Périgord (un agente
más de la romanización y fortalecimiento del poder pa-
pal en la Castilla de Alfonso).[29]

A principios de 1097 aún los almorávides inquieta-
ban, por el sur, los dominios del Cid, quien se procuró
la ayuda de Pedro de Aragón (coronado tras la muerte
de su padre Sancho Ramírez en 1094) para derrotarlos.
Sin embargo, no cabe pasar por alto la derrota que
aquéllos —reagrupados después de las batallas de Con-

28. *Cf. Gesta Roderici;* Horrent, p. 82. El procedimiento es parecido al que utiliza el Cid poético en la toma de Alcocer y Castejón.
29. «Don Jerónimo devint évèque de Salamanque et de Zamora. Il mourut à Salamanque vers 1120» (Châlon, p. 40). Recuérdese que antes de la ocupación del Cid ya existían en Valencia
prelados (*cf.* Châlon, pp. 202-204).

suegra y Cuenca— infringieron en invierno del 97 a un ejército castellano capitaneado por Álvar Fáñez.

En 1098, las preocupaciones familiares llevaron al Cid a casar a sus hijas: a Cristina, la mayor, con el infante Ramírez de Navarra, matrimonio del que nacería García Ramírez, rey de Navarra (1134-1150);[30] y a María, la menor, quizá en segundas nupcias, con Ramón Berenguer III el Grande, conde de Barcelona, con cuya unión se zanjarían las luchas mantenidas entre ambos (suegro y yerno) durante tantos años (muy poco antes, aún en 1098, el conde de Barcelona había auxiliado a los de Murviedro, rebeldes al Campeador).[31] Murió el Cid en Valencia a 10 de junio de 1099.[32]

30. La hija de doña Blanca casó en 1151 con Sancho de Castilla, cuyo hijo fue Alfonso VIII, el de las Navas.
31. Para un matrimonio de María con el infante de Aragón anterior a éste, tal como se canta en el *Poema*, hay que tener presente la hipótesis de Ubieto, 1951, pp. 36-40, basada en la *Primera crónica general* y confirmada, con buenas razones, por Châlon, pp. 32-34.
32. Para los avatares posteriores de la ciudad (que definitivamente perdió doña Jimena en mayo de 1102), véase Menéndez Pidal, *op. cit.*, pp. 578-579. Parece que Valencia estaba destinada a durarle al Cid sólo lo que la vida: incluso en ambientes musulmanes así se creía. Véase lo que dice 'Abd Allāh, último rey zirí de Granada: «Vino luego el asunto de Valencia, en el que no encuentro nada notable que contar, porque un acontecimiento no puede ser bien referido hasta que del todo no termina, lo mismo que un arco no puede tensarse sino agarrándolo por ambos cabos. Gusta narrar una historia cuando está completa, porque así hace buena impresión y sus partes se enlazan con armonía unas a otras. Ahora bien: si dilatase la terminación de esta obra hasta el momento en que se acabe el negocio de Valencia, habría de esperar a que los musulmanes la recobraran, y quedaría este escrito inacabado, aguardando algo cuya consecución está lejos» (*El Siglo XI en 1.ª persona. Las memorias de 'Abd Allāh, último Rey Zirí de Granada destronado por los Almorávides*, trad. de E. Leví-Provençal y Emilio García Gómez, Madrid, 1980, p. 297; *cf.* para este pasaje la explicación de E. Leví-Provençal, «Glanures cidiennes: Lettre à D. Ramón Menéndez Pidal», en *Estudios dedicados a Menéndez Pidal*, I, Madrid, 1950, páginas 465-467).

El *Poema* y la historia cidiana

La enorme distancia que separa la historia del Cid, según los documentos y según los testimonios literarios más primitivos, frente a la lección de la historia posterior (alfonsí, principalmente) y la poesía (desde luego, el Poema) es evidente con sólo comparar el argumento de éste con los acontecimientos resumidos hasta aquí. Uno de los razonamientos claves tanto para los tradicionalistas (Menéndez Pidal a la cabeza) como para los neoindividualistas en la caracterización del Poema era precisamente su contraste con la historia cidiana. Mientras que Menéndez Pidal intenta salvar las concordancias históricas, otros insisten en la enorme diferencia; mientras que los primeros procuran resaltar los mínimos detalles en los que el Poema se muestra coincidente con la historia documentada (a veces hasta en datos calificables de intrahistóricos), los segundos ponen de manifiesto la falta de lógica en la solución poética de los episodios más próximos a la historia e incluso de aquellos completamente inventados. La propia consistencia narrativa del Poema puede sufrir las acometidas de uno y otro enfoque.

El arte de la epopeya es en sí un arte de la reproducción y concentración de datos con el propósito de ofrecer una idea cabal del héroe y de las circunstancias necesarias para su formación. Podría decirse en general que el autor persigue dotar al personaje central de cada virtud acorde con el concepto de héroe que multitud de datos tradicionales, religiosos, etc., han creado. Y ello por medio de una técnica de derivación ejemplar. Sus hechos vienen a ser un ejemplo que enriquece e ilustra convenientemente la imagen del personaje. Ello fuerza al poeta a adoptar una técnica de sincretismo y selección; también a inventar y a adaptar a su personaje el ejemplo correspondiente al paradigma escogido.[33] *Por ello la poe-*

33. *Cf.* Bowra, *La poesía eroica,* I, Florencia, 1979, pp. 151-218.

sía épica medieval no cuenta hechos en tanto que historia, sino datos históricos o legendarios en tanto que
ejemplos de hechos. Es, al cabo, la diferencia que existe entre la historia y la literatura en la edad media.

El arte del sincretismo obliga a quien esté detrás de
la versión conservada del PMC a someter todas las circunstancias a su personaje. Pero la opción creadora de
este poeta permite también configurar de un modo artístico y humano a su héroe. Así, el carácter anónimo y
general de la historia coetánea, que ha servido para es-
bozar esa imagen de Rodrigo Díaz de Vivar político y
guerrero, contrasta con la propia imagen que el poeta
nos propone en los primeros versos del PMC. El Cid, que
abandona sus tierras tras haber sufrido lo que en el derecho medieval se llamaba la ira regia, llora lo perdido
y se lamenta «bien e tan mesurado» (7).[34] El poeta con-
cita la complicidad del lector con la ayuda de la retórica,
enumerando polisindéticamente todo aquello que, perdido, pone al Cid ante las circunstancias de más extrema carencia.[35] La lógica resignación del Cid se lee en los
vv. 8-9.[36] Pero el contraste de personalidad (por tanto, el
contraste artístico) se apunta en la laisse siguiente, en
donde el poeta se permite caracterizar al Cid como dado
al humor y a la ironía: ahí, en efecto, se toma con zum-
ba las buenas nuevas que, de camino hacia el destierro,
parecía augurarle la corneja «siniestra» (véase la nota al
texto).

El centro es el del personaje épico, desde donde se
amplía y se considera el contorno: al suspiro del Cid del
v. 6, a la profesión de fe de los vv. 8-9 y al lento avanzar

34. «La mesura es... condición retórica y calidad del alma,
forma medida según arte y signo espiritual del héroe que, en el
apuro de la honra incierta, pide el auxilio de Dios y se queja sólo
de los "enemigos malos" (v. 9), pero no del Rey, al que sigue teniendo como a Señor» (López Estrada, 1982, p. 115).
35. La enumeración sindética o polisindética, en contra de lo
que piensa Bousoño, no es indicio de primitivismo literario, sino
de madurez retórica. No estaba, por otra parte, excluida de la
épica francesa.
36. López Estrada, pp. 117-118. Para el artículo de Gargano,
véase Bibliografía.

del grupo en los vv. 11-12 sigue la relación del héroe con el más cercano de sus aliados, Álvar Fáñez,[37] y su introducción en otros ámbitos estamentales (la vida burguesa de Burgos y la religiosa del monasterio de San Pedro de Cardeña, según nos ha mostrado Antonio Gargano).[38]

La hostilidad de las gentes de Burgos, por otra parte, empuja al Cid a obrar con ingenio (sapientia): envía allí a Martín Antolínez (a quien por ahora no se le ha encontrado ningún trasunto histórico) a que empeñe un par de arcas atiborradas de «oro esmerado» (en verdad, henchidas de arena) por un puñado de marcos. El episodio en sí, que se recuerda en el «Exemplum XV» de la Disciplina clericalis de Pedro Alfonso, encaja bien en el engranaje de toda la obra: en principio, nos confirma en la inocencia del Cid respecto de las acusaciones de mestureros que lo hacían sospechoso de arrogarse los tributos reales; pero también se nos retarda un tanto el curso de la acción para el acarreo de materia folclórica: el anónimo autor vuelca ahora en el poema sus veleidades dramáticas (Dámaso Alonso, 1946, pp. 97 y 100). Si por Burgos ya corrían hablillas sobre las parias que pudo apropiarse el Campeador, sólo bastaba que el «burgalés complido» las ratificase para culminar con éxito el engaño (cuyo procedimiento se denuncia en las Siete partidas, VII, 19, 9):[39] así, se entiende (y mejor que en los análogos más próximos) que Raquel y Vidas no recelasen en ningún momento del contenido real de las arcas. La función básica, en definitiva, del tal pasaje «es demostrar mediante la técnica muy medieval del ejemplo

---

37. En realidad, Álvar Fáñez no acometió las mismas empresas bélicas que el Cid: aquí el poeta procede, según hemos dicho, con sincretismo también para con los personajes de una época que sobresalieron por su heroicidad. Álvar Fáñez, que fue el mantenedor de la frontera contra Granada, y brazo militar del rey Alfonso, hubo de disfrutar por separado de una leyenda en ambientes castellanos. Véase H. Salvador Martínez, 1975, pp. 345-400, y Colin C. Smith, 1977, pp. 46-47.

38. Véase Bibliografía.

39. *Apud* Menéndez Pidal, 1971, pp. 29-30; Châlon, 1976, p. 198, n. 192, y Miguel Garci-Gómez, 1975, p. 84.

la extrema necesidad y el extremo abandono del héroe. Al inerme y desamparado, sólo las mañas le evitarán sucumbir del todo. El autor había de justificar ante su público la necesidad de las mañas y su legitimidad mediante recursos literarios, o mejor aún, retóricos».[40]

El Cid (mientras *Martín Antolínez* vuelve a *Burgos* para despedirse de los suyos) se dirige al Monasterio de San Pedro de Cardeña, donde con «grant gozo» le «reçiben» (245): convenía, pues, dar instrucciones al abad don Sancho (mala lectura, según sospechan algunos, de un documento legal o histórico que quizá lo daba a conocer como *Sesebutus Abas Sancti Petri karadignae) acerca de la crianza de sus hijas y de la custodia de su mujer. Una vez más el poeta se detiene a amplificar («las fuentes de pensamiento de la* amplificatio —recuérdese con Lausberg— *son los* loci») *un pasaje en concreto: ahora, la separación del héroe y su familia. Doña Jimena viene a poner, por un lado, énfasis lírico en la despedida y, por otro, se siente forzada a procurarle a su marido el amparo de un* Deus ex machina *(confirmado después por la aparición del ángel Gabriel en Figueruela) que le valga en circunstancias adversas (de ahí también la misa de Santa Trinidad; véase nota al* Poema). *Parémonos, no obstante, ante algunas cuestiones que no se dejan resolver con facilidad. El contexto en que aparecen las súplicas épicas recomiendan a P. E. Russell, 1978, pp. 152-153, a descartar en conjunto «las fuentes latinocristianas» u otros modelos que no sean literarios: «Lo que la oración de Jimena y las otras oraciones de súplica en cuestión nos ofrecen no podría ser, pues, una sencilla versión en lengua vernácula de ninguna forma litúrgica o paralitúrgica latina que realmente existiera, sino una forma inventada que, para satisfacer las necesidades de verosimilitud, basándose en reminiscencias de la liturgia (y de otras formas de culto consagradas), intenta transmitir la impresión de que es lo que no es, una auténtica oración» (p. 153). Una «forma inventada» que muy bien pudo fraguarse*

---

40. *Ibid.*, pp. 108-109.

sobre paralelos de la épica francesa («la inhabitual sucesión de hechos en los versos sobre la creación», la alusión a la historia apócrifa de santa Susana y la historia de Longinos así lo atestiguan); pero que, en efecto, no se resiste al acercamiento a «las fuentes bíblicas latinas»: desde «la cuádruple repetición de "salvest" en los principios de verso» (versión vernácula de «las series repetitivas del "salvasti" o el "liberasti" latinos») a los cultismos léxicos «criminal», «monumento», «tus» («los poemas franceses siempre dicen "encens"»), etc. El descenso de Cristo a los infiernos en busca de Adán, los patriarcas y los profetas del Antiguo Testamento, por otro lado, tiene análogos tanto en la épica francesa (Aliscans, vv. 7106-7107, Aiol, vv. 6208-6209, y Huon de Bourdeaux, vv. 1549-1550) como en «los himnos litúrgicos latinos» (PL, LXXIV, col. 921). A la luz, pues, del estudio de P. E. Russell (al fondo el artículo de Scheludko [41]) podemos ganar en perspectiva sobre la naturaleza de la súplica en cuestión.

Volvamos a la ecfrasis del Poema. En breve el Cid dejó Spinaz del Can, Alcobiella, la Calzada de Quinea, Navas de Palos, Figueruela (donde «en visión» profética se le vino el ángel Gabriel) y, entrando en tierra de moros, la Sierra de Miedes; de noche llegó a Castejón y allí, echado en celada, planeó con Álvar Fáñez la toma de la plaza (uno empieza por proponer la estrategia; luego el otro la acepta y acaba por completarla): al amanecer, cuando las gentes de la fortaleza salen para el laboreo de cada día, el Cid aprovecha el hueco para penetrar con cien hombres en la ciudad; al mismo tiempo, y con las espaldas a cubierto, Álvar Fáñez y los suyos («CC.») corren en algara toda la zona hasta Alcalá de Henares y Guadalajara. En tales circunstancias, falto de fuerzas y ganas para enfrentarse al rey Alfonso, y como tampoco había medio de sacarle partido al botín, el Campeador decidió negociar con los moros la venta

41. «Neues über das *Couronnement Luis*», ZFSL, LV (1932), pp. 447-457, y «Über das altfranzösische epische Gebet», *ibid.*, LVIII (1934), pp. 67-86, 171-179.

de «*las grandes ganançias*», *dejándoselas a* «*un precio cuatro veces inferior de su valor real*»,[42] *para largarse en seguida hacia Alcocer, desde cuyo otero lo* «*cueda ganar*» (556): *pero como la ciudad a que puso cerco* «*non se le dava*» (574), *se llevó tras de sí,* «*commo si escapasse de arrancada*» (583), *a los del castillo con el propósito de volver, rodearlos y ocupar la plaza en disputa. Pues bien, la* Historia Roderici *pone un episo- dio remotamente por el estilo del primero en Toledo:* «*in partes Toleti depredans et deuastans terram sarrace- norum*»;[43] *y a falta, por tanto, de una mayor concor- dancia aquí entre* Poema *e* historia *(agravado en el caso de Alcocer por las dificultades de su exacto emplaza- miento geográfico),* Colin C. Smith, *1977, pp. 109-123, y 1983, pp. 151-152, se ha arriesgado a proponer dos fuentes del latín clásico para esos episodios (Castejón y Alco- cer): el* Bellum Iugurthinum *(secciones XC y XCI) de Salustio y los* Strategemata *(II, v. 34) de Frontino. Las semejanzas con Salustio las deja en once puntos (*«*Ma- rio les toma a los partidarios de Yugurta el pueblo de Capsa en Numidia*»): [1] la acampada *(castris... positis: [415]),[44] [2] la invitación de Mario o del Cid a sus hom- bres a que coman *(cibum capere: [421]) antes de salir *cum occasu solis (432) para Capsa o Castejón, [3] la espera allí [5] con todos ellos *(cum omnibus copiis: [436]), ocultos bajo las sombras de la noche *(multo ante lucis adventum: [437]), a que [4] amanezca *(ubi dies coepit: [456]) y a que [6] sus habitantes marchen *(multi oppido egressi), sin ninguna sospecha *(nihil hos-

---

42. Horrent, 1973, p. 338.
43. Menéndez Pidal, *op. cit.*, II, p. 925.
44. En efecto, los hombres del Cid pasan de la acampada de la sierra de Miedes (primera noche) a la de Castejón (segunda noche), desde donde se acercarán a los moros, aunque no tanto para no dejarse ver antes de la acometida; así, los «milites» de Mario sitúan primero un campamento «levi munimento», a con- tinuación caminan durante tres noches y, «dein tertia», arriban «in locum tumultuosum», desde donde correrán Capsa: «ibi- quem occultissume potest cum omnibus copiis opperitur. Sed ubi dies coepit... repente omnem equitatum et cum his uelocis- sumus pedites cursu tendere ad Capsam et portas obsidere iubet...».

tile), *a los campos (461), para* [7] *precipitarse entonces
sobre las respectivas fortalezas* (cursu tendere...: [464ᵇ]),
[8] *el galope, en esa misma acción, del héroe hacia el
pueblo* (ipse intentus propere: [467]), [9] *la desban-
dada de los que quedan fuera* (pars civium extra moe-
nia) *y* [10] *la confusión que padecen los de dentro por
el ataque inesperado* (res trepidae, metus ingens, ma-
lum improvisus: [468] *y* [469]), *finalmente,* [11] *preci-
pitan su entrega al enemigo. A continuación, el profesor inglés añade que el pueblo que colindaba con los
Numidae, los Mauri, contra el cual también la empren-
dieron los romanos, pudo llamar la atención al poeta
del* PMC *y empujarlo, de ese modo, a adaptar uno de
los episodios que ahí se narraban. Châlon 1978, pp. 479-
490, por otra parte, puso todas estas deudas en negati-
vo: si las vemos en su contexto, viene a decir, a duras
penas podremos ratificarlas; y, por ahí, quiso ver a
todo el episodio fraguado sobre la incursión que el Cid
llevó a cabo (en respuesta a la acometida mora contra
Gormaz) por Toledo en el verano del 81 (véase pp. XII y
XXVII de esta misma Introducción).*

*El punto principal de convergencia entre el pasaje
de los* Strategemata *de Frontino y los versos 570-610 del*
PMC *se percibe, según C. Smith, en la tienda de general que dejó Craso «en el mayor de sus campamentos
gemelos»* (manente praetorio in maioribus castris),
*«como ardid que había de indicar una retirada apresu-
rada»* (ut fallerentur hostes, ipse omnes copias eduxit
et in radicibus praedicti montis constituit... ad pugnam
et fuga simulata deduceret...): *«el fizo un art e non lo
detardava: / dexa una tienda fita e las otras levava, /
cojó[s'] salón ayuso la su seña alçada / ... de guisa va
Mio Cid commo si escapasse de arrancada»* (575-577 y
583). *También contempla la posibilidad de que los* bina
castra cominus *que* Craso cum hostium castris vallavit
(«mandó fazer una carcava» [561]) *sugiriese «al poeta
la construcción de defensas semipermanentes y por tanto (equivocadamente, en términos romanos) la esperan-
za de una larga estancia»; y a la vista de* subito acies

Romana adaperta cum clamore procurrit intenta glosar los versos 606-609: «los hombres del Cid que estaban escondidos en la tienda se dirigieron hacia Alcocer...». Pero esa interpretación nos obligaría a tocar «dexando van los delant», pues ahí no encaja bien con el contexto que creyó reconstruir C. S.: tomando «los delant» como «los que están delante», «la vanguardia» (según nos lo atestigua Ian Michael en el Libro de Alexandre, *74c) se esclarecen las posibles oscuridades que pudieran suscitarse en el tal pasaje (una parte de la tropa del Cid se adelanta para allanar obstáculos en la toma final de Alcocer).[45] Châlon, 1976, pp. 173-174, vuelve a insistir en las reminiscencias históricas: que la* sapientia *del Cid se recuerda aquí en el llano del Cuarte, donde el Campeador hacía llegar al grueso del ejército africano que le puso en sitio «frecuentes noticias de los socorros pedidos» a Alfonso VI y a Pedro de Aragón (véase pp. XVIII-XX de esta Introducción) para, así, avivar los ánimos de los suyos e infundir recelo en los del enemigo. Por las tácticas militares a que recurre el Cid en estos dos episodios, A. Ubieto, 1973, pp. 56-63, vio la manera de retrasar el* terminus ad quem *del* Poema: *las estrategias en cuestión parece que no llegaron a practicarse en la Edad Media antes de la batalla de Alarcos (1195). Pero, al fin y a la postre, en ellas se viene a realzar la «sapientia» aliada de la «fortitudo» en la figura del Cid: como en Alejandro, como en tantos hombres con igual destino épico...*

Prosigamos. Ya al rey Tamín[46] habían anunciado la brillante actividad bélica desplegada por el Cid en Alcocer: pero pronto llegaron allí (enviados por el mismo Tamín) los generales Fáriz y Galve (faltos también de trasuntos históricos; no, sin embargo, de análogos topográficos[47]) al mando de «Tres mill moros» (643) y en

---

45. Hook, «Pedro Bermúdez and Cid's Standard», *Neophilologus*, LXIII (1979), pp. 45-53, ha añadido la deuda del poeta para con César, *De Bello Gallico*, IV, 25.

46. Véase nota al texto.

47. «Dado el juego poético que verifica esta pareja, Fáriz y Galve resultan ser un caso más del formulismo de la duplicidad

seguida pusieron cerco al Cid. El Campeador y Minaya optaron, finalmente, por atacar con sólo seiscientos hombres las nutridas huestes moras: los cristianos lanzaron las campanas de júbilo con ocasión de la victoria de Rodrigo Díaz de Vivar sobre Fáriz y de Martín Antolínez sobre Galve. Con miras a pagar a sus vasallos y a dejar la tierra «angosta e sobeiana de mala» (838), el Cid vendió Alcocer a los moros «por tres mill marchos de plata» (845). Poco antes había mandado a Álvar Fáñez a Castilla con un presente para el rey Alfonso. «Luego se interna más en país musulmán, haciendo tributario suyo toda la región desde Teruel a Zaragoza.» El desterrado corrió también las tierras que estaban bajo la protección del conde de Barcelona (964): don Remont, ofendido, lo alcanzó en el pinar de Tévar; por el tono del mensajero que le mandó, el «salido» vio claro que el conde le emplazaba a la lid allí mismo: con todo, «vencido á esta batalla el que en buen ora nasco; / al conde don Remont a presón le an tomado» (1008-1009); «Hí», en fin, «gañó a Colada, que más vale de mill marcos de plata» (1010). El Cid entonces buscó el modo de contentar al conde agasajándole con una buena comida; pero don Remont, dolido, la rehusó: y sólo se dejó convencer cuando tuvo por cierto que el castellano le pondría en seguida en libertad. Menéndez Pidal, 1969, I, p. 382, se detuvo en algunos detalles minúsculos del Poema (vv. 986-1004) que le llevaban a la Historia Roderici («Quod autem perspiciens Rodericus, dentibus suis cepit fremere, et militibus suis loricas statim iussit induere, et acies contra aduersarios uiriliter preparare») y, por ahí, posiblemente «a una fuente común», a un «cantar noticiero que podía ser latino o romance». Así, C. Smith, 1983, pp. 145-146, se complace en mostrar que cuando el conde le escribe por carta

---

que venimos encontrando testimonios de su existencia, al menos plausibles. A. Ubieto (1972, pp. 133-134) ha propuesto los topónimos Galve (villa de Teruel y otra de Guadalajara) y Fáriz(a) = = Ariza en Zaragoza, como origen de estos nombres» (López Estrada, p. 162).

al Cid, en la Historia Roderici, *«Antea nobis feceras
quam plures iniurias...» o (añadimos) «Peccuniam nos-
tras quam nobis abstulisti...» está de acuerdo con la
versión del* Poema *(961-965 y 979-981), y que en conjunto
las epístolas que se dirigen ambos en la* Historia *parecen evocarse en las palabras que se cruzan en el* Poema
*a través de un mensajero. Más en concreto: del mismo
modo que el «ilico illiuerunt in eos» pudo pasar al*
Poema *en el verso 992 («Ellos vienen cuesta yuso»), así
el «foris extra tentoria eum custodiri a militibus suis
iussit» pudo insinuar al poeta los versos 1012-1013 («priso lo al conde, pora su tie[nd]a lo levava, / a sos creenderos guardar lo mandava»). Pero todo ello para con-
cluir algo harto distinto que «una fuente» en «común»:
que «todo este material [añade además los posibles documentos depositados en el archivo cidiano de Sala-
manca], con un desarrollo retórico, le bastó al poeta
para su narración» y «entonces [éste] amplió el relato
de la* Historia *de una manera dramática e imaginati-
va».[48] Si bien en la* Historia *se alude a la comida («vic-
tualia») que ofreció el Cid, allí, empero, ya no viene la
referencia a «la huelga de hambre» del conde: recientemente Ivy A. Corfis, 1984, pp. 169-177, ha visto en el
ofrecimiento del Cid una reminiscencia de las costumbres legales francesas (en las* Coutumes de Beauvaisis
*se tiene al «manger» por un gesto simbólico de paz). An-
tes, Miguel Garci-Gómez, 1975, pp. 113-132, había con-
templado, dentro de la tradición «biblicocristiana» y
de los romances artúricos, el ayuno del conde como un
«medio de coerción para obtener» alguna cosa. En
cualquier caso, el poeta ha vuelto de nuevo al despliegue
de la* amplificatio *en un pasaje de raigambre histórica.*

*El Cid pronto, con las conquistas de «Xérica», «On-
da», «Almenar», «las tierras de Boriana» y «Murviedro», se hizo acreedor del máximo respeto por parte de
los valencianos: tanto que éstos decidieron ir a com-
batirlo en Murviedro. Pero el Campeador y los suyos*

48. Colin C. Smith, 1983, p. 146.

les obligaron a regresar a Valencia, en cuya persecución se quedaron además con Cebolla. Durante tres años los hombres del Cid se dedicaron a asegurarse, desde Murviedro, una buena posición en la zona para emprenderla en seguida contra Valencia: a ese propósito, convocó a las gentes de Castilla, Aragón y Navarra deseosas de participar en la tal empresa de allí a tres días en el canal de «Celfa». Transcurrido el plazo, el Cid «non lo quiso detardar» (1202) y así puso en jaque a la ciudad durante nueve meses; «quando vino el dezeno oviérongela a dar» (1210): la nueva conquista estaba destinada a durarle lo que la vida. El rey moro de Sevilla, a quien habían llegado las dolorosas noticias de la pérdida de Valencia, emprendió viaje hacia la ciudad y en su «uerta» hizo lo que pudo por recobrarla: sin embargo, «arrancólos Myo Çid el de la luenga barba» (1226). De todos estos episodios, en fin, el poeta sólo se para en el de la defensa de Murviedro (ahí el Cid invoca al «Padre spiritual», arenga a sus soldados y se muestra conforme con la táctica que le propone Álvar Fáñez etc., etc.) y pasa muy fugazmente por el de la conquista de Valencia. Es en extremo llamativo que precisamente el pasaje de la toma de Murviedro, según la cronología de la Historia Roderici, vaya allí traspuesto: en un caso el anónimo autor amplifica y en el otro abrevia.[49]

El Cid recapitula los pasos por donde le ha traído la fortuna, manda poner por escrito el número de hombres que están en su compañía y que con él «ganaron algo» (1258) y decide enviar a Álvar Fáñez a Castilla con cien caballos para su «señor natural» (1272) y con el propósito de que le procure, pidiéndoselo al rey, la venida de su mujer e hijas a «estas tierras estrañas» (1281). En esto, llegó de Francia el obispo don Jerónimo, a quien se le ofreció el obispado de Valencia. Hacia Castilla, pues, salió Álvar Fáñez, portador además de «mill marcos de plata» (1285) para el monasterio de

49. *Cf.* Colin C. Smith, 1983, pp. 146-148.

San Pedro; en Carrión, en efecto, se hallaba el rey, donde Minaya pudo entregarle el presente del Cid: allí el monarca castellano tuvo ocasión para mostrar su magnanimidad (pues no sólo condescendió a los ruegos del Campeador, sino que además le restituyó todas sus propiedades), Garçi Ordóñez para exhibir su envidia y los infantes de Carrión para dar suelta a su codicia (en un aparte dramático consideraron la posibilidad de contraer matrimonio con las hijas del Cid). Poco después Minaya entró en San Pedro de Cardeña, donde dio cuenta a Jimena de los planes de su marido y desde donde envió a tres caballeros al Cid anunciándole su llegada para dentro de quince días. Tras despedirse del abad don Sancho (y antes de Raquel y Vidas)˙ partió del monasterio en compañía de la mujer e hijas del Cid y con cuarenta y cinco caballeros más que se le sumaron allí. En cinco días se presentaron en Medina; entretanto, el Cid había enviado a Muño Gustioz, Pero Vermuez, Martín Antolínez y el obispo don Jerónimo a que, con el moro Abengalvón, «amigo de paz» del Campeador, fueran para allá a recogerlos y luego escoltarlos hasta Valencia. Abengalvón, de regreso, los acogió en su Molina; y, a la mañana siguiente, con grandes precauciones y mucha pompa los recibió el Cid en Valencia.

Se ha sentido la necesidad, por una parte, de justificar aquí la presencia de este moro, del que nada dice la Historia Roderici y cuyo testimonio («Abencanon o Abencanho») en el Fuero de Molina (o en un manuscrito de Al-Bayān Al-Mugrib) ha hecho sospechar que «el último rey de Molina» sea, en efecto, alguno «llamado Abengalvón»: Lacarra, 1980, pp. 200-201, ha llegado a creer que se le puso en el Poema por alusión a la familia de Lara, que en tiempos del autor tuvo el señorío de Molina y que en 1164 había padecido la infamia de un Beni-Gómez. «Esto explicaría la presencia del alcaide en el PMC, su relación con los infantes de Carrión, la exageración de los elogios concedidos al moro y la maldad a los infantes» (p. 201). Pero más allá de *cualquier reconocimiento histórico del personaje (también M. Pidal, p. 1212, le encontró un trasunto histórico en un pasaje de Aben Alathir), se nos impone el recuerdo (por el Romancero, primero, y el Abencerraje, después) de un tipo literario: las excelencias de un rey moro, cuya nobleza y lealtad sobresalen aquí por la negación de esos mismos atributos en los infantes de Carrión (cf. López Estrada, 1982, pp. 165-166, y C. Smith, 1983, pp. 101-102). Cierto, todo el pasaje sabe más a literatura que a historia: la tirada 85, por ejemplo, suena a cantar lírico (como muchas de las invocaciones del Cid al Padre Espiritual) por el engarce en paralelo de sus versos («A Myo Çid, el que en buen ora nasco, / dentro a Valencia liévanle el mandado. / Alegre fue Myo Çid que nunqua más nin tanto, / ca de lo que más amava yal' viene mandado...»); en la 87, suerte de plegaria familiar en agradecimiento al Señor, todos los allí presentes concentran su atención en las mujeres, que, descritas según convenciones cortesanas con una sinécdoque propiamente trovadoresca («ojos bellidos» recuerdan, en un contexto semejante, «li occhi belli» de Dante), admiran la hermosura de Valencia, contemplan la huerta y entrevén el mar: lo conquistado, en definitiva, y el peligro que les acecha de «alent partes del mar» (1620). El paso, pues, del destino lírico del héroe a su destino épico está perfectamente trabado.*

En efecto, el rey Yuçef de Marruecos entró en el mar «con L vezes mill de armas» ([1625]: «Numerus autem illorum erat quasi C. L. milia militum», según trae la Historia[50]), llegó a Valencia y aposentó allí a sus gentes: pese al temor de doña Jimena y sus hijas por las tiendas que alcanzaron a ver desde el alcázar y por los «atamores» que llegaron a escuchar al amanecer, los hombres del Cid arremetieron contra la primera escaramuza de los moros, matando «quinientos...

---

50. «Quizá la C numeral sería abreviatura de "circa", y quedarían 50 000 caballeros, cifra igual que la del *Poema del Cid*, verso 1626, y de la *Prim. Crón.*, 596a» (Menéndez Pidal, *op. cit.*, II, p. 961, en nota).

dellos» (1678); [51] al día siguiente, y según acordaron
por consejo de Minaya, los «quatro mill menos XXX»
soldados de don Rodrigo «dieron salto» de Valencia
para habérselas con cincuenta mil moros, al tiempo
que Álvar Fáñez atacaba con «CXXX cavalleros» (1695)
«del otro cabo» (1720): en la lid no se escabulleron «más
de çiento e quatro» (1735) de los «L Mill» que se trajo
Yuçef. Desde luego, el recuento de los despojos de tan
lucida victoria nos liga el episodio (por lo menos, ahí)
a la Historia Roderici: así, el «entre oro e plata fallaron
tres mill marcos» (1737) se aplica bien a «innumera-
bíles peccunias auri et argenti» (962.13) o «entre tiendas e armas e vestidos preçiados» (1774) a «tentoria»
(962.12), «diuersis armorum generibus» (962.17) y «ués-
tibus preciosissimis» (962.16) respectivamente. Etc., etc.
Aunque el pasaje en conjunto remite al éxito del Cid
sobre los almorávides en el Cuarte: según Ben Alcama
y la Historia Roderici, el rey quedó allí y envió aquí a
su sobrino («a son neveu l'emir Abu Abd Allah... qui
était le fils du frère utérin...» o «sororis sue filium»)
Muhammād (véase pp. XVIII-XX de la Introducción).[52]
Las cartas que, por otro lado, dirigió Yúçuf al Cid invi-
tándole, con intimidación, a que dejase las tierras de Valencia datan de 1093, antes de que Valencia se rindiera al
Cid en junio del 94.

Pues bien: por tercera vez el Campeador manda a

---

51. «Sin embargo, la verosimilitud de las cifras cede en lo que
se refiere al número de los combatientes en las lides campales; si bien las cifras de los guerreros del Cid se mantienen dentro de un límite creíble en cuanto al crecimiento de sus mesnadas, sus oponentes moros en la campaña de Valencia ofrecen un
número desmesurado: así ocurre con los 50 000 moros de Yuçef
que combaten con los 3 970 hombres del Cid (v. 1718), o con las
50 000 tiendas caudales que los de Búcar sitúan frente a Valencia (v. 2313). Esto resulta justificado, desde un punto de vista literario, porque así ocurre en los poemas de la épica medieval,
pero, por otra parte, existe el pormenor significativo de que el
poeta calle las bajas de los cristianos, como indicó J. Fradejas
(1962, 41-43), estableciendo así una imagen propagandística de la
lucha con el moro que anime a los cristianos de los Reinos his-
pánicos a proseguir unos combates en los que puedan ganar
riquezas y honores» (López Estrada, 1982, p. 245).
52. Menéndez Pidal, *op. cit.*, II, pp. 898 y 961.

*Álvar Fáñez, ahora con Pero Vermuez, a Castilla con
los doscientos caballos que le correspondían del botín
(cuya quinta parte «en circunstancias normales» se des-
tinaba al rey) para su señor Alfonso VI. En tierras castellanas, los vasallos del Cid ofrecieron la «presentaia»
al rey; a instancias de los propios infantes de Carrión,
el monarca decidió premiar la lealtad de don Rodrigo
casando a sus hijas con Diego y Fernando: con tales
propósitos, y para otorgarle el perdón, convocó a su
vasallo en exilio a vistas (véase la nota al texto) «do él
dixere» (1912). Y así se lo transmitió Minaya: a regañadientes, el Cid consiente en el casamiento de sus hijas
con los infantes de Carrión, «mas pues lo conseia él
[el rey] que más vale que nós» (1940) Mediante correo
ambos se emplazan sobre las aguas del Tajo corrido el
término de tres semanas: donde fuera, al fin el Campeador recobró la gracia de su señor y dejó que el monarca casara a sus hijas «don Elvira e doña Sol» (2075) con
los infantes en cuestión. Y tras regalarse recíproca hospitalidad, el Cid partió hacia Valencia en compañia de
sus futuros yernos: los festejos de las bodas duraron allí
quince días. En cuanto a los nombres de las hijas de
nuestro héroe, Menéndez Pidal estudió la manera de salvar las discordancias entre* Poema *e* historia: *el recurso
al sobrenombre cariñoso explica, sí, el doblete* Sol-Maria
(poema e historia*); pero no, en cambio, el de* Elvira-Cris-
tina: *cierto que podría darse el caso de que el poeta hu-
biese retenido el nombre de Elvira, que «corresponde a
una tatarabuela por parte de madre, la mujer del rey de
León Alfonso V», «en detrimento del de Cristina», que
«es el de su abuela materna, casada con don Diego, conde de Oviedo».[53] Los pormenores jurídicos de la boda
(esponsales y casamiento,* traditio *y* traditu in mano)
los han apreciado cierto linaje de estudiosos.[54]

Y pasaron dos años de felicidad...

53. Jules Horrent, 1973, p. 305.
54. E. de Hinojosa, «El derecho en el *Poema del Cid*», en
Homenaje a Menéndez y Pelayo, Madrid, 1899, I, pp. 541-581 (reim-
presión en *Obras Completas*. Madrid, 1948, I, pp. 183-215); Châlon,
1976, pp. 139-152, y Lacarra, 1980, pp. 53-65.

Hasta que un día cualquiera el león se fugó de la red; mientras «durmie el Campeador» (2280), los infantes buscaron por separado lugar donde ponerse a salvo: «Ferrán Gonçález», por una parte, «metiós' so'l escaño tanto ovo el pavor» y «Diego Gonçález», por otra, «Tras una viga lagar metios'» también «con grant pavor». En esto, despertó el Campeador, «fincó el cobdo, en pie se levantó», tomó al león por el cuello y «en la red le metió» (2296-2301). Justamente se trataba de encontrar alguna causa que nos condujera a la «afrenta de Corpes» y, por ahí, al riepto final: el poeta, al fin y al cabo, halla ocasión estructural para cada uno de los escarceos de su fantasía.[55]

De nuevo, en el episodio de Búcar, los infantes vuelven a labrarse otro ridículo entre los hombres del Cid: don Rodrigo, que supo de la contada osadía de sus yernos por Muño Gustioz, les invitó a que quedasen en Valencia holgando «a todo vuestro sabor» (2335). En la batalla, el obispo don Jerónimo dio cuenta, al iniciar la acometida, de siete moros; luego, el Cid abatió a otros siete y mató a cuatro; y en breve el Campeador y los suyos cayeron sobre el campamento enemigo: el Cid, en concreto, se fue tras Búcar, a quien traspasó con su Colada. Allí, pues, «ganó a Tizón» (2426) y «Venció la batalla maravillosa e grant» (2427). Con todo, el Campeador veló por el buen renombre de los infantes en tierras de Castilla; pero quizá con demasiada insistencia (vv. 2443-2446 y vv. 2479-2481) como para tomárselo en serio. Como fuere, los infantes maquinaron pronto la venganza (el episodio del león les había calentado su

55. Lacarra, 1960, pp. 84-86. Ahora el *Poema* inicia uno de los pasajes más ajenos a la realidad y más necesariamente suscitados para enriquecer las facetas y las habilidades del Cid como héroe y como sabio. Parece que el autor acumula elementos retóricos y literarios (como el tópico que se enuncia en los vv. 2699-2700), con un itinerario oscuro y evocador: Montes Claros, Griza, poblada por Alamos (nombre propio de origen ciertamente oriental; véanse las notas al texto), el que encerró a Elpha en unas cuevas, y el robledal de Corpes, donde tiene lugar uno de los episodios más novelescos del *PMC*, bien arropado con este aislamiento literario y retórico.

*sangre hidalga: 2548-2550, 2556, etc.): pedirían prime-
ro al Cid que les dejase marchar a Carrión en compañía
de sus mujeres con objeto de escarnecerlas luego en el
camino. A cambio de las tierras de Carrión que los infantes daban en arras a sus respectivas consortes, el Cid les
ofreció una buena dote: tres mil marcos, mulas, pala-
frenes y caballos, numerosas vestiduras y dos espadas,
Colada y Tizón. Pero como el Campeador no veía claro,
por los agüeros, en qué pararían esos matrimonios (desde luego, en nada bueno), quiso que Félez Muñoz fuera
con ellos: en principio, y acogidos a la hospitalidad de
Abengalvón, que debía acompañarlos hasta Medina, los
infantes estudiaron por qué camino darían muerte al
moro para hacerse con «quanta riqiza tiene» (por
fortuna, fueron oídos y en seguida abandonados en An-
sarera); y en Robredo de Corpes,[56] en soledad, dieron
cima a su venganza (por lo del león, se recuerda casi en
estribillo): corrieron allí a golpes a las hijas del Cid
con sus «çinchas» y «espuelas» hasta quitarles el sentido. Cumplido el ultraje, los infantes las dejaron «por
muertas... en el robredo de Corpes» (2748). Félez Muñoz, por otro lado, que a regañadientes había condes-
cendido a que los infantes se apartaran de ellos para
pasar la noche en trato íntimo con sus mujeres, y como
no se fiaba un pelo de sus primos, se fue para allá: primero vio venir a Diego y a Fernando, luego halló a*

---

56. Para el itinerario de Robredo de Corpes, véase Menéndez
Pidal, 1956, pp. 50-61, e Ian Michael, «Geographical Problems in
the *Poema de Mio Cid*. II. The Corpes route», en *«Mio Cid» Studies*, ed. A. D. Deyermond, Londres, 1977, pp. 83-89. El pasaje
en sí de la Afrenta de Corpes, tan atinadamente evaluado por
Dámaso Alonso 1972, se presenta —según vamos viendo— como
uno de los más elaborados del *Poema*: se individualiza hasta
el extremo novelístico la espontaneidad de Félez Muñoz, se enriquece con suspense antes insospechado la situación patética
de las mujeres vilipendiadas y heridas, se expresa como nunca
la debilidad humana en personajes que, como la épica quiere
y según ocurre por lo general en el *Poema*, deberían ser asép-
ticos e impertérritos. Más que diferencias de concepción literaria, que ha obligado a algunos a pensar en un autor distinto para esta parte, cabe suponer una enorme capacidad se-
lectiva en el poeta, capaz de conjuntar diversos mundos literarios (véanse las notas al texto y Deyermond-Hook, 1981-1982).

sus primas amortecidas e intentó «tornarlas» en sí para inmediatamente llevarlas a la «torre de don Urraca» (2812), y de allí a San Esteban, donde las acogería Diego Téllez.[57] La noticia, que ya había presentido, no llegó a hacer demasiada mella en el Cid: «Puede que nos parezca que don Rodrigo reacciona ante la afrenta de Corpes de una manera en exceso legalista, pero así conviene a su figura de varón maduro» (López Estrada, 1982, p. 138). El Campeador, en el fondo, era consciente de que la responsabilidad de la afrenta había que cargarla a la cuenta del monarca: «Él casó mis fijas, ca non ge las di yo» (2908); y, en efecto, al invicto castellano le asistía la ley. A tales efectos, envió a Muño Gustioz a que concertase con el rey Cortes, donde enjugar el oprobio de sus enemigos: en Toledo le emplazó transcurrido el término de siete semanas. La amplificatio, digamos de paso, o demora de los preámbulos y de las mismas Cortes de Toledo han desaconsejado cualquier identificación histórica del pasaje. Allí el Cid exhibió una vez más su sapiencia: en principio, y por partes, reclamó a los infantes la dote; luego, exigió la reparación de su honor mediante «rieptos»; el Conde don García defendió la bondad de la conducta de los infantes aludiendo al matrimonio de barraganía: como tal manera de enlace, según los fueros municipales, no tenía el consentimiento de la Iglesia, «Derecho fizieron por que las han dexadas» (3279); y el Cid, en respuesta, se refirió a la nobleza caballeresca «recordándole al Conde su prisión en Cabra». Hacia esos puntos, pues, enfocan su batalla dialéctica: si unos alegan en su defensa la estirpe a que pertenecen, los otros, en cambio, acuden a aquellos episodios (la fuga del león y la batalla contra el rey Búcar) en que las obras de los infantes parecían desmentirla. Por ahí, cada uno de los parientes de don Rodrigo, cuando finaliza su parlamento, reta a su adversario: así,

57. «Menéndez Pidal... insiste en lo que significa este hecho de que un personaje marginal en un episodio ficticio aparezca encomendado a un caballero del que hay testimonios históricos que estuvo efectivamente en alguna relación con Álvar Fáñez» (López Estrada, 1982, pp. 146-147).

Pero Vermuez a Fernando González, Martín Antolínez a
Diego Gonçález y Muño Gustioz a Asur Gonçález. En
esto, entraron en la Corte dos caballeros, Oiarra y Yénego
Siménez, enviados de los infantes de Navarra y Aragón,
a solicitar del Cid la mano de sus hijas para «reinas de
Navarra e de Aragón» (3400); el Campeador lo dejó a la
voluntad del rey, quien otorgó a los infantes tales casamientos. En las vegas de Carrión, los infantes quedaron
por traidores: cada uno de ellos se rindió ante la inmi-
nente amenaza de la espada de su adversario. «Las hijas
del Cid» finalmente celebraron «su segundo matrimonio,
mucho más honroso que el primero, pues por él los Reyes de España se hicieron parientes del héroe de Vivar».
El Campeador, según el Poema, dejó el siglo «el día de
çinquaesma» (3726).

Menéndez Pidal, 1962, pp. 140-144, ha intentado reconstruir el episodio de la «Afrenta de Corpes» con las
briznas que quedaron del pasaje en la Historia Roderici
latina y en los romanceamientos de la misma incluidos
en la Crónica de Veinte Reyes y en la Crónica de 1344:
la Historia y el PMC, en definitiva, coinciden en los malos tratos (aunque de muy distinta naturaleza) a que so-
meten en ambos casos a las hijas del Cid, en el origen
de los agravios contra el Cid («Castellani invidentes»),
en el lugar donde padecen el oprobio (el Castillo de Gormaz), en la ida inmediata de las hijas a Valencia y en el
envío de un caballero suyo a «presentar al rey queja ante
sus enemigos». Horrent, 1973, pp. 284-296, puso esas coincidencias en cuarentena: «Pero los que se dejan convencer por la hábil tesis de la sucesividad de los incidentes
relatados por uno y otro texto, terminan también por no
ceder a la seducción de la tesis, al darse cuenta de que
al menos una de las diferencias excluye la conjunción
de las dos tradiciones: las personas participantes en tales
incidentes, las hijas del Cid en la tradición poética y Jimena y sus hijos [hijas e hijo] en la tradición historiográfica, la cual no impone el peso de su autoridad sobre
aquélla.» (Para los paralelos literarios véase la nota al
texto.) Y podríamos seguir manteniendo ese ten con

ten entre la historia y el Poema en otros episodios, pero parece necesario remitirlo a las notas al texto.

Fecha y polémica sobre el autor

Los datos que aparecen en el explicit *nos plantean numerosos problemas a cuya solución se han aplicado con irreconciliable tenacidad los estudiosos del PMC. Baste ahora sólo la referencia a los ejemplos más ilustres. Así, Menéndez Pidal remonta la única copia conservada del poema (compuesto h. 1140) al año 1307 de nuestra cruz (era: 1345) según le apuntaban las indagaciones paleográficas de Léopold Delisle y A. Paz y Mélia y a costa de conjeturar en el blanco del* explicit *una tercera* C *que alguien habría raspado con intenciones arcaizantes. En cuanto al copista, no se arriesga a señalar a ningún «Per Abbat» en concreto (sólo sospecha de «Abbat» sea apellido y no título eclesiástico, pues de darse este caso «debiera ir seguido de la mención del convento»). Pero ya tardíamente el propio Menéndez Pidal se decidió a resolver ciertas contradicciones (geográficas e históricas) en el PMC mediante el recurso a la doble autoría: en fin, «que hubo un poeta de San Esteban bastante antiguo, buen conocedor de los tiempos pasados, el cual poetizaba [por allá 1110] muy cerca de la realidad histórica; y hubo un poeta de Medina, más tardío, muy extraño a los hechos acaecidos en tiempos del Cid, y que por eso poetizaba [refundiendo y aumentando la primera versión hacia 1140] más libremente».*[58] *Pese a la convicción de la pluma suspectamente juglaresca que urdió el PMC,*[59] *el ilustre maestro se decanta por la transmi-*

---

58. Menéndez Pidal, 1962, p. 121.
59. «Más adelante, Menéndez Pidal estimó que era necesario establecer una mayor precisión en su teoría del poeta-juglar; así que cuando indicó que el *PC* fue compuesto por un juglar, precisó al mismo tiempo que "al hablar de juglares en el siglo XII, no quiero decir sino 'poetas que escriben para legos', pero 'no poetas indoctos, desconocedores de la literatura latina'" ("Cuestiones de método histórico", en *Castilla, la tradición y el idioma,*

sión escrita del único códice que nos ha transcrito el texto: la lesa métrica (tan ostentosa infidelidad es impro-
pia de la memoria de un juglar) y la escasa probidad
poética en la modernización de los asonantes así parecen confirmárselo.

Por otra parte, Jules Horrent también hace (por la
identificación semántica de escriuir con copiar) de «Per
Abbat» mero amanuense y entiende la raspadura en cuestión propósito de enmienda de un copista —sea o no
«Per Abbat»— del XIV, que distraídamente habría remitido el manuscrito a su centuria; y, por ahí, da casi por
seguro que el códice conservado date del siglo XIV y que
éste «haya sido copiado de un modelo de 1207, el cual
no representaba el poema en su primer estado», si bien
«es imposible precisar si tal modelo se trataba de una
simple copia sin originalidad narrativa, o de una refundición en la que el relato habría sufrido ciertas innova-
ciones».[60] Pero en otro estudio, el llorado maestro belga
apuró ese par de sugerencias: allí nos sitúa la primera
versión del poema alrededor de 1120 (veinte años después de la muerte del Cid), una segunda entre 1140 y
1150 y una «Nueva refundición después de 1160, ador-
nada con "modernismos", en el reinado de Alfonso VIII,
el primer rey de Castilla que desciende del héroe castellano por excelencia».[61]

Las observaciones de A. Ubieto Arteta —algunas de
las cuales están en consonancia con las de Horrent—
abonaban ya las de Colin Smith, cuando en 1957 decía

Buenos Aires, 1945, p. 80). El poeta, pues, conocía de algún modo
la técnica literaria adecuada para la composición de estos Poemas como parte de su formación cultural; "entiéndase juglar
docto y altísimo poeta", aclara poco después Menéndez Pidal
(ídem, 92), y de su "oficio" de poeta procede su conocimiento
de la literatura de la época... Menéndez Pidal, por otra parte,
señala con ejemplos que la comunicación entre "clérigos" y "juglares" pudo establecerse en una misma persona: "Era siempre
fácil el paso del juglar al clérigo, y viceversa..." (*Poesía juglaresca
y orígenes de las literaturas románicas*, Madrid, 1924; 1957, p. 30).»
(López Estrada, p. 30).

    60. Jules Horrent, 1973, p. 206 («Crítica textual...»).
    61. Jules Horrent, 1973, p. 310 («Tradición poética...»).

bien a las claras que «pudo existir un PMC escrito en
1140, y aun antes de 1128, pero es evidente que sufrió
refundiciones...» [cosa en la que no cree C. Smith]. «La
fecha de mayo de 1207 dada por el PMC en sus últimos
versos nos está dando con precisión el momento en que
un refundidor del viejo poema la actualiza» (con que Per
Abbat refunde en 1207 el PMC). Finalmente C. Smith
(con el apoyo de Russell y Pattison) fecha el poema en
los primeros años del siglo XIII y, a tales efectos, nos
sugiere algunos casos (el Poema de Alfonso XI, la Reve-
lación de un ermitaño y el colofón del Libro de Alexandre) en que escriuir vale por «componer» (si por tal —nos
argumenta el profesor inglés— lo tuvieron Menéndez
Pidal y Ian Michael en el LA, ¿a qué viene desmentirlo
en nuestro poema?). Aún más: la salvación que parece
reclamarse en el v. 3731 (pero los copistas no sólo dejaban ir en la Edad Media un Laus Deo o un Laus tibi
Christe) le confirmaban en sus intenciones de adjudicar
la obra a «Per Abbat». Así las cosas, se fue tras la pista de un «Per Abbat» en contacto con la leyenda cidiana a comienzos del siglo XIII. En principio, el texto
del «Apócrifo del Abad Lecenio» reproducido en La
España del Cid (I, 840-844) le llevaba tan fácilmente
a 1075 como a 1145-1153; pero sobre todo a 1222-1223,
momento en que un tal Pedro Abad (natural) de Santa Eugenia pleitea con el Abad de Aguilar, don Miguel, y ante la presencia del rey Fernando III, sobre los
intereses del monasterio de la localidad recién aludida. Es el caso que este candidato para autor del PMC
perdió el pleito por alegar ahí unas cartas falsas y el
mencionado documento (también con toda la pinta de
ser espúreo) en que se donaba el monasterio al Campeador («domno Roderico Diaz Campeatori») y a su pariente
Lecenio. Sólo con echarle un vistazo a ese diploma comprueba en seguida que en la lista de los dieciocho confirmantes laicos se colaron diez personajes relacionados
con la historia y la leyenda del Cid; luego, «este falsifi-
cador —Per Abad— ¿habría utilizado estos mismos materiales, algunos años antes (1207), para componer la ver-

sión existente del PMC?» (1977, p. 33). El C. Smith de The
making of the «Poema de mio Cid» (1983, pp. 67-72) da
unos cuantos pasos más allá en la hipótesis en cuestión y
otras tantas vueltas sobre los problemas léxicos de la
palabra escrivir. Imagina en ese trabajo a un «Per Abbat»
jurista, acompañado de sus hijos, Juan y Pedro, también del oficio, y nacido entre 1170 y 1175. Con tal base,
advierte en el uso de escrivir la versión vernácula del
verso latino scripsit al que recurrían los notarios para
acabar sus diplomas; y, a su vez, los pormenores de fe-
char el Poema por el mes y por el año también se le antoja reminiscencia de un hábito notarial.[62] Y a pocas páginas de ahí (de la 75 a la 86) recapitula y afina —en
compañía de M. E. Lacarra— su conjetura: se atiene
ahora al texto en sí (los aspectos legales que el poeta vis-
lumbra en la mayoría de los actos humanos, la vida con-
dicionada por la ira o gracia del rey, el «duelo final», etc.,
etc.) y a sus relaciones con el falso diploma (el «ó dizen
Casteión» le suena a «ubi vocitant Villanova» o a «ubi
dicent Felgario»; el «Minaya Alvar Fáñez que Çorita mandó» a «comes Petrus Asuriz mandante Saldania», y el
epíteto «el Castellano» referido al Cid a «Ruderico Didaz

62. En el plano de las nuevas sugerencias Colin C. Smith nos
allega ahí los testigos de Dámaso Alonso (Argote de Molina y
Ortiz de Zúñiga) a cuento de unas tierras que se dieron, en el
repartimento de la ciudad de Sevilla tras su conquista en 1248,
a un tal «Domingo Abad de los Romances... cauallero de la criación del santo rey don Fernando» y a «Nicolas de los Romances...
de la criación del Rei don Alfonso» (probablemente hijo del último, a quien el rey pagó «por las trobas que le fizo para cantar
en la su fiesta de San Clemente o de San Leandro, etc.»). Si en
la época valía decir romance por «poema narrativo extenso» y si,
al fin y a la postre, tampoco podían espigarse por ahí tantos Abades asociados con la literatura, ¿no formarían aquéllos una pequeña dinastía poética de Abades en que Domingo sería el hijo
y Nicolás el nieto del «Per Abbat» que escrivio el PMC? Finalmente presta crédito al Libro de la montería de Alfonso XI (1312-
1350) que le aduce el profesor D. P. Seniff: entre las numerosas
referencias topográficas que contiene el libro III recoge la de «Cabeça de Per Abat» y «Cabeça del Cid» que Seniff sitúa «en la ve-
cindad de Cadalso/San Martín, al sur de Ávila y noroeste de
Toledo». No suelen evocarse —concluye Smith— en los caminos
a los copistas, sino a poetas y héroes.

*Kastellanus»).[63] En semejante contexto, pues, nos mues-
tra a un poeta (el del PMC) familiarizado con los fueros:
al fondo de «lo que comien so pan» (v. 1682) se deja oír
el «pro hominibus qui panem suum comedunt» del
Fuero de Cuenca, y la referencia en el v. 902 al «Poyo
de mio Cid» nos acerca al Fuero de Molina. Pero además de la filiación —por temas y lenguaje— de la obra
con otras jurídicas, el poeta tiene presente (a ese propósito) el «trial de Ganelón» del Roland al que dio en
su desarrollo en el PMC un tono propio. Es más: parte
de la fraseología jurídica puede documentarse tanto en
los textos legales españoles como en la épica y el derecho
francés; pero se le escapa el lugar preciso de dónde lo
tomó nuestro poeta (véase Hook, 1980, p. 35 n. 14, e
Ivy A. Corfy, 1984, pp. 169-177). Pues los notarios —bi-
lingües y vanguardia de una revolución lingüística en
los años posteriores a 1200— recurrían al estilo formulístico en todo tipo de documentos, así Per Abbat pudo
valerse de ese estilo, al que quizá añadiría otros muchos clichés tomados directamente del latín. Por ese camino, Brian Dutton ha venido a considerar la posibilidad de un origen jurídico para tres fórmulas épicas en
concreto («las exidas y las entradas», «¡Dios, qué buen
vasallo, si oviesse buen señor!» y «d'ella e d'ella part»).[64]
P. E. Russell y M. E. Lacarra, decíamos con un silencio
locuaz, también con el auxilio de testimonios jurídicos
e históricos, optaron por atribuirle a nuestro poema un
nacimiento culto y tardío.[65]*

63. Otros datos (la lista de los dominios del rey que se le
ocurre importante habida cuenta del nuevo divorcio entre León
y Castilla) los pudo tomar —sigue C. Smith— del archivo de Cardeña o del municipal o capitular de Burgos o disponer de ellos
por su condición de notario.
64. «Las fórmulas juglarescas: una nueva interpretación» (ponencia).
65. A ese propósito, las conclusiones de Colin C. Smith nos
parecen un tanto desmesuradas. Vertamos, sin embargo, a castellano sus palabras. A finales del siglo XII se pusieron de moda
los estudios de derecho romano; y a la vuelta de siglo los castellanos viajaban a Bolonia para estudiarlo. Por tanto, no hay
razones para suponer a Per Abbat en Italia; pero sí en Francia,
donde estudiando leyes pudo llegar a conocer bien las *Chansons*

Sin embargo, aún quedan por contestar satisfactoriamente a muchos de los argumentos que nos adujo Menéndez Pidal en su edición crítica del Poema para colocarlo «a mediados del siglo XII». Sólo dos casos. El poema latino sobre la conquista de Almería (año 1147), escrito antes de morir el emperador (año 1157) e incluido en la Chronica Adefonsi imperatoris, parece atestiguar, por el uso del epíteto «Mio Cidi», que el «cantatur» no alude a textos latinos (pues, por ejemplo, el Carmen y la Historia lo nombra «Campidoctor»), sino presumiblemente al PMC (C. Smith 1983, pp. 63-64, apuesta antes por un «cantar paralelístico» por el estilo de «Çorraquín Sancho»); allí mismo, y a diferencia de la historia, se une el destino (épico) de Álvar Fáñez al del Cid («Mio Cidi primus fuit, Alvarus atque secundus»): «Lo cierto es que Álvar Fáñez es siempre en el Cantar la segunda persona después del Cid (vv. 1257, 1230, 616, 2561, etc.) y su inseparable compañero, mientras que en los sáficos o en la Crónica latina del Cid no figura para nada Álvar Fáñez, pues en la realidad llevó una vida aparte que no imponía la comparación de méritos, como lo impone el autor del Cantar uniendo en todas las empresas el nombre de los dos más grandes guerreros de Alfonso VI, arbitrariamente y contra la realidad de la historia.»[66] (Colin C. Smith, 1977, pp. 46-47, tiene a los versos en cuestión por «un aparte dentro de un extenso elogio de Álvar Fáñez, sus antepasados y descendientes»: los dos guerreros van ahí unidos por el renombre que se labraron en su tiempo; pero no, en cambio, por hazañas que acometiera en común.) Miguel Barceló, 1967-1968, pp. 15-25, ha

---

de geste. Como sea, cabe la posibilidad de que estudiara en Montpellier u Orleáns o París o, más probablemente, en Toulouse: porque el nivel de la educación era de mayor calidad en los lugares mencionados y porque los textos latinos que sirvieron a su formación y algunos manuscritos de la Chanson de Roland circularon escasamente por España. De ahí, imaginamos, el artículo de Thomas Montgomery, «Mythopoesis and Myopia: Colin Smith's, The Making of the "Poema de Mio Cid"», Journal of Hispanic Philology, en prensa.

66. Menéndez Pidal, 1976; 1944, p. 24.

aportado *nuevos datos y otras conclusiones para el primer caso: el* Linaje navarro del Cid —*cuyo* terminus ad quem *lo pone en 1194— utilizó para cada una de sus partes uno u otro sobrenombre («Mio Cidi» para la primera y «Campeador» para la segunda); por otro lado, en el* Liber Regum *I (1194-1211) se dan por intercambiables o en convergencia tales epítetos: sea causa o efecto el PMC de esa unión, el proceso en sí podría enmarcarse entre los años 1094-1212 o 1215. El recurso al empleo del sello tanto pendiente como particular o el testimonio de las cláusulas del descargo de la* ira regia *marchan a reforzar la hipótesis de la composición tardía del* Poema. Etc., etc.

No conviene, pues, pasarse por alto los «pros» ni los «contras» de las teorías en discusión (desde luego sí que cabe también reflexionar sobre otros puntos que se nos podrían ocurrir igualmente objetables: se salva, p. e., el escollo de los arcaísmos elevándolos a categoría de artificio poético): [67] *sólo con una perspectiva amplia, que contemple el PMC «como culminación de unas materias y unas formas en progresiva elaboración a lo largo de todo el siglo XII»* [68] *(«la tradición épica del poema», también concluye Horrent, «puede ser considerada como continua en el curso del siglo XII»), podremos esclarecer puntos oscuros que hasta ahora nos hemos empeñado en tener por irreconciliables.*

Métrica, lengua y estilo

Desde antiguo se ha intentado acercar el verso anisosilábico del PMC a formas métricas regulares (del hexá-

67. C. M. Bouwra, *op. cit.*, II, pp. 649-650 («Esso, essendo per la massima parte foggiato in formule, mette in grado i poeti di parlare di epoche di cui non hanno una conoscenza diretta e conserva, per cosí dire, reliquie fossili delle età passate») y P. E. Russell, 1978, p. 92 («De todos modos, el uso deliberado de arcaísmos lingüísticos es una característica de *Kuntsprache* tradicionalmente utilizado por los poetas épicos...»).

68. Francisco Rico, *Primera cuarentena y Tratado general de literatura*, Barcelona, 1982, p. 23.

metro o pentámetro latinos al alejandrino y endecasílabo francés, pasando por el autóctono octosílabo doble del Romancero); pero tales esfuerzos siempre deberemos contemplarlos con la debida cautela y a la luz de otras consideraciones. Empecemos, pues, por ahí. Seguramente nos las habemos con un copista —Per Abbat u otro cualquiera— que trasladó —como pudo— a las convenciones del verso un texto transcrito según la disposición gráfica de la prosa. Cualquier editor mínimamente familiarizado con el manuscrito podrá percibir allí aún reminiscencias de ese hábito en la solución de algunos versos, que los editores modernos con más o menos consenso se han visto obligados a retocar en arreglos por el estilo de 16-16b, 69-69b, etc.; cualquier lector iniciado en el estudio de la literatura medieval tendrá por bastante común esa práctica entre los amanuenses de la época (véase Colin C. Smith, 1983, p. 107). Por ese camino podríamos explicar la tremenda disparidad métrica entre numerosos versos del Poema: 967, en concreto, que oscilan entre 10 y 20 sílabas, se resisten a cualquier tipo de solución poética (o dicho de otra manera: que no ofrecen ninguna duda en cuanto al procedimiento de su cómputo silábico); supuesta «siempre una cesura que coincida con la frase», entre esos 967 versos del PMC, Menéndez Pidal halló «hasta 10 clases de hemistiquios, combinados en 52 maneras de versos», donde predominan los de 7 y 8 sílabas. De esas «52 clases de versos que se ofrecen en el Cantar, sólo aparecen 3 en una proporción mayor del 10 %, y son los de 7 + 7 sílabas (13, 19 %), 6 + 7 (12, 15 %) y 7 + 8 (11, 34 %)». A la vista de tan ostentosa irregularidad, se le antoja un despropósito el recurso a las licencias métricas «para sugerir correcciones al texto».[69] Tales consideraciones decidieron a Menéndez Pidal a no descartar la posibilidad de que el juglar, al cantar las antiguas Gestas (de cuyo canto parece que es heredero el romance), encajase «los irregulares versos en una melodía y

---

69. Menéndez Pidal, 1976; 1944, p. 33.

*ritmo dados, haciendo para ello las necesarias alteracio-
nes en la duración o valor relativo de las notas; esa melodía sería en el Cantar del Cid fundamentalmente de
14 notas y no de 16 como es la del romance». En cualquier caso, «nada sabemos de cómo los juglares expo-
nían al público las Gestas, y a pesar del nombre de Cantares, aún cabría otra suposición tratándose de unos versos tan extremadamente irregulares como los del Mio
Cid: que no se cantasen propiamente, sino que se acom-
pañasen de un simple tonillo de recitado, el cual llevaría una modulación más saliente para el acento de la
cesura y para las sílabas finales de cada verso» (pp. 102-
103).[70]*

*Para C. Smith, 1979 y 1983, pp. 104-136, el autor del
Poema estudió a conciencia el metro silábico de la épica
francesa con el objeto de adaptarlo al verso castellano
pero dentro de unas pautas acentuales y en un sistema
relativamente libre: así, se explica la metamorfosis del
decasílabo (4 + 6) «Grán fút li déus a célle departíe»
(3 + 2) de la Price de Cordres, 647, en el alejandrino
castellano (7 +7) «Grándes fuéron los duélos a la de-
partición» (3 + 2) o el paso del alejandrino «Puis ales-
tes par tere .xxxii. ans passés» del Fierabras, I, 1178,
al «por tiérra andidíste .xxxii. años, Señór spiritál» de
nuestro Poema, etc., etc. Aun admitida la variabilidad en
la disposición de los acentos (pero, eso sí, sensiblemente
menor que en la del cómputo silábico), considera dos es-
quemas ideales: 2 + 2 y 2 + 3. También a otro propósito
nos señala el origen de algunos de los recursos rítmicos
del PMC en la poesía goliardesca y en los himnos de la
iglesia (véase infra). Quizá en muchos casos las discordancias en el reparto de los acentos podría explicarse por
la introducción ahí de determinada fórmula o de determinado epíteto épico.*

El mismo Menéndez Pidal ataca bien de otro modo la

70. Delius, al arrimar el verso del *Poema* al tipo germánico,
propuso «la teoría de las tres tesis o tiempos fuertes para cada
hemistiquio y número libre de las sílabas de arsis» (Menéndez
Pidal, 1976; 1944, pp. 77-78).

rima asonante del Poema: revista «los casos más visibles en que los copistas» infringieron la asonancia a la luz de ciertas reglas que establecen la oportunidad del cambio de los asonantes (comienzo de serie «después de acabar las palabras puestas en boca de algún personaje» o «con palabras de discurso directo sin indicación de interlocutor»; a veces inicio de asonancia con la mención del «que habla» y otras «por alguna transición en el relato, siempre después de punto y aparte», etc.). Con el registro «de cada uno de los asonantes que usa el Cantar» acaba por «desechar de su sistema de versificación los versos sueltos y leoninos»: aduce ahí por mayoritarias las asonancias á (en 39 series), á-a (en 29) y á-o (en 30).

El análisis de unas cuantas asonancias anómalas recomiendan a Colin C. Smith (ibid.) a no remediarlas cuando, al menos, se da á: áe, ó: á-o, á: á-a, ó: é-o (asonancias aproximadas); en otras, porque continúan la asonancia de la tirada que acaba, si bien semánticamente pertenecen a la serie que inician; y en cuanto a las leoninas las entronca con los leoninos del latín eclesiástico («stábat máter dolorósa / iúxta crúcem lacrimósa») y las salva por el recurso a la variación (incluso dentro de la tirada).

Menéndez Pidal por «alaudare» (335) y «Trinidade» (2370) no ha dejado de advertir casi la certidumbre de una -e paragógica en los agudos buscando «una uniformidad»: «se halló siempre posible el añadir una sílaba a las voces agudas, y no lo era siempre el quitar una a las llanas...»

Y el ilustre maestro estaba también para advertirnos tras las modernizaciones de Per Abbat indudables arcaísmos (reminiscencia, p. e., del diptongo -uó-, corregido en la palabra a que afecta la tal evolución, pero siempre a costa de estropear la asonancia en -ó [vv. 1330, 2007, etc.]; o más nítidamente, en la utilización del patronímico -óz-) y, con el apoyo de Rafael Lapesa, para además percibir bajo la letra del copista ciertos aragonesismos y mozarabismos (es el caso de la metamorfosis de o en -uó en lugar de -ué): «Tendría arcaísmos como los de los textos castellanos contemporáneos o anteriores; mozarabismos de la Extremadura castellana comunes con rasgos dialectales del Bajo Aragón vecino; y hasta algún aragonesismo específico, aparte de los señalados por Menéndez Pidal en el texto que poseemos. Pero desde el punto de vista lingüístico nada aconseja pensar que el Cantar se escribiera en Aragón» (Lapesa, 1980, p. 228).

El desconocido autor, por otro lado, supo acertar (según nos han mostrado los estudios de De Chasca y Gilman; véase Bibliografía) en el uso poético de los tiempos verbales: el presente histórico para exhibir sus veleidades dramáticas (vv. 10, 17, 30, etc.), el imperfecto de indicativo con sentido de presente («imperfecto histórico») para «hacernos ver las cosas antiguas transportándonos a su propia época [vv. 96-98, 185-186, 458-459, etc.]» (De Chasca, 1972, p. 289), etc.; pero en otros casos la presencia de varios tiempos dentro de una misma tirada (véase a tal propósito la serie 4) habrá que relacionarla con la obligación ahí del poeta a la rima. Restricciones —ésas— que también obligarían, según cree I. Michael en el prólogo a su edición, al empleo de perífrasis verbales al estilo —pero con menor frecuencia— «de los poemas narrativos del siglo XIII».

El léxico y la sintaxis del PMC lleva a definir a su autor (dicen) como un poeta culto. Son obvias las deudas léxicas para con el latín eclesiástico («monumento» [v. 358], «tus» [v. 337b], «vigilia» [v. 3049], etc.) y jurídico («plazo» [vv. 212 y 321], «paria» [v. 586], «arobdas» [v. 659], «apreçiadura» [v. 3240], etc.). Como tampoco se nos escapan los cultismos sintácticos en construcciones adverbiales por el estilo del ablativo absoluto: «La misa dicha», «Las arcas aduchas», etc. Por otra parte, muchos arabismos léxicos de la época hallan asilo por primera vez en el Poema: en concreto, 16 («adaraga», «arriaz», «rebate», «zaga», «afé», «alboroço», etc.).

La fraseología del Poema da muestra de una erudición conspicua para los tiempos que corrían. Por de *pronto, podemos reconocer en sus versos numerosas fórmulas de abolengo jurídico. Veamos algunos ejemplos. El «d'ella e d'ella part» (1965, 2078 y 3139), en efecto, corresponde a la fórmula jurídica* «testes ex utraque parte»: *varios documentos jurídicos que nos aporta ahí Brian Dutton así lo avalan; fórmula que también alcanzó a los donaires épicos del* Libro de buen amor: «della e della parte danse golpes sobejos» (1118c). *Y otro tanto cumple decir de «las exidas e las entradas» (1163 y 1572): «Esta fórmula... deriva de la expresión latina* cum ingressu et egressu.» [71] *Como arriba ya hemos dado por extenso otras familiaridades del poeta con el lenguaje jurídico, apliquémonos ahora a ilustrar la procedencia de otros versos del* PMC. *Muchas fórmulas también se recuerdan en las crónicas latinas de la época e incluso en la* Vulgata. *Así, p. e., la iteración sinonímica del verso 2541 («los aueres que tenemos grandes son e sobeianos») se parece a otra de la* Historia Roderici *(«pecora quoque innumerabilia et copiosa»); o el bíblico «Qui autem erant in arce Ierusalem, prohibebantur egredi et ingredi regionem» (I* Macabeos 13, 49) *trascendió al* Poema *(vv. 1204-1205) a través de la misma* Historia Roderici *(«atque eisdem egressum a castello et ingressum ad castellum omnino prohibuit») y de la* Chronica Adefonsi imperatoris *(«... ita ut nullus poterat ingredi vel egredi»), etc., etc. En otro contexto, la fórmula jurídica* cum ingressu et egressu, *tópica como hemos visto en los relatos de asedios, pasó un tanto desfigurada al «mester» de Berceo en los* Milagros de Nuestra Señora: «Siquier a la exida, siquier a la entrada» (80a). *Pero en Berceo reencontramos otros estereotipos del* PMC: *el «en yermo o en poblado», p. e., del verso 390 en la* Vida de San Millán, 68d, 388d, *y en la* Vida de Santo Domingo, 764b; *pero también en el* Apolonio, 39c *y 49d, y en textos legales («tam populatos quam etiam et yermos», se dice en el* Becerro gótico de

---

71. Véase la ponencia citada de Brian Dutton.

Cardeña, *p. 198).*[72] *O la pareja temporal «de día e de noch» (659 y* passim*) en la* Vida de San Millán, *264b, y en el* Poema de Santa Oria, *124d, que al fin y a la postre se remonta a Salustio en el* Bellum Iugurthinum, *LXX, 1 («die noctuque fatigare onimum») y se recoge en la* Historia Silense *(«sed noctibus diebusque laborando» 121), etc. Las relaciones, a este propósito, con la épica francesa («a guisa de varón»,* PMC, *1350, 3154, 3563: «en guise de barun»,* Roland, *'0', 1226, 1889, 1902, 3054; «abtores mudados»,* PMC, *5: «hosturs müers»,* Roland, *'0', 31, 129, 184; «la mar salada»,* PMC, *1090: «le mer salse»,* Roland, *'0', 372; «bien semeja varón»,* PMC, *3125: «bien resambla baron»,* Florence, *1125, y* Roland, *'0', 3764) por obvias las hemos relegado a las notas al texto.*

Pero (paradojas al canto) los versos del PMC *también saben a juglaría: el carácter juglaresco, apoyado en la mímica y en la representación, explica la omisión del verbo* dicendi *(1527, 1622, 2270, 3301, etc.) o la introducción de otros para interpelar a la audiencia («Afevos...» [262, 1520], «Aquí veriedes...» [3207], «Dexarevos...» [1310, etc.]). «Un'arte che opera in tali condizioni è necessariamente diversa da un'arte concepita in funzione del libro e della lettura.»*[73] *El recuerdo, pues, de la presencia del narrador en el* PMC *ha llevado a muchos a (considerar) la aquiescencia con los oralistas. «Il poeta», así, «apprende» —a fuerza de oír a otros— «in primo luogo un certo numero di storie e acquista esperienza dei personaggi principali e delle loro essenziali caratteristiche... In secondo luogo apprende una moltitudine di formule, sia brevi che lungue, adatte al metro in cui compone, ed esse gli permettono di provvedere immediatamente a tutte o quasi le necessità imposta dell'argomento».*[74] *La fórmula, en cuanto «serie di parole di cui ci si serve,*

72. Ejemplos que nos señala por extenso Colin C. Smith, 1977, pp. 89-106 y 163-217.
73. Milman Parry, en la década de los 30, y en especial A. B. Lord, *The Singer of Tales*, 1960, pusieron de moda el estudio de las fórmulas orales.
74. Bouwra, *op. cit.*, I, pp. 367-369.

con *picoli cambiamenti o anche senza alcun cambiamento*», comprende, en efecto, una amplia gama de posibilidades: desde la combinación de un nombre con un adjetivo a la gavilla de unos cuantos versos, pasando, claro está, por el verso mismo. Veámoslo en el PMC con un ejemplo de De Chasca 1972, pp. 196-197. El poeta recurre constantemente a la iteración sinonímica o «de significados afines». Pues bien: sucede que «esos paralelismos» los acomete el autor-juglar «en orden ascendente». El recurso en cuestión afecta al hemistiquio («Penssó e comidió» [1889]: a y a'), luego al verso todo («Mucho pesa a los de Teca e a los de Terrer non plaze» [625]: a y a') y finalmente a la serie (se trata de las famosas tiradas gemelas o «laisses similaires»). Como también, según se mire, podría involucrar a la estructura de toda la obra («Tema de la honra del Cid en la esfera política» [a] y «Tema de la honra del Cid en la esfera doméstica» [a']). Desde esa perspectiva, la poesía épica es relativamente elástica: el poema nace por el despliegue mnemotécnico a que empuja la utilización de una serie de fórmulas.

Nuestra edición

Para fijar el texto, hemos colacionado la edición paleográfica de Menéndez Pidal con el facsímil de la única copia que transcribe el Poema. Las razones que nos han decidido a enmendar en compañía de otros editores se dan, en cada caso, en las notas a pie de página. No todas las sugerencias que se nos ocurrían sobre el modo de restituir un determinado pasaje afectan al cuerpo del texto: en caso de duda, también hemos preferido relegarlas a nota.

Como es usual, recurrimos con frecuencia al vocabulario de Menéndez Pidal (volumen II de su edición crítica). También a efectos de escolios léxicos, nos han sido especialmente provechosas las ediciones de Colin C. Smith e Ian Michael.

*Aparte de regularizarse el uso de u y v, hemos mo-
dernizado la puntuación procurando clarificar el sentido. Sin embargo, se han conservado una serie de rasgos gráficos propios del manuscrito: la y vocálica (Myo,
p. e.) y la ì semiconsonántica o consonante (oios). La
ss, por otro lado, se ha mantenido siempre excepto en
posición inicial; no así, en cambio, el grupo puramente
gráfico rr- en postura inicial o detrás de consonante (en
ambos casos, en efecto, se reduce); y de ningún modo
se restituye la -r- intervocálica.*

*El recurso sistemático a la emendatio del único ma-
nuscrito para aproximar el texto a su arquetipo consti-
tuye la tarea necesaria y honesta que debe exigírsele a
un editor crítico. Pero éste, en un caso como el del
PMC, acaba obteniendo su propio arquetipo y olvida el
original del texto: la honestidad de Menéndez Pidal y
de Colin C. Smith puede medirse, sin duda, con sus
buenos propósitos. El eclecticismo de Ian Michael y la
moderación de J. Horrent —por citar sólo los editores
más representativos— se nos imponen como modelos:
de ellos consideramos ejemplar la habilidad policiaca
del uno en la discusión de los problemas textuales y la
mesura y consciencia tradicionalista del otro cuando
opta por la edición de Menéndez Pidal o la rechaza.*

*Esta edición no es crítica, ni quiere comprometerse
en ningún ámbito de la investigación cidiana: sólo por
eso sigue fielmente al manuscrito (y considera grandio-
sa la obra de don Ramón Menéndez Pidal).*

*P. M. C.
y B. C. M.*

BIBLIOGRAFÍA

1. *Repertorios bibliográficos*

López Estrada, Francisco, *Panorama crítico sobre el «Poema del Cid»*, Madrid, Castalia, 1982.

Magnotta, Miguel, *Historia y bibliografía de la crítica sobre el «Poema de Mio Cid» (1750-1971)*, University of North Carolina, Chapel Hill, 1976.

Rico, Francisco, ed., *Historia y crítica de la literatura española*, I; A. Deyermond, ed., *Edad Media*, Barcelona, Crítica, 1979, pp. 83-97.

2. *Ediciones*

Horrent, Jules, ed., *Cantar de Mio Cid. Chanson de Mon Cid,* Gante, 1982, 2 vols.

Lacarra, María Eugenia, ed., *Poema de Mio Cid*, Madrid, Taurus, 1982.

Menéndez Pidal, Ramón, ed., *Cantar de Mio Cid. Texto, gramática y vocabulario*, III, Madrid, 1911; 1956³. [También citamos el primer y segundo volumen (1976⁵ y 1977⁵).]

— ed., *Poema de Mio Cid*, Madrid, Espasa-Calpe (*Clásicos Castellanos*, 24), 1971¹³.

Michael, Ian, ed., *Poema de Mio Cid*, Castalia, Madrid, 1976; 1978².

Smith, Colin C., ed., *The Poem of the Cid*, Oxford, Clarendon Press, 1972; vers. cast., *Poema de Mio Cid*, Cátedra, Madrid, 1976; 1979⁵.

Poema de Mio Cid, edición facsímil del códice de Per Abat, conservado en la Biblioteca Nacional, Madrid, 1961.

Poema de Mio Cid, edición facsímil del manuscrito del Marqués de Pidal depositado en la Biblioteca Nacional, Vitoria, Excmo. Ayuntamiento de Burgos, 1982.

3. *Estudios*

Adams, Kenneth, «*Pensar de*: Another Old French Influence on the *Poema de Mio Cid* and Other Mediaeval Spanish Poems», *La Corónica*, VII (1978), pp. 8-12.

— «The Metrical Irregularity of the *Cantar de Mio Cid*», *BHS*, XLIX (1972), pp. 109-119.

Alonso, A., «Dios, ¡qué buen vassallo, si oviesse buen señore!», *Revista de Filología hispánica*, VI (1944), páginas 187-191.

Alonso, Dámaso, «Estilo y creación en el *Poema del Cid*», en *Obras completas*, IV, Madrid, Gredos, 1972, pp. 101-105 (estudio publicado por primera vez en 1960).

— «El anuncio del estilo directo en el *Poema del Cid* y en la épica francesa», en *Idem*, pp. 195-213.

Armand, O., «El verso 20 del *CMC*», *Cuadernos Hispanoamericanos*, CCLXIX (1972), pp. 339-348.

Armistead, S. G., «The Initial Verses of the *Cantar de Mio Cid*», *La Corónica*, XII (1984), pp. 178-186.

Aubrun, Charles, «La métrique du *Mio Cid* est régulière», *BH*, XLIX (1947), pp. 332-372.

Bello, A., *Obras completas...*, II-VII, Santiago de Chile, 1881-1885.

Badia Margarit, Antonio M., «Sobre las interpelaciones del verso 20 del *CMC*», *Miscelánea Filológica en Memoria de Amado Alonso, Archivium*, IV (1954), pp. 149-165.

Bandera Gómez, Cesáreo, *El «Poema de Mio Cid»: poesía, historia, mito*, Madrid, Gredos, 1969.

Cantera Burgos, F., «Raquel e Vidas», *Sefarad*, XVIII (1958), pp. 99-108.

Carrasco, F., «Un antecedente latino de "¡Dios, qué buen vasallo [...]!"», *Thesaurus*, XXIV (1969), pp. 284-286.

Catalán, Diego, «Poesía y novela en la historiografía castellana de los siglos XIII y XIV», en *Mélanges offerts à Rita Lejeune*, Gembloux, J. Duculot, I, 1969, páginas 423-441.

Châlon, Louis, *L'histoire et l'épopée castillane du Mogen Age: le cycle du Cid; le cycle des comtes de Castille*, París, Champion. 1976.

Corfis, Ivy A., «The count of Barcelona episode and french customary law in the *PMC*», *La Corónica*, XII (1984), pp. 169-177.

De Chasca, Edmund, *El arte juglaresco en el «Cantar de Mio Cid»*, Madrid, Gredos, 1972².

Deyermond, Alan D., *Epic poetry and the clergy: Studies on the «Mocedades de Rodrigo»*, Londres, Tamesis, 1969.

Deyermond, Alan D., «Stylistic and structural patterns in the

Cantar de Mio Cid», en *Medieval studies in honor of Rober White Linker*, Madrid, Castalia, 1973, pp. 55-71.

— «Tendencies in *Mio Cid* scholarship, 1943-1973», en *«Mio Cid» Studies*, ed. A. D. Deyermond, Londres, Tamesis, 1977, pp. 13-47.

— y D. Hook, «The 'Afrenta de Corpes and other stories», *La Corónica*, X (1981-1982). pp. 12-37.

— y Margaret Chaplin, «Folk-motifs in the medieval Spanish epic», *Philological Quarterly*, LI (1972), pp. 36-53.

— reseña del libro de Brian Powell, *Epic and Chronicle...*, *La Corónica*, XIII (1984), pp. 71-80.

— «A Monument for Per Abad: Colin Smith on the Making of the *Poema de Mio Cid*», en prensa, en BHS, 1984.

Dunn, Peter N., «Theme and myth in the *Poema de Mio Cid*», *Romania*, LXXXIII (1962), pp. 348-369.

Epalza, M. de; Guellous, S., *Le Cid, personnage historique et littéraire*, París, Maissoneuve et Lerose, 1983.

Faulhaber, Charles B., «Neo-traditionalism, formulism, individualism, and recent studies on the Spanish epic», *Romance Philology*, XXX (1976-1977), pp. 83-101.

Gargano, Antonio, «L'universo soziale della Castiglia nella prima parte del *Cantar de Mio Cid*», *Medioevo Romanzo*, VII (1980), pp. 201-246.

Gifford, Douglas, «European folk-tradition and the "afrenta de Corpes"», en *«Mio Cid» Studies*, pp. 49-62.

Gilman, Stephen, *Tiempo y formas temporales en el «Poema del Cid»*, Madrid, Gredos, 1961.

Gimeno Casalduero, J., «Sobre la oración narrativa medieval: estructura, origen, supervivencia», *Anales de la Universidad de Murcia*, XVI (1957-1958); reimpr. en *Estructura y diseño en la literatura castellana medieval*, Madrid, Porrúa Turanzas, 1975, pp. 11-29.

Hart, Thomas R., «The Infantes de Carrión», *Bulletin of Hispanic Studies*, XXXIII (1956), pp. 17-24.

— «Hierarchical patterns in the *Cantar de Mio Cid*», *Romanic Review*, LIII (1962), pp. 161-173.

— «Characterization and plot structure in the *Poema de Mio Cid*», en *«Mio Cid» Studies*, pp. 63-72.

Harvey, L. P., «The metrical irregularity of the *Cantar de Mio Cid*», *Bulletin of Hispanic Studies*, XL (1963), páginas 137-143.

Hook, David, **«On certain correspondences between the**

Poema de Mio Cid and contemporary legal instruments», *Iberoromania*, II (1980), pp. 31-35.

Horrent, Jules, *Historia y poesía en torno al «Cantar del Cid»*, Barcelona, Ariel, 1974.

Lomax, Derek W., «The date of the *Poema de Mio Cid*», en *«Mio Cid» Studies*, pp. 73-81.

Lacarra, María Eugenia, *El «Poema de Mio Cid». Realidad histórica e ideología*, Madrid, Porrúa Turanzas, 1980.

— «El *Poema de Mio Cid* y el monasterio de San Pedro de Cardeña», en *Homenaje a don José María Lacarra de Miguel en la jubilación del profesorado*, Zaragoza, 1977, pp. 79-94.

Magnota, Miguel, «Per Abbat y la tradición oral o escrita en el *Poema del Cid*: un ensayo histórico-crítico (1750-1972)», *Hispanic Review*, XLIII (1975), pp. 293-309.

Martínez, Salvador H., *El «Poema de Almería» y la épica románica*, Madrid, Gredos, 1975.

Menéndez Pidal, Ramón, «Poesía e historia en el *Mio Cid*: el problema de la poesía épica», *Nueva Revista de Filología Hispánica*, III (1949), pp. 113-129; reimpr. en *De primitiva lírica española y antigua épica*, Buenos Aires, Espasa-Calpe (Austral), 1951, pp. 9-33.

— *En torno al «Poema del Cid»*, Barcelona, Edhasa, 1963.

— «Los cantores épicos yugoslavos y los occidentales. El *Mio Cid* y dos refundidores primitivos», *Boletín de la Real Academia de Buenas Letras de Barcelona*, XXXI (1965-1966), pp. 195-225.

Montgomery, Thomas, «Narrative tense preference in the *Cantar de Mio Cid*», *Romance Philology*, XXI (1967-1968), pp. 253-274.

— «The *Poema de Mio Cid*: oral art in transition», en *«Mio Cid» Studies*, pp. 91-112.

— «Mythopoesis and Myopia: Colin Smith's *The Making of the "Poema de Mio Cid"*», *Journal of Hispanic Philology*, en prensa.

Myers, Oliver T., «Multiple authorship of the *Poema de Mio Cid*: a final word?», en *«Mio Cid» Studies*, pp. 123-128.

Pardo, Aristóbulo, «Los versos 1-9 del *PMC*; ¿no comenzaba ahí el Poema?», *Thesaurus*, XXVII (1972), páginas 261-292.

Pascual, José A., «Del silencioso llorar de los ojos», *Anuario de Filología Española. El Crótalon*, I (1984), páginas 799-805.

Pattison, D. G., «The "afrenta de Corpes" in fourteenth-century historiography», en «*Mio Cid» Studies*, pp. 129-140.

Pattison, D. G., *From Legend to Chronicle: The Treatment of Epic Material in Alphonsine Historiography*, Oxford, The Society for the Study of Mediaeval Languages and Literatures, 1983.

Powell, Brian, *Epic and Chronicle. The «Poema de Mio Cid» and the «Crónica de Veinte Reyes»*, Londres, The Modern Humanities Research Association, 1983.

Richthofen, Erich von, *Estudios épicos medievales*, Madrid, Gredos, 1954.

— *Nuevos estudios épicos medievales*, Madrid, Gredos, 1970.

— *Tradicionalismo épico-novelesco*, Barcelona, Planeta, 1972.

Riquer, M. de, «¡Dios, qué buen vassallo! ¡si oviesse buen señore!», *Revista Bibliográfica y Documental*, III (1949), p. 249.

— «Bavieca, caballo del Cid Campeador, y Bauçan, caballo de Guillaume d'Orange», *Boletín de la Real Academia de Buenas Letras de Barcelona*, XXV (1953), pp. 129-144.

Russell, P. E., «Algunos problemas de diplomática en el *Poema de Mio Cid* y su significación», en *Temas de «La Celestina»*, Barcelona, Ariel, 1978, pp. 15-33.

— «¿Dónde estaba Alcocer? (*Poema de Mio Cid*, vv. 553-861)», en *Temas de «La Celestina»*, pp. 37-44.

— «Nuevas reflexiones sobre el Alcocer del *Poema de Mio Cid*», en *Temas de «La Celestina»*, pp. 45-69.

— «San Pedro de Cardeña y la historia heroica del Cid», en *Temas de «La Celestina»*, pp. 73-112.

— «La oración de doña Jimena (*Poema de Mio Cid*, vv. 325-367)». en *Temas de «La Celestina»*, pp. 115-158.

— «El Poema de Mio Cid como documento de información caminera», en *Temas de «La Celestina»*, pp. 161-205.

Smith, Colin, *Estudios cidianos*, Barcelona, Planeta, 1977.

— «Per Abbat and the *Poema de Mio Cid*», *Medium Aevum*, LXII (1973), pp. 1-17.

— «The Choice of the Infantes de Carrion as Villains in the *Poema de Mio Cid*», *Journal of Hispanic Philology*, IV (1980), pp. 106-118.

— «On the Distinctiviness of the *Poema de Mio Cid*», en «*Mio Cid» Studies*, pp. 161-194.

— «La métrica del *Poema de Mio Cid*: nuevas posibilidades», *Nueva Revista de Filología Hispánica*, XXVIII (1979), pp. 30-56.

Smith, Colin, «On Sound-Patterning in the *Poema de Mio Cid*», *Hispanic Review*, XLIV (1976), pp. 223-237.
— *The making of the «Poema de Mio Cid»*, Cambridge, University Press, 1983.
— «Epics and chronicles: a reply to Armistead», *HR*, LI (1983), pp. 409-428 [1983b].
Sola-Solé, J. M., «De nuevo sobre las arcas del Cid», *KRQ*, XXIII (1976), pp. 3-15.
Spitzer, Leo, «¡Dios, qué buen vassallo! ¡si oviesse buen señore!», *Revista de Filología Hispánica*, VIII (1946), páginas 132-136.
— «Sobre el carácter histórico del *Cantar de Mio Cid*», *Nueva Revista de Filología Hispánica*, II (1948), pp. 105-117; reimpr. en *Sobre antigua poesía española*, Buenos Aires, 1962, pp. 9-25.
Ubieto Arteta, Antonio, *El «Cantar de Mio Cid» y algunos problemas históricos*, Valencia, Anubar, 1973.
Uriarti Rebaudi, Lia Noemí, «La ironía en el *PC*», *Comunicaciones de Literatura Española*, I (1972), pp. 150-155.
Walsh, John K., «Religious motifs in the early Spanish epic», *Revista Hispánica Moderna*, XXXVI (1970-1971 y 1974), pp. 165-172.
— «Epic flaw and final combat in the *Poema de Mio Cid*», *La Corónica*, V (1976-1977), pp. 100-109.
Waltman, Franklin M., *Concordance to «Poema de Mio Cid»*, University Park y Londres, Pennsylvania State University Press, 1972.
— «Formulaic Expression and Unity of Authorship in the *Poema de Mio Cid*», *Hispania*, LVI (1973), pp. 569-578.
— «Parallel Expressions in the *Cantar de Mio Cid*», *Bulletin Hispanic Studies*, LV (1928), pp. 1-3.
— «Similarities in the Three Cantares of the *Cantar de Mio Cid*», *Hispania*, LIX (1976), pp. 844-855.
— «Verb Tenses in the Dialogue Portions of the *Poema de Mio Cid*», *Kentucky Romance Quarterly*, XXIV (1977), pp. 15-23.
Walker, Roger, «A Possible source for the *Afrenta de Corpes* Episode in the *Poema de Mio Cid*», *Modern Language Notes*, LXXII (1977), pp. 335-347.
West, Geoffrey, «King and Vassal in History and Poetry: a Contrast between the *Historia Roderici* and the *Poema de Mio Cid*», en *«Mio Cid» Studies*, pp. 195-208.

POEMA DE MIO CID

[CANTAR PRIMERO]

Enbió * el rey don Alfonso a Ruy Díaz *mio Çid* por las
parias que le avían a dar los reyes de Córdova e de Sevilla
cada año. Almutamiz rey de Sevilla e Almudafar rey de Granada eran a aquella sazón muy enemigos e queríansse mal
de muerte. E eran entonçes con Almudafar rey de Granada

* El manuscrito ha perdido el primer folio del primer cua-
dernillo, por lo menos (existe la posibilidad de que la pérdida haya
sido mayor). Reproducimos por ello el relato de la *Crónica de
veinte reyes*, tal como lo hiciera Menéndez Pidal en su edición crítica, pero teniendo en cuenta las consideraciones de C. C. Smith
sobre la dificultad de encontrar rasgos de asonancia en todo el
pasaje de historia cidiana supuestamente preliminar a lo que con-
servamos ahora del *Poema*. Según lo cual, los materiales poéticos
aprovechados en la *Crónica de veinte reyes* serían en parte coin-
cidentes en forma y sustancia con un poema como el que conser-
vamos (recientemente, Colin Smith ha llegado más lejos). Sin embargo, es hasta posible presentar esto como un argumento más
para la difusión escrita de la obra, si concluimos que copias de un
texto parecido al nuestro y parecidas a la que nos conserva éste
pudieron ser utilizadas por los prosificadores. Pero, por otra parte, la ausencia de una porción de texto no sólo se aprecia por
razones codicológicas e históricas, también poéticas y lingüísticas: *los* del v. 2 exige un antecedente, que muy bien podría ser
palaçios, que aparece ya en la *Crónica particular*; y, desde luego,
es necesaria una correlación lógica de sentido (Horrent, 1982,
pp. 134-135). Suponer otra cosa, según han preferido algunos, podría ser un error «poético»: «La fidelité au ms. ne doit pas
sous des prétextes rhétoriques aller jusqu'à accepter son in-
intelligibilité» (*Id.*, *ibidem*). Como López Estrada advierte, «hay
que suponer, de todas maneras que el principio del *PMC* (en
las versiones que se corresponden con la serie del *PC* del códice de Madrid) estuviese dentro de la técnica narrativa denomi-
nada *initio in medias res*: los oyentes y lectores ya conocían de
algún modo la noticia y la fama de Rodrigo; el héroe está ya for-
mado como tal y se nos ofrecerá en su varonil edad, casado y
figura de prestigio en la corte» (López Estrada, 1982, p. 108).
Recientemente S. G. Armistead retoma el tema del principio
del *PMC* y pone de manifiesto que la aceptación de la versión de
la *Crónica de veinte reyes* o de la *Crónica de Castilla* (véase D.
Catalán, 1969, p. 434) es arbitraria, por cuanto algunas contradicciones o reiteraciones dan al traste con la mantenida secuencia
de esas versiones cronísticas y del *PMC*. Incluso, el conocido his-
panista pone de manifiesto la existencia de otra versión juglaresca del principio de la partida del Cid, el *Romance de la jura de*

estos ricos omnes que le ayudavan: el conde don Garçía Ordóñez, e Fortún Sánchez el yerno del rey don Garçía de Navarra, e Lope Sánchez su hermano, e don Diego Pérez uno de los mejores de Castilla; e cada uno destos ricos omnes con su poder ayudavan a Almudafar, e fueron sobre Almutamiz rey de Sevilla.

Ruy Díaz Çid, quando sopo que assí venían sobre el rey de Sevilla que era vasallo e pechero del rey don Alfón su señor, tóvolo por mal e pesóle mucho; e enbio a todos sus cartas de ruego, que non quisiessen venir contra el rey de Sevilla nin destruirle su tierra, por el debdo que avían con el rey don Alfonso, [ca si ende al quisiessen fazer, supiessen que non podría estar el rey don Alfonso que non ayudasse a su vasallo, pues que su pechero era]. El rey de Granada e los ricos omnes non presçiaron nada sus cartas del Çid, e fueron todos mucho esforçadamente e destruyeron al rey de Sevilla toda la tierra, fasta el castillo de Cabra.

Quando aquéllo vio Ruy Díaz Çid, [tomó todo el poder que pudo aver de cristianos e de moros, e fue contra el rey de Granada, por le sacar de la tierra del rey de Sevilla. E el rey de Granada e los ricos omnes que con él eran, quando sopieron que en aquella guisa iva, *enviáronle dezir que non le saldrían de la tierra por él.* Ruy Díaz Çid quan-

---

Santa Gadea, en una versión manuscrita de principios del si-glo XVI, que no hace más que probar la tradicionalización de ejemplares parejos al *PMC,* siendo éste una representación, por muy notable que sea, del *corpus* cidiano tradicional. A pesar de todo esto parece necesario, por más que reconozcamos con Armistead la imposibilidad de reconstruir el folio perdido, expo-ner una línea argumental previa, para no llegar a caer en exa-geraciones como las de Prado, 1972. En ese sentido, aún sigue sobre el tapete el dilema de si los desacuerdos que se dan entre ciertos relatos cronísticos de una misma leyenda épica obligan a suponerla en varias versiones, o si, por el contrario, cumple achacar tales discrepancias a la obra de los propios cronistas (de ahí la polémica que se ha suscitado entre C. Smith, 1983b, pp. 409-428, y Armicstead, «The *Mocedades de Rodrigo* and Neo-individualist Theory», *HR,* XLVI [1978], pp. 313-327). Deyermond, 1984, pp. 71-80, en definitiva, y a zaga de Brian Powell, 1983, ha llamado la atención sobre los peligros de reconstruir los pasajes que faltan con el auxilio de las crónicas. Claro está que podre-mos comprender mucho mejor el *Poema* y su ambiente si lo vemos también desde esa perspectiva historiográfica (al respec-to, puede consultarse además el libro de D. G. Pattison, 1983, quien no ve nada claro que el *PMC,* por sus logros artísticos, pueda remontarse a una versión más histórica y menos nove-lesca).

do aquello oyó, tovo que non le estaría bien si los non
fuese cometer, e] fue a ellos, e lidió con ellos en campo,
e duróles la batalla desde ora de terçia fasta ora de medio
día, e fue grande la mortandad que ý ovo de moros e de
cristianos de la parte del rey de Granada, e venciólos el
Çid e fízolos fuir del canpo. E priso el Çid en esta batalla
al conde don Garçía Ordóñez [*e mesóle una pieça de la
barva*], e a Lope Sánchez, e a Diego Pérez e a otros cavalleros muchos, e tanta de la otra gente que non avie cuenta;
e tóvolos el Çid presos tres días, desí quitólos a todos.
Quando él los ovo presos, mandó a los suyos coger los averes e las riquezas que fincavan en el canpo, desí tornósse
el Çid con toda su conpaña e con todas sus riquezas para
Almutamiz rey de Sevilla, [e dio a él e a todos sus moros
quanto conosçieron que era suyo, e aun de lo al quanto
quisieron tomar. *E de allí adelante llamaron moros e cristianos a éste Ruy Díaz de Bivar el Çid Campeador*, que
quiere dezir batallador].

Almutamiz diole entonçes muchos buenos dones e las
parias por que fuera; desi confirmaron las pazes que avie
entre el rey don Alfonso e este Almutamiz, e tornósse el
Çid con todas sus parias para el rey don Alfonso su señor.
[El rey resçibióle muy bien, e plógole mucho con él, e fue
muy pagado de quanto allá fiziera.] Por esto le ovieron
muchos muchos enbidia e buscáronle mucho mal e mezcláronle con
el rey.

Después que el Çid llegó al rey don Alfonso, tenía ya el
rey muy grand hueste ayuntada para entrar a tierra de
moros... E el Çid [quisiera ir con él], mas enfermó muy
mal e non pudo ir, [e el rey dexólo estonçes por guarda
de la tierra]. E el rey don Alfonso entró por tierra de
moros e destruyóles [grandes tierras e fízoles mucho mal.
E el rey andando allá por el Andalozía faziendo lo que
quería, ayuntáronsse de acá desta otra parte grandes poderes de] moros e entráronle por la tierra e çercaron el
castillo de Gormaz, e conbatiéronle muy de rezio, e fizieron
mucho mal por toda la tierra. [E entre todo esto, iva ya
sanando] el Çid e quando oyó lo que los moros fazían por
tierra de Sand Estevan, ayuntó todas las gentes que pudo
aver e fuesse para tierra de moros, e corrio e destruyó toda
tierra de Toledo, e cativó entre moros e moras siete mill.
Desí tornósse para Castilla rico e honrrado e con grand
ganançia.

El rey don Alfonso quando lo sopo, pesóle mui de coraçón; los ricos omnes que andavan con él, quando aquello
vieron, commo avían grant enbidia al Çid, dixeron mucho
mal dél al rey e mezcláronle muy mal con él, diziéndole:
«señor, Ruy Díaz Çid [quebrantó la paz que vos avíades
puesta e confirmada con los moros]; non lo fizo por al si
non por que matassen a vos e a nos.» El rey commo estava
muy sañudo e mucho irado contra él, creyólos luego, [ca
non le quería bien por la jura que le tomara en Burgos
sobre razón de la muerte del rey don Sancho su hermano,
assí commo es ya dicho; e enbio luego dezir al Çid por
sus cartas que le saliesse de todo el regno. El Çid después
que ovo leídas las cartas, commo quier que ende oviesse
grand pesar, non quiso y al fazer, ca non avía de plazo
más de nueve días en que salliesse de todo el reyno.]*

[1]

*[Enbio por sus parientes e sus vasallos, e díxoles cómmo el rey le mandava sallir de toda su tierra, e que le non
dava de plazo más de nueve días, e que quería saber dellos
quáles querían ir con él o quáles fincar.]*

De los sos oios   tan fuertemientre lorando   1r
tornava la cabeça   e estávalos catando:
vio puertas abiertas   e uços sin cañados,
alcándaras vazías   sin pielles e sin mantos,

1. Sobre esta fórmula épica, común en la epopeya francesa
medieval, véase Smith, 1977, pp. 247-248, pero debe tenerse en
cuenta la matización de J. A. Pascual, 1984, que advierte sobre el
uso hasta cierto punto consciente de la fórmula y reconoce su
éxito en la literatura y en la documentación lingüística castellana.
2. C. Smith, 1977, p. 146, nos recuerda el paralelo de los versos 8877-8885 («Vers Castel Fort avoit son cief torné, / Du cuer
sospire, plaint l'a et regreté...») de *La Chevalerie d'Ogier de Danemarche* (de finales del s. XII).
3. *uços sin cañados*: 'puertas sin candados', acaso refiriéndose al portillo enmarcado en la misma puerta (véase los documentos aportados por Menéndez Pidal, *s. v. vço*).
4. *alcándaras*: 'percha para colgar ropa o poner las aves de
caza' (Menéndez Pidal, p. 448) y, como se desprende del mismo
texto, percha de uso en cetrería.

e sin falcones   e sin adtores mudados.   5
Sospiró Myo Çid,   ca mucho avie grandes cuydados;
fabló Myo Çid   bien e tan mesurado:
—«¡ Grado a ti, señor Padre,   que estás en alto,
»esto me an buelto   myos enemigos malos!»

[2]

Allí pienssan de aguiiar;   allí sueltan las riendas.   10
A la exida de Bivar   ovieron la corneia diestra
e entrando a Burgos   oviéronla siniestra.
Meçió Myo Çid los ombros   e engrameó la tiesta:
—«Albricia, Álbar Fánez,   ca echados somos de tierra.»

5. *adtores mudados*: 'azores de más de un año, que han mudado ya el plumaje', «figuran frecuentemente en la literatura antigua como ave de caza muy preciada» (Menéndez Pidal, pp. 429-
430, a cuyos testimonios podríamos añadir el de *El libro del cavallero Zifar*, en donde Roboán «vio estar en una alcándara un
açor mudado de muchas mudas», ed. M. de Riquer, Barcelona
1951, II, p. 265).

8. *grado a ti*: 'te agradezco'.

9. *an buelto*: 'han urdido con engaño'.

10. *pienssan de aguiiar* (*pienssan*, verbo auxiliar incoativo):
'se disponen a cabalgar'.

11. *exida*: 'salida'. M. Garci-Gómez, 1975, pp. 55-58, ha pro-
bado el carácter propicio de la corneja *siniestra* en algunos autores clásicos, además de en E. de Villena que aduce el *Libro de
los agüeros* (perdido) alfonsí (véase ahora en Pedro M. Cátedra,
Estudios sobre la vida y la obra de E. de Villena, vols. II-III.
Traducción y glosas de la Eneida, Barcelona, 1984, glosa núm. 467).
Sugerimos, además, la posibilidad de que *albriçia* recargue doblemente la ironía y desgracia del Cid, quien ante un agüero favorable pone de manifiesto esa buena nueva carente de ventajas y
novedad. Acaso el poeta con esta ironía pretenda salvar al Cid
de una acusación como la del conde de Barcelona al propio Campeador: «Videmus etiam et cognoscimus, quia montes et corui et
cornelle et nisi et aquile et fere omne(s) genus auium sunt dij
tui» (*Historia Roderici*, ed. Menéndez Pidal, en *La España del
Cid*, Madrid, 1969, II, p. 945).

13. *engrameó la tiesta*: 'meneó, sacudió la cabeza'.

14. *albricia*: '¡albricias!', interjección de alegría. *ca*: conjunción expletiva. Menéndez Pidal (y le sigue Horrent, 1981, 2) creyó
necesaria la adición de un verso 146 («Mas a grand ondra torna-
remos a Castiella»), basándose en el pasaje correspondiente de la
Primera crónica general. Pero en esta prosificación se omite el
v. 14, con lo que más que un añadido de la versión de la *PCG*
sería una sustitución; de aceptar el v. 14b atentaríamos contra
la versión del manuscrito de Per Abbat y, sobre todo, desharía-
mos la nobleza del carácter del Cid, quien con el v. 14 ironiza

[3]

Myo Çid Ruy Díaz   por Burgos entr[ó];   15
en su compaña   LX pendones
evienlo ver   mugieres e varones,   16*bis*
burgeses e burgesas   por las finiestras son;
plorando de los oios,   tanto avyen el dolor;
de las sus bocas   todos dizían una razón:
—«¡Dios, qué buen vassalo,   si oviesse buen señor!»   20

---

sobre el agüero favorable de la entrada en Burgos (véase la nota
al v. 11). Para la noticia histórica de Álvar Fáñez, véase la Introducción.
    15. El manuscrito trae *en t[ra]ua.* Menéndez Pidal consideró
razonable la enmienda *entrove* para mantener la asonancia *ó-e/ó*
de esta *tirada.* Aceptamos, sin embargo, la enmienda de Horrent,
1973, p. 227, y 1982, p. 2.
    16. *compaña:* 'compañía, bando, séquito, ejército'.
    16b. *exienlo ver (exién,* 3.ª pers. sing. de imperf. de indic. de
exir, 'salir'): 'salían a verlo' (véase v. 11). El copista hace de 16
y 16b un solo verso, añadiendo entre líneas *leuaua* para completar la asonancia con *entraua;* según Horrent, 1982, p. 136, el copista «n'a pas saisi le caractère martial du vers ms. sens verbe».
    17. A. Gargano, 1980, pp. 217-221, ha determinado socialmente
a los *burgueses* y *burguesas* del *PMC* contraponiéndolos a otros
estamentos sociales del momento: así, a los vasallos-guerreros
(bellatores) y a los monjes del monasterio de San Pedro *(orato-
res).* Dentro de esa serie, pues, los *burgueses* y *burguesas* vendrían a ser, por oposición funcional a los otros dos grupos, los
laboratores (no tanto como *agricolae* sino como ciudadanos liga-
dos a la actividad comercial). Sin embargo, A. Ubieto, 1973, páginas 141-142, y J. Rodríguez-Puértolas (cito por Deyermond, 1977,
p. 150) han descartado la posibilidad de tomarlos por *burgaleses*
y dan por segura su identificación con *burgueses.*
    20. Verso controvertido al que se han dedicado bastantes
páginas. Véanse las de A. Bello, 1882, §§ 692-695 (parafrasea: «qué
buen vasallo sería el Cid, si tuviesse buen señor, bien porque
se creyera que no tenía señor o que éste no era bueno»), A. Alonso, 1944, pp. 187-191 (propuso «¡Dios, qué buen vasallo! ¡Si oviesse
buen señor!» descomponiendo, así, el verso en dos sintagmas
independientes: una exclamación y una oración de subjuntivo
optativo), L. Spitzer, 1945, pp. 132-135 (tras arrimarlo a los versos 3764-3765 de la *Chanson de Roland,* concluye que «El poeta
lamenta la falta de lealtad en un ser excepcionalmente hermo-
so»), Menéndez Pidal, 1946, p. 1221 (interpreta: «qué buen vasallo
pierde Alfonso por no ser buen señor, desterrando al héroe»),
M. de Riquer, 1945, pp. 257-260, A. Badía Margarit, 1954, pp. 149-
165, Carrasco, 1969, pp. 284-286, O. Armand 1972, pp. 339-348,
J. Horrent, 1973, p. 362 (le niega cualquier identidad ideológica
con el «Deus! quel baron s'oust chrestientet» del *Roland),* M. Gar-

[4]

Conbidar le yen de grado,   mas ninguno non osava:
el rey don Alfonsso   tanto avie la grand saña;
antes de la noche   en Burgos dél entró su carta,
con grand recabdo,   e fuertemientre sellada,
que a Myo Çid Ruy Díaz   que nadi nol' diessen posada,   25
e aquel que ge la diesse   sopiesse vera palabra,   1v
que perderie los averes   e más los oios de la cara,
e aun demás los cuerpos e las almas.
Grande duelo avien   las yentes christianas;

---

ci-Gómez, 1975, pp. 62-84 (cierto que *buen vassalo* se predica del
Cid; pero *buen señor*, en calidad de árbitro, se dice de Álvar Fáñez. Y a esa causa sirve el condicional optativo del segundo hemistiquio: «Aquellos curiosos y compasivos» —acaba G.— «al
mirar al *buen vassalo* aceptar su desgracia compuesto y pacien-
te, le deseaban que encontrase *buen señor*, que supiera convencer al monarca ofendido de la bondad del vasallo»), J. Horrent,
1982, pp. 136-137 (no hace al caso ahí la interpretación hipotética
porque «serait contraire au sens général du poème qui veut
que le Cid reste un bon vassal même quand son roi ne se com-
porte pas avec lui comme un bon segneur»), C. Smith, 1983,
pp. 200-201 (no se la juega a ninguna carta; pero lo reconoce tan
en deuda con el v. 3164 de la *Chanson de Roland* cuanto polémica su puntuación), etc. Nosotros preferimos la lectura condicional de *si*, como Ian Michael, considerando el verso actual-
mente y desde un punto de vista jurídico: de hecho, el Cid no
es ahí ya vasallo del rey, del que no depende tras el destierro.
El Cid, al fin y al cabo, es un caballero en busca de señor a lo
largo de todo el *Poema*; sólo la reintegración, besando la mano
a su rey, cerrará el ciclo de su ascenso. Este verso es, pues, pre-
monitorio.
    21.   *conbidar le yen* (condicional analítico): 'le convidarían'.
    22.   *grand saña*: parece evocarse aquí la *ira o indignatio regis*,
que, como institución de la alta Edad Media, «proviene, por
una parte, de la *pax regis* visigótica, y por otra, de la *Friedlos-
legung* germánica» (*cf.* M. E. Lacarra, 1980, p. 8).
    23.   *antes de la noche*: 'la noche anterior'.
    24.   *grand recabdo*: 'con prevenciones muy severas y preci-
sas' (Menéndez Pidal, p. 821).
    26.   *vera*: 'verdadera'.
    27.   *averes*: 'bienes, riquezas'.
    28.   Cumple aclarar algunos de los anacronismos que pudie-
ron entrar en el *PMC*: si en verdad la cancillería imperial no
empezó a usar sellos antes de 1150 o si la fórmula de maldición
convencional de ciertos diplomas medievales que se reconoce en
los versos 27-28 era ya en 1140 un arcaísmo. Para los detalles de
este asunto, véase Menéndez Pidal, pp. 740 y 772-773. A. Ubieto,
1973, p. 66, P. E. Russell, 1978, pp. 15-24, y Lacarra, 1980, pp. 27-29.

ascóndense de Myo Çid, ca nol' osan dezir nada. 30
El Campeador adeliñó a su posada;
así como legó a la puerta falóla bien çerrada,
por miedo del rey Alfonsso que assí l[a] avien parad[a],
que, si non la quebrantás por fuerça, que non ge la abrie-
[se nadi.
35
Los de Myo Çid a altas vozes laman;
los de dentro non les querien tornar palabra.
Aguiió Myo Çid, a la puerta se legava;
sacó el pie del estribera, una feridal' dava:
non se abre la puerta, ca bien era çerrada.
Una niña de nuef años a oio se parava: 40
—«¡ Ya, Campeador, en buen ora çinxiestes espada!,
»el rey lo ha vedado, anoch dél e[n]tró su carta
»con grant recabdo e fuertemientre sellada.
»Non vos osariemos abrir, nin coger por nada;
»si non, perderiemos los averes e las casas 45

30. *ca* (conj. causal): 'porque, pues'.
31. *adeliñó*: 'se dirigió, encaminó'.
32. *falóla*: 'hallóla'.
33. *parad[a]*: 'preparada'. El ms. rompe aquí la asonancia al leer en el segundo estico *que assi lo avien parado*. Menéndez Pidal (y le apoya Horrent, 1982, p. 3) corrigió *que assi lo pararan*. Creemos que es posible, sin embargo, defender nuestra enmienda: aquí el copista rompe la asonancia en dos versos; luego, ambos estarían en mal estado o borrosos. Así, en el v. 31 pudo escribirse (por la atracción de *lo*) **parallo*; de ser de esta manera tendríamos un *que* pleonástico.
34. El verso, de desmesurada extensión, obliga al copista a sobreponer la última sílaba *(-di)* sobre *na-*. Menéndez Pidal (y Horrent, 1982, p. 3) enmendó *que non ge la abriesen por nada*. Con todo, podría darse el caso de que el copista del ms. o su antígrafo omitan alguna palabra acaso poco legible (véase lo dicho en la nota al v. 33); de ahí, nuestra conjetura *que non ge la abriese cosa nada*.
36. *tornar palabra*: 'responder'.
38. *estribera*: 'estriba de montar a caballo'.
40. *nuef*: 'nueve'. *a oio se parava*: 'se le presentó, se le puso delante'. Miguel Garci-Gómez, 1975, pp. 76-84, la acerca, por el viejo *tópos* «puer-senex», a la niña de trece años de Plinio, *Epistulae*, 5, 16, 2, y a la de Estacio, *Sylvae*, 2, 6, 48-49. Para la tal hipótesis, véase Horrent, 1982, p. 253. No obstante, no nos parece vano recordar aquí la fortuna literaria de la joven doncella sabia (Teodor y otras) con ciertos rasgos, a veces, de profetisa.
41. *Ya* (interjección de origen árabe): 'Oh'. *ora*: 'hora'. *Ora* aparece entre líneas y, según creo, de otra mano.
42. *anoch* (de *ad noctem*): 'ayer'. La *-n-* de *entro* no está trazada, ni siquiera como abreviatura.
44. *coger*: 'acoger'.

»e, demás,   los oios de las caras.
»Çid, en el nuestro mal   vós non ganades nada,
»mas el Criador vos vala   con todas sus vertudes sanctas.»
   Esto la niña dixo   e tornós' pora su casa.
Ya lo vee el Çid   que del rey non avie gr[açi]a.   *2r*
Partiós' de la puerta,   por Burgos aguijava;   51
legó a Sancta María,   luego descavalga;
fincó los ynoios,   de coraçón rogava.
La oración fecha,   luego cavalgava.
Salió por la puerta   e Arlançón p[a]sava;   55
cabo esa villa   en la glera posava;
fincava la tienda   e luego descavalgava.
Myo Çid Ruy Díaz,   el que en buen ora çinxó espada,
posó en la glera   quando nol' coge nadi en casa,
derredor dél   una buena conpaña.   60
Assí posó Myo Çid   como si fuesse en montaña.
Vedada l'an compra   dentro en Burgos la casa
de todas cosas   quantas son de vianda:
non le osarien vender   al menos dinarada.

46. Antes de *caras* el copista parece haber escrito *casas*, que
tacha. Sería o bien *lapsus calami* con respecto al verso anterior
o bien una enmienda del copista sobre un error de su antígrafo.
48. *vala*: 'valga'.
49. *pora*: 'para'.
50. Seguramente un corte superior del folio se llevó consigo
la abreviatura de *graçia.*
51. *partiós' de*: 'se apartó de'.
53. *fincó los ynoios*: 'hincó las rodillas'.
55. El ms. lee *e en arlançon posaua* interlineando *en* y *-çon.*
Habrá que enmendar *pasava* en atención a las razones de Menéndez Pidal, p. 518.
56. *cabo*: 'junto a'. *glera*: 'cascajar, arenal'.
57. *fincava*: 'plantaba'.
60. *buenna Ms.*
61. *en montaña*: se resalta aquí el alto grado de postración
a que ha sido llevado el Cid.
62. *vedada l'an compra*: «esta prohibición que aquí hace el
rey respecto del Cid era limitada por los fueros» (Menéndez
Pidal, p. 585). *Burgos la casa*: 'la población de Burgos'.
64. *dinarada*: «"cantidad de comestible que se compra con
un dinero"... La dinarada en general bastaba para la comida dia-
ria de una persona» (Menéndez Pidal, p. 628).

[5]

Martín Antolínez, el burgalés conplido,   65
a Myo Çid e a los suyos   abástales de pan e de vino;
non lo compra,   ca él se lo avie consigo;
de todo conducho   bien los ovo bastidos.
Pagós' Myo Çid   el Campeador [complido]
e todos los otros   que van a so çerviçio.   69*b*
Fabló Martín A[n]tolínez, odredes lo que á dicho: 70
—«¡Ya, Canpeador, en buen ora fuestes naçido!,
»esta noch y[a]gamos e váymosnos al matino,
»ca acusado seré de lo que vos he servido;
»en yra del rey Alfonsso yo seré metido;   2*v*
»si convusco escapo sano o bivo   75
»aun çerca o tarde el rey querer m'á por amigo;
»si non, quanto dexo no lo preçio un figo.»

65. *Martín Antolínez*: aunque no existen pruebas de su existencia histórica, C. Smith, 1983, pp. 171-172, le buscó un padre
putativo (Antolino Núñez) entre los diplomas de Cardeña por los
años 1061-1092; y todo ello para justificar, pese a la rareza de Antolino y sus variantes en la época, el nombre Martín en la coin-
cidencia con «the Cid's own parish in the city, *San Martín*»
(p. 172). *conplido*: 'perfecto, excelente' (Garci-Gómez, 1975, p. 85,
nos extracta la explicación de las *Siete partidas*, p. 1, t. 1, 1.6: «el
que las leyes bien sabe et entiende..., conosciendo lo que ha menester para pro del alma et del cuerpo»).
66. *abástales*: 'les provee'.
68. *conducho*: 'provisiones'.
69. *Pagós'*: 'se contentó, estuvo contento'. El copista escribe
como un solo verso éste y el siguiente. Será necesaria la enmienda que ya verificaron sucesivamente Bello y Menéndez Pidal, y
que aceptó C. Smith; de otra suerte, Horrent opta por *el Campeador don Rodrigo*.
70. *odredes* (2.ª pers. pl. de fut. ind. de *oír*): 'oiréis, vais a oír'.
72. *y[a]gamos* (3.ª pers. pl. pres. subj. de *yazer*): 'descanse-
mos'. Todos los editores suplen *vay[a]mosnos*; vemos, con la
perspectiva rítmica a favor, razonable la forma *vaymosnos*.
73. La mano correctora posterior añade otra versión del segundo hemistiquio: «por lo que vos he servido».
75. *convusco*: 'con vos'. *o*: 'y'.
76. *querer m'á* (fut. analítico): 'me querrá'. El copista, que
leería en su antígrafo *quererma* (otro tanto hacemos nosotros),
corrige *querer-* y se ve obligado a interlinear *ha*.

[6]

Fabló Myo Çid,   el que en buen ora çinxó espada:
—«Martín Antolínez,   sodes ardida lança;
»si yo bivo,   doblar vos he la soldada   80
»espeso, e el oro   e toda la plata;
»bien lo vedes   que yo non trayo [nada]
»e huebos me serie   pora toda mi compaña;
»fer lo he amidos,   de grado non avrie nada.
»Con vuestro consego   bastir quiero dos archas,   85
»ync[h]ámoslas d'arena,   ca bien serán pesadas,
»cubiertas de guadalmeçí   e bien enclaveadas,

[7]

»los guadameçís vermejos   e los clavos bien dorados.
»Por Rachel e Vidas   vayádesme privado:

82-83. El ms. reparte así los dos versos: *bien lo vedes que yo non trayo huebos me serie / para toda mi compaña.* Tras *trayo* el corrector interlinea *auer.* Parece lógico conjeturar *nada,* como hacen todos los editores antiguos, Menéndez Pidal, Smith y Horrent; Michael prefiere respetar *auer.*

83. *huebos* (de *opus*): 'necesario'.

84. *amidos* (adv.): 'de mala gana, contra su voluntad'.

85. *bastir*: 'preparar'.

87. *guadalmençí*: 'cuero fino, adornado con labores'.

89-200. Unos (Bello a la cabeza) resaltan en el episodio el antisemitismo del *PMC*; otros (de Menéndez Pidal a C. Gariano) lisa y llanamente lo han desechado. Al fin y al cabo, el autor no dice —viene a razonar M. Garci-Gómez, pp. 93-112, partidario de la amistad del Cid con esos dos personajes— el judaísmo de Raquel y Vidas. Como tampoco —sigamos con el asunto en manos de Garci-Gómez— los trataba así la *PCG*; sí, en cambio, y un poco más tarde, la *Crónica de Castilla.* Esos personajes también fueron fábula de algunos romances. Para mayores pormenores sobre las huestes en que se alinean unos y otros, véase Miguel Magnota, 1976, pp. 45-48. En cuanto a deudas y coincidencias, Deyermond-Chaplin, 1972, pp. 36-53, y L. Noemí Uriarte, 1972, pp. 215-230, han explorado afirmativamente la cantera folclórica de la historia (editores y estudiosos nos llevan tan fácilmente a K 455.9 o 476.22 como a K 1667). Menéndez Pidal ya la descubre en deuda con el «exemplum XV: De decem cofris» («Deinde decepti socio precepit decem cofros exterius preciosis depectos coloribus atque ferro deargentoto ligelos cum bonis serraturis emere et ad domum sui hospitis aferre lapidibusque comminutis implere») de la *Disciplina Clericalis* de Pedro Alfonso y la remonta a

»quando en Burgos me vedaron conpra   e el rey me á ayrado,
»non puedo traer el aver,   ca mucho es pesado;   91
»enpeñar ge lo he   por lo que fuere guisado.
»De noche lo lieven,   que non lo vean christianos;
»véalo el Criador   con todos los sos sanctos
»yo más non puedo   e amydos lo fago.»   95

[8]

Martín Antolínez   non lo detardava,
por Rachel e Vidas   apriessa demandava.
Passó por Burgos,   al castiello entrava;
por Rachel e Vidas   apriessa demandava.

---

las *Historias*, III, 123, de Herodoto y a la evocación de Dido
en los apéndices de las *Historias Filípicas* de Trogo Pompeyo que
conservó por breve Justino en su *Epítome*, XVIII, 4 («E cuemo
por conceio» —se recoge en la PCG a la altura de la historia en
que Dido empieza a cumplir su plan para zafarse del rey de Tiro—
«mando fazer sacos de cuero no muy grandes, y enchir los de
arena, e fizo los guarnecer much apuestament desuso...»). En otro
contexto y época (más para acá), el motivo alcanzaba al *Deca-
merón* (VIII, 10) de Boccaccio (ahí Salabeto recuperará sus 500
florines que había dejado en préstamo a Blancaflor haciendo «muchas como balas de paño... e..., de la otra parte, toneles muy
grandes henchidos de agua...») e incluso a la *Vida del escudero
Marcos de Obregón* (los descansos VIII-IX de la tercera parte)
de Vicente Espinel (en este caso se trata de recobrar un cofreci-
llo repleto de algún dinero y alguna joya que se había confiado
a la señora Camila) y al *Guzmán de Alfarache*, II, i, 8, de Mateo
Alemán (de nuevo por Génova, ahora en compañía de Sayavedra,
Guzmán da suelta a su venganza: allí, en efecto, dejó «robado»
a su tío Beltrán con cuatro baúles llenos de piedras).
   89.   «Son personajes inventados y se ha pensado que pudiera
ser un matrimonio judío (F. Cantera, 1958, y J. M. Sola-Solé,
1976)» (López Estrada, 1982, p. 167). En cuanto a la etimología,
sólo dos hipótesis tienen hoy curso corriente: el nombre bíblico
de «Rages» (*Tobías*, 1, 16) para Raquel y el vocablo hebreo
Hayyim ('vida') para Vidas. *privado* (adv.): 'presto, pronta-
mente'.
   92.   *enpeñar ge lo he* (1.ª pers. sing. del futuro analítico): 'se
lo empeñaré'. *guisado*: 'justo, razonable'.
   94.   *sos*: 'sus'.
   96.   *detardava*: 'demoraba'. Ms.: *detarua*.

[9]

Rachel e Vidas   en uno estavan amos   *3r*
en cuenta de sus averes   de los que avien ganados.   101
Legó Martín A[n]tolínez   a guisa de menbrado:
—«¿Ó sodes, Rachel e Vidas,   los myos amigos caros?
»En poridad fablar   querría con amos.»
    Non lo detardan;   todos tres se apartaron.   105
—«Rachel e Vidas,   amos me dat las manos
»que non me descubrades   a moros nin a christianos,
»por siempre vos faré ricos,   que non seades menguados.
»El Campeador   por las parias fue entrado,
»grandes averes priso   e mucho sobeianos,   110
»retovo dellos   quanto que fue algo;
»por én, vino a aquesto   por que fue acusado.
»Tiene dos arcas   lennas de oro esmerado.
»Ya lo vedes,   que el rey le á ayrado;
»dexado ha heredades   e casas e palaçios;   115
»aquelas non las puede levar,   si non, seryen ventad[o]s.
»El Campeador   dexar las ha en vuestra mano,
»e prestalde de aver   lo que sea guisado;
»prended las archas   e metedlas en vuestro salvo;
»con grand iura   meted ý las fes amos,   120
»que non las catedes   en todo aqueste año.»

100. *amos*: 'ambos'.
102. *a guisa ae menbrado*: 'a manera de prudente, entendido', 'prudentemente'.
103. *ó*: 'dónde'.
104. *poriaad*: 'secreto'. Ms.: *flablar*.
108. *menguados*: 'necesitados'.
109. *parias*: 'tributos'; la palabra *parias* está interlineada.
fue entrado: 'había entrado'.
110. *priso*: 'cobró, recibió'. *mucho sobeianos*: 'muy sobra-
dos, muy numerosos, excesivos'.
111. *quanto que fue algo*: 'todo aquello que tenía algún valor'.
112. *por én*: 'por ende, por tanto'.
113. *esmerado*: 'puro'.
116. Smith y Michael respetan *ventadas*, pero parece razonable enmendar *ventados* en consideración a la asonancia y por
referirse al Cid y a los hombres de su mesnada. Menéndez Pidal
y Horrent prefieren resolver el normal anacoluto apurando aún
más la corrección: *sinon, serie ventado*.
118. *prestalde* (metátesis Id > dl): 'prestadle'.
119. *salvo*: 'custodia'.
120. *iura*: 'juramento'. *ý* (de *ibi*): 'allí'. *meted y las fes amos*:
'empeñad los dos vuestra palabra' (C. Smith).
121. *catedes* (2.ª pers. pl. pres. subj. de *catar*): 'examinéis'.

Rachel e Vidas   seyense conseiando:
—«Nós huebos avemos   en todo de ganar algo;
»bien lo sabemos   que él algo gañó   *3v*
»quando a tierra de moros entró,   que grant aver sacó;   125
»non duerme sin sospecha   qui aver trae monedado.
»Estas archas   prendámoslas amas,
»en logar las metamos   que non sean ventadas.
»Mas dezidnos del Çid   de qué será pagado
»o qué gançia nos dará   por todo aqueste año.»   130
      Respuso Martín Antolínez   a guisa de menbrado:
—«Myo Çid querrá   lo que sea aguisado;
»pedirvos a poco   por dexar so aver en salvo.
»Acógensele omnes   de todas partes menguados:
»á menester   seysçinetos marcos.»   135
      Dixo Rachel e Vidas: —«Dárgelos [emos] de grado.»
      —«Ya vedes que entra la noch,   el Çid es presurado:
»huebos avemos   que nos dedes los marchos».
      Dixo Rachel e Vidas: —«Non se faze assí el mercado,
»sinon primero prendiendo   e después dando.»   140
      Dixo Martín Antolínez: —«Yo desso me pago;
»amos tred   al Campeador contado
»e nós vos aiudaremos,   que assí es aguisado,
»por aduzir las archas   e meterlas en vuestro salvo,
»que non lo sepan   moros nin christianas.»   145
      Dixo Rachel e Vidas: —«Nós desto nos pagamos;

122. *seyense conseiando*: 'estaban parlamentando (entre ellos)'.
123. *algo*: 'riqueza, valor'.
124-125. Ambos versos son enmendados por Restori y Menén-dez Pidal para redondear la asonancia *(ha gañado / ha sacado)*: el respeto de su estado actual lleva a mantener la existencia de un grupo independiente o bien de una recitación que atiende a prosodia móvil. Horrent enmienda en el v. 124 *gañó algo* y en el v. 125 acepta la de Restori y Menéndez Pidal.
126. *aver... monedado*: 'dinero en metálico'.
127. Menéndez Pidal corrige *amos*. Horrent conjetura *amas las prendamos*.
128. *ventadas*: 'descubiertas'.
129. *pagado*: 'complacido, satisfecho'.
136. Hay que suplir, con la mayoría de editores, la omisión de «emos».
137. *presurado*: 'apresurado'.
139. *mercado*: 'negocio'.
141. *Yo desso me pago*: 'estoy satisfecho con eso'.
142. *tred* (imper. de *traer*, aquí con el significado de venir): 'id'. *contado*: 'famoso, renombrado'.
144. *aduzir*: 'traer'.
145. *lo*: está interlineado.

»las archas aduchas, prendet seyesçientos marcos.»
    Martín Antolínez cavalgó privado, *4r*
con Rachel e Vidas de voluntad e de grado.
Non viene a la pueent, ca por el agua á passado, 150
que ge lo non ventassen de Burgos omne nado.
Afévoslos a la tienda del Campeador contado.
Assí como entraron, al Çid besáronle las manos.
Sonrisós' Myo Çid, estávalos fablando:
—«Ya, don Rachel e Vidas, avédesme olbidado, 155
»ya me exco de tierra, ca del rey só ayrado;
»a lo quem' semeia de lo mio avredes algo;
»mientra que vivades non seredes menguados.»
    Don Rachel e Vidas a Myo Çid besáronle las manos.
Martín Antolínez el pleyto á parado, 160
que sobre aquelas archas dar le yen VI çientos marcos
e bien ge las guardarien fasta cabo del año,
ca assíl' dieran la fe e ge lo avien iurado,
que, si antes las catassen, que fuessen periurados,
non les diesse Myo Çid de la ganançia un dinero malo. 165
    Dixo Martín Antolínez: —«Cargen las archas privado.
»Levaldas, Rachel e Vidas, ponedlas en vuestro salvo;
»yo iré convus[c]o, que adugamos los marcos,
»ca a mover á Myo Çid ante que cante el gallo».
    Al cargar de las archas veriedes gozo tanto: 170

147. *las archas aduchas*: «ablativo absoluto que imita claramente el latín legal de la Edad Media o los textos literarios» (C.
Smith).
151. ventassen *Ms. de Burgos omne nado*: 'persona natural
de Burgos'.
152. *Afévoslos*: 'héoslos', 'he aquí'.
156. *exco de tierra* (*exco*, 1.ª pers. sing. de pres. ind. de *exir*):
'salgo desterrado'. *ayrado*: véase nota al verso 32.
161. *dar le yen* (analítico del imperf. subj.): 'le darían'. *marcos*: 'peso de media libra de oro o de plata' (Menéndez Pidal,
p. 748).
164. *periurados*: 'perjuros'.
165. *dinero malo*: 'un mal ochavo, un triste maravedí' (Menéndez Pidal, p. 740). El mismo Menéndez Pidal, 1962 (reimpr.
1983), pp. 177-178, acabó por plegarse a la explicación de F. Mateu
Llopis, 1947, pp. 43-56: «el dinero *malo*, que por dos veces se
nombra, puede referirse a la acuñación segoviana de los Alfon-
sos VI y VII, que es de plata de baja ley» (p. 177).
168. *adugamos* (1.ª pers. pl. pres. subj. de *aduzir*): véase nota
al v. 144.
169. *a mover á Myo Çid*: 'Mio Cid ha de ponerse en marcha'.
170. *veriedes*: evocación, para los principios de enumeraciones descriptivas, de la *veisiez* de la épica francesa.

non las podien poner en somo,   maguer eran esforçados;
grádanse Rachel e Vidas   con averes monedados,   4v
ca mientra que visquiessen   refechos eran amos.

[10]

Rachel a Myo Çid   la manol' [h]a besa[da]
—«Ya, Canpeador,   en buen ora çinxiestes espada,   175
»de Castiella vos ides   pora las yentes estranas;
»assí es vuestra ventura   grandes son vuestras ganançias;
»una piel vermeia   morisca e ondrada,
»Çid, beso vuestra mano   en don que la yo aya».
—«Pla[z]me» —dixo el Çid—   «d'aquí sea mandada,   180
»si vos la aduxier d'allá,   si non, contalda sobre las arcas».
En medio del palaçio   tendieron un almofalla,
sobr'ella una sávana   de rançal e muy blanca.
A tod el primer colpe   IIIccc marcos de plata echa[va]n;
notólos don Martino,   sin peso los tomava;   185
los otros CCC   en oro ge los pagavan.
Çinco escuderos tiene don Martino,   a todos los cargava.

171. *en somo* (adv. de lugar): 'encima, arriba'. *maguer* (conj.
concesiva): 'aunque'.
172. *grádanse*: 'se alegran'.
173. *refechos*: 'enriquecido' (comp. *desfechos*, 800, 'empobre-
cidos').
174. La enmienda de Menéndez Pidal nos convence por la razón paleográfica que alega: el copista se despistaría al escribir
h por *b*. Horrent acepta la lectura de Menéndez Pidal.
176. *ides* (2.ª pers. pl. pres. ind. de *ir*): 'vais'. *estranas*: 'ex-
tranjeras'.
177. Rachel e Vidas exhortan —proponemos— al Cid a que
les tenga presentes («una piel vermeia morisca e ondrada», parecen reclamar para sí) en sus futuras ganancias. De ahí la enmienda *son* por *sean*. *ventura*: está interlineado.
178. *una piel vermeia*: «zamarra, o sobretúnica, de manga cor-
ta, hecha de armiño, conejo o incluso piel de oveja, con el pelo
por dentro y la piel por la parte de afuera, cubierta de seda roja,
a veces atada con cordones dorados» (Michael). *ondrada*: 'excelente, espléndida'.
179. *beso vuestra mano en don que la yo aya*: 'pido que yo
la tenga (la *piel vermeia*) como regalo'.
180. *d'aquí*: 'desde ahora'. *mandada*: 'prometida'.
182. *almofalla*: 'alfombra'.
183. *rançal*: 'tela de hilo'.
184. *A tod el primer colpe*: 'inmediatamente'. *echavan* es enmienda sobre *echaron*.
185. *notólos*: 'los contó'. *sin peso*: 'sin pesarlos'.

Quando esto ovo fecho, odredes lo que fablava:
—«Ya, don Rachel e Vidas, en vuestras manos son las
[arcas;
»yo, que esto vos gané, bien mereçía calças.» 190

[11]

Entre Rachel e Vidas aparte yxieron amos:
—«Démosle buen don, ca él no' lo ha buscado.
»Martín Antolínez, un burgalés contado,
»vós lo mereçedes, darvos queremos buen dado,
»de que fagades calças e rica piel e buen manto: 195
»dámosvos en don a vós XXX marchos;
»mereçer no' lo hedes, ca esto es aguisado, 5r
»atorgarnos hedes esto, que avemos parado.»
Gradeçiólo don Martino e recibió los marchos.
Gradó exir de la posada e espidiós' de amos; 200
exido es de Burgos e Arlançón á passado,
vino pora la tienda del que en buen ora nasco;
reçibiólo el Çid, abiertos amos los braços:
—«Venides, Martín Antolínez, el mio fiel vassalo,
»¡aun vea el dia que de mí ayades algo!» 205
—«Vengo, Campeador, con todo buen recabdo:
»vós VI çientos e yo XXX he ganados.
»Mandad coger la tienda e vayamos privado,
»en San Pero de Cardeña ý nos cante el gallo;

192. *no'*: *nos*, caso de asimilación *s-l*, como en vv. 197, 254, 3515, etc.
194. *dado*: 'don, regalo'.
197. El corrector del *Ms.* ha trazado *nos los*.
198. *atorgarnos hedes esto*: Rachel y Vidas hacen hincapié —a pesar de lo que piensa Michael— en que Martín Antolínez debe aceptar esos «XXX marchos» porque ellos lo habían dispuesto así.
200. *espidiós'*: 'se despidió'.
202. *la (s. l.) nasco* (3.ª pers. sing. del pret. ind. de *nacer*): 'nació'.
205. *aun vea*: 'ojalá'.
209. P. E. Russell, 1978, pp. 95-97, señala «claramente que no hay prueba independiente alguna que demuestre que ninguno de los episodios de Cardeña sea histórico. En un caso en que es posible la comprobación se ve que en el poema no domina un punto de vista de historiador, pues se afirma que doña Jimena permaneció separada de su marido durante diez años, entre su primer destierro y la conquista de Valencia. En realidad se reu-

»veremos vuestra mugier,   menbrada fija d'algo,   210
»mesuraremos la posada   e quitaremos el reynado:
»mucho es huebos,   ca çerca viene el plazo.»

[12]

Estas palabras dichas,   la tienda es cogida,
Myo Çid e sus conpañas   cavalgan tan ayna.
La cara del cavallo   tornó a Sancta María,   215
alçó su mano diestra,   la cara se sanctigua:
—«A Ti lo gradesco, Dios,   que çielo e tierra guías;
»válanme tus vertudes,   gloriosa Sancta María;
»d'aquí quito Castiella,   pues que el rey he en yra:
»non sé si entraré ý más   en todos los myos días;   220
»vuestra vertud me vala,   Gloriosa, en mi exida,
»e me aiude e me acorra   de noch e de día.   5v
»Si Vós assí lo fiziéredes   e la ventura me fuere conplida,
»mando al vuestro altar   buenas donas e ricas:
»esto é yo en debdo,   que faga ý cantar mill missas.»   225

[13]

Spidiós el caboso   de cuer e de veluntad;
sueltan las riendas   e pienssan de aguijar.
Dixo Martín Antolínez: —«Veré a la mugier a todo myo
                                                                [solaz,

---

nió con él en 1089, cinco años antes de la toma de la ciudad.
Así, pues, históricamente, el episodio referente a la segunda
visita de Álvar Fáñez al monasterio no es verídico».
    210. *menbrada fija d'algo*: 'discreta hidalga'.
    211. *mesuraremos*: 'acortaremos'. *quitaremos el reynado*: 'sal_
dremos del reino'.
    214. *ayna*: 'aprisa'.
    222. *e me aiude*: se halla a continuación del v. 221 en el Ms.,
que lee *El me a.*, con corrección posterior *Ella*. Aceptamos la
enmienda de los editores modernos desde Menéndez Pidal, excepto Horrent que prefiere: «vuestra vertud me vala, Gloriosa,
[e me ayude en muy exida],/El(l) me acorra de noch e de dia».
acorra (3.ª pers. sing. del pres. subj. de *acorrer*): 'socorra'.
    225. *debdo*: 'obligación religiosa'. *mill* (s. l.).
    226. *caboso*: 'excelente, cabal' (adjetivo que se recuerda, con
fórmula épica al fondo, en el v. 364d, p. e., del *Libro de Alexandre*: «a guisa de caboso»). *de cuer*: 'de corazón'.
    228. *a todo myo solaz*: 'muy a mi gusto'.

»castigar los he   cómo abrán a far;
»si el rey me lo quisiere tomar,   a mí non m'inchal: 230
»antes seré convusco   que el sol quiera rayar.»

[14]

Tornavas' Martín Antolínez a Burgos   e Myo Çid aguij[ó]
pora San Pero de Cardeña   quanto pudo a espol[ón],
con estos cavalleros   quel' sirven a so sabor.
Apriessa cantan los gallos   e quiren quebrar albores   235
quando legó a San Pero   el buen Campeador.
El abbat don Sancho,   christiano del Criador,
rezava los matines   a buelta de los albores.
Ý estava doña Ximena   con çinco duenas de pro,
rogando a San Pero   e al Criador: 240
—«Tú, que a todos guías,   val a Myo Çid el Canpeador.»

[15]

Lamavan a la puerta;   ý sopieron el mandado:
¡Dios, qué alegre fue   el abbat don Sancho!
Con lumbres e con candelas   al corral dieron salto:

229. *castigar los he* (analítico del fut. ind.): 'les aconsejaré'.
abrán a: 'deberán de'. *far*: infinitivo que coexiste con *fer* y *fazer*.
230. *m'inchal* (3.ª pers. sing. del pres. ind. de *incaler*): 'me importa'.
232-234. Con Menéndez Pidal, que se basa en Bello, y con Smith y Horrent, preferimos agrupar en la tirada 14 estos tres versos introduciendo las enmiendas necesarias: *aguijó* por *a aguijar* y *espolón* por *espolear*.
233. *espolón*: 'espuela'.
234. *sabor*: 'placer, gusto'.
237. Convendría discernir qué identidad oculta ese abad (siempre se ha ido a buscar a *Sisebuto* apartado de los versos del *PMC* por motivos métricos: a C. Smith, 1977, p. 46, y 1983, p. 173, se le ocurre rara la asonancia ú-o en el *Poema*): nosotros seguimos sin descubrirle un trasunto real convincente. Para la relación monasterio de Cardeña e historia cidiana, remito al artículo de P. E. Russell, 1978, pp. 73-112.
238. *a buelta de*: 'al mismo tiempo que'.
239. *de pro*: 'excelentes'. *doña Ximena*: «Es la histórica Jimena Díaz, hija del conde Diego Rodríguez de Asturias, prima del rey Alfonso VI, hermana del conde de Fruela.» Para la ignorancia del poeta, en ese sentido, véase Introducción, nota 27.
242. *mandado*: 'noticia'.
244. *dieron salto*: 'salieron de prisa'.

con tan grant gozo reçiben   al que en buen ora nasco.   245
—«Gradéscolo a Dios, Myo Çid»,   dixo el abbat don Sancho,
»pues que aquí vos veo,   prendet de mí ospedado.»   6r
Dixo el Çid: —«Gracias, don abbat,   e só vuestro pagado;
»yo adobaré conducho   pora mí e pora mis vassallos,
»mas, porque me vo de tierra,   dovos L marchos: 250
»si yo algún día visquier,   servos han doblados;
»non quiero fazer en el monesterio   un dinero de daño.
»Evades aquí pora doña Ximena   dovos C marchos:
»a ella e a sus fijas e a sus duenas   sirváde'las est año.
»Dues fijas dexo niñas   e prendetlas en los braços,   255
»aquellas vos acomiendo   a vós, abbat don Sancho,
»dellas e de mi mugier   fagades todo recabdo.
»Si essa despenssa vos falleçiere,   o vos menguare algo,
»bien las abastad: yo assí vos lo mando
»por un marcho que despendades   al monesterio daré yo
                                                    [quatro.»   260
Otorgado ge lo avie   el abbat de grado.
   Afevos doña Ximena   con sus fijas do va legando;
señas dueñas las traen   e adúzenlas adelant.
Ant'el Campeador   doña Ximena fincó los ynoios amos;
lorava de los oios,   quisol' besar las manos: 265
—«Merçed, Canpeador,   en ora buena fuestes nado,
»por malos mestureros   de tierra sodes echado.

[16]

»Merçed ya, Çid,   barba tan conplida,
»fem' ante vós   yo e vuestras fijas,

    245. *grant*: interlineado.
    247. *ospedado*: 'hospitalidad'.
    248. *e so vuestro pagado*: 'le estoy agradecido'.
    251. *día*: está interlineado. *visquier* (1.ª pers. sing. fut. subj. de *vivir*): 'viviera'.
    253. *Evades aquí*: 'aquí tienes'.
    254. *sirváde'las*, véase nota al v. 192.
    255. Véase la nota al v. 47.
    260. *despendades*: 'gastéis'. Ilegible ahora después de *mones...* Utilizamos la edición paleográfica de Menéndez Pidal.
    263. *adelant* rompe la asonancia. Menéndez Pidal conjetura *en los braços* y Smith propone, en el caso que convenga suponer alguna enmienda, la de *por las manos*, que Horrent acepta en su texto. Nosotros preferimos la lectura del *Ms.*, como Michael.
    264. Como Smith y Horrent, optamos por colocar la cesura ante *doña Ximena*, que es el sujeto de *fincó*.
    266. *buena*: interlineado.

»yffantes son e de días chicas, 269*b*
»con aquestas mys dueñas, de quien só yo servida: 270
»yo lo veo que estades vós en ida 6*v*
»e nos de vos partir nos hemos en vida,
»dadnos conseio, por amor de Sancta María.»
Enclinó las manos en la su barba velida,
a las sus fijas en braço las prendía, 275
lególas al coraçón, ca mucho las quería;
lora de los oios, tan fuertemientre sospira:
—«¡ Ya doña Ximena, la mi mugier tan complida,
»commo a la mi alma yo tanto vos quería!
»Ya lo vedes, que partir nos emos en vida; 280
»yo yré e vós fincaredes remanida.
»Plega a Dios e a Sancta María
»que aun con mis manos case estas mis fijas, 282*b*
»o que dé ventura e algunos días vida,
»e vós, mugier ondrada, de mý seades servida.»

[17]

Grand iantar le fazen al buen Canpeador; 285
tañen las campanas en San Pero a clamor.
Por Castiella oyendo van los pregones,
cómmo se va de tierra Myo Çid el Canpeador:
unos dexan casas e otros onores;
en aqués día a la puent de Arla[n]çón 290

269-269b. Es un solo verso en el *Ms. de* (del v. 269b): está
interlineado. *chicas* leyó Menéndez Pidal con reactivo.
273. *Ms.: dandnos.*
274. Menéndez Pidal escribe *la barba vellida* porque imagina
a un copista más moderno enmendando un arcaísmo sintáctico.
También la admite Michael, mientras que Smith recoge en su
texto la de Bello *(el de la barba velida).* Respetamos la lectura
del manuscrito a favor de lo que expone Horrent, 1973, p. 225:
«*Barba vellida* no está empleada metafóricamente aquí, como en
el v. 930, sino que evoca la actitud del personaje que mesa su
bella barba con un aire dolorosamente meditativo.»
276. *lególas:* 'las acercó'.
280. *lo:* interlineado.
281. *fincaredes remanida:* 'te quedarás'.
286. Al fondo de este verso se deja oír una grata onomatope-
ya —en útil convergencia de forma y contenido—, para lo cual
cumple apreciar el repique de la campana (k...k) resuelta en vi-
bración (m, n, ñ, -mp-, ... r). *Cf.* C. Smith, 1983, p. 131.

çiento quinze cavalleros   todos iuntados son,
todos demandan   por Mio Çid el Canpeador;
Martín Antolínez   con ellos coió[s']
Vansse pora San Pero,   do está el que en buen punto naçió.

[18]

Quando lo sopo   Myo Çid el de Bivar,   295
quel' creçe conpaña   por que más valdrá,
apriessa cavalga,   reçebir los salle,
tornós a sonrisar,   léganle todos, la manol' ban besar.   7r
Fabló Myo Çid   de toda voluntad:
—«Yo ruego a Dios   e al Padre spiritual   300
»vós, que por mí dexades   casas e heredades,
»en antes que yo muera   algún bien vos pueda far,
»lo que perdedes   doblado vos lo cobrar.»
Plogo a Mio Çid   porque creçió en la iantar;
plogo a los otros omnes   todos quantos con él están.   305
Los VI días de plazo   passados los an,
tres an por troçir,   sepades que non más.
Mandó el rey   a Myo Çid a aguardar
que, si después del plazo   en su tierral' pudiés tomar,
por oro nin por plata   non podrie escapar.   310
El día es exido,   la noch querie entrar,
a sos cavalleros   mandólos todos iuntar:
—«Oýd, varones,   non vos caya en pesar,
»poco aver trayo,   darvos quiero vuestra part,
»sed menbrados,   commo lo devedes far.   315
»A la mañana,   quando los gallos cantarán,
»non vos tardedes,   mandedes ensellar,
»en San Pero a matines   tandrá el buen abbat;

---

293. *coiós'* (3.ª pers. sing. del pret. ind. de *coger*, reflexivo): 'se juntó con', 'los acompañó'. Creemos necesaria la adición del pronombre reflexivo (*cf.* Horrent, 1982, p. 143).
300. *e*: conj. pleonástica, en aposición.
302. *en antes que*: 'antes que'.
304. *plogo* (3.ª pers. sing. del pret. ind. de *placer*): 'complació'.
307. *troçir*: 'pasar, cruzar'.
308. *a aguardas* Ms.
313. *caya* (3.ª pers. sing. del pres. subj. de *caer*): 'caigáis'.
314. *trayo* (1.ª pers. pres. ind. de *traer*): 'traigo'.
318. *tandrá* (3.ª pers. sing. fut. ind. de *tañer*): 'tañirá'.

»la missa nos dirá: ésta será de Sancta Trinidad.
»La missa dicha, penssemos de cavalgar,   320
»ca el plazo viene açerca: mucho avemos de andar.»
    Cuemo lo mandó Myo Çid, assí lo an todos ha far.
Passando va la noch, viniendo la man,
a los mediados gallos, pie[n]ssan de cavalgar.
Tañen a matines, a una priessa tan grand,   7v
Myo Çid e su mugier a la eglesia van.   326
Echós doña Ximena en los grados delant el altar,
rogando al Criador quando ella meior sabe,
que a Mio Çid el Campeador que Dios le curiás de mal:
—«Ya, Señor glorioso, Padre que en çielo estás,   330
»fezist çielo e tierra, el terçero el mar,
»fezist estrelas e luna e el sol pora escalentar;

319. Misa cuya oración se aplica bien en este pasaje (y en el de
los preámbulos a la batalla contra el rey Búcar, verso 2370): en
ella se invoca la Omnipotencia de Dios para pedir, sobre la firmeza en la confesión, auxilio contra cualquier adversidad (véase
fray Justo Pérez de Urbel, 1955, p. 638). En las *Siete partidas*
(1, 4, 107), sin embargo, se recomendaba al clérigo que no dijera
otras misas («así como de Trenidad o de Sancti Spiritus o algunas otras») que no fueran las del día (*Apud* Menéndez Pidal,
p. 761).
322. *cuemo:* 'como'.
323. *Ms.: māna.* Aceptamos la enmienda de la mayoría. *man:*
'mañana'.
324. *a los mediados gallos:* 'a las tres de la madrugada'.
327. *grados:* 'gradas'.
329. *curiás* (3.ª pers. sing. imperf. subj. de *curiar*): 'prote-
giese'.
330-364. La oración narrativa en que Jimena se dirige a Dios,
trayéndole primero por testigo una serie de ejemplos bíblicos
y posbíblicos, para pedirle finalmente que ampare al Cid tiene
otros paralelos en la Edad Media (Gerli, 1980, pp. 436-441, la remite al *Ordo commendationis animae*): la oración de Carlomagno en
Fierabrás (hc. 1200), la de los cristianos en el *Poema de Fernán
González*, la del Arcipreste en el *Libro de buen amor*, etc. Básicamente han sido tres las posturas desde las cuales se ha abor-
dado el estudio de esta oración: para unos, su presencia en el
PMC se debe al influjo de las *Chansons de geste* (de D. Hinard,
1858, p. xxxi, a C. Smith, 1983, pp. 159-161); para otros, tal de-
pendencia no existe (de Amador de los Ríos, 1862, p. 647, a J. Horrent, 1973, p. 363), y aún para unos terceros, la oración pudo entrar ahí —lo mismo que en la literatura francesa— por contacto
con lo popular (de L. Spitzer, 1932, pp. 176-209, y de paso por
J. G. Casalduero, 1957-1958, pp. 5-17, a R. Ricard, 1969, pp. 463-473).
Añádase P. E. Russell, 1978, pp. 115-158, quién analiza el antes y
el después y la oración misma (más deprecativa que narrativa)
paso a paso.

»prisist encarnaçión   en Sancta María madre,
»en Belleem apareçist,   commo fue tu voluntad,
»pastores te glorificaron,   oviéron[t]e a laudare,   335
»tres reyes de Arabia   te vinieron adorar:
»Melchior e Gaspar   e Baltasar
»oro e tus e mirra te ofreçieron   commo fue tu veluntad;
»[salvest] a Ionás   quando cayó en la mar,
»salvest a Daniel   con los leones en la mala cárçel,   340
»salvest dentro en Roma   al señor San Sebastián,
»salvest a Sancta Susanna   del falso criminal;
»por tierra andidiste   XXXII años señor spiritual,

333. *prisist* (2.ª pers. sing. pret. ind. de *prender*): 'tomaste'.
335. de alaudare *Ms. laudare*: 'loar'. Esta *-e* no es paragógica
sino etimológica, y se remonta a un tiempo en que los bien ha-
blados aún la conservaban (hasta mediados del siglo XI); pero
durante la segunda mitad del XI y la primera del XII, por leso
galicismo, empezó a suprimirse no sólo allí donde se debía *(mal,
flor, servir)* sino también en aquellos otros lugares en que era
ajena a la tal evolución *(infant, part, romanz, nuef, noch, linax,*
etcétera). Luego: «la conservación de la *-e* como gala poética tuvo
que afirmarse y consolidarse en tiempos anteriores a las postri-
merías del XI y no después cuando la *-e* final estaba en completo
descrédito» (Menéndez Pidal, 1962, p. 89).
336. «Reges Arabum et Saba dona adducent», según *Salmos*,
LXXI, 12.
337-338. El manuscrito distribuye estos dos versos así: *Melchior e gaspar e baltasar oro e tus e mirra / te offrecieron commo
fue tu veiuntad.* Contra lo que suponía Menéndez Pidal, Michael ha venido a señalarnos fuentes no literarias en que los
nombres de los tres Reyes Magos aparecen, desde el siglo X, en
España. Por otra parte, P. E. Russell, 1978, p. 122, n. 8, sólo sabe
aducirnos el análogo épico (ya tardío) de *Berte aus grans pies*
(«Melchior ot non cil qui le merre porta / Jaspar ot non li autres
qui l'encens vous donna / Et Baltazar li tiers qui l'or vous presenta», 714-716). *tus*: 'incienso' («aurum, thus, et myrrham», *Mateo*, 2, 11).
339. *salvest*]om. *Ms.* «Et praeparavit Dominus piscem gran-
dem ut deglutiret Ionam; et erat Ionas in ventre piscis tribus die-
bus et tribus noctis...», según *Jonás*, II, 1, y *Mateo*, XII, 40, etc.
340. *Daniel*, VI, 15-25.
341. Este milagro no tiene autoridad bíblica —nos apunta
P. E. Russell, 1978, p. 124—: «está sacado de los martilogios».
342. *Daniel*, XIII. Es «claramente» —según Russell, *id., ibid.*—
«el personaje al que se refiere la historia apócrifa de Susana y
los ancianos». En términos parecidos se la trata en el poema épico francés *Aliscans* («Sainte Suzanne garis del faus tesmoig»,
7109) y en el *Roland* («Santa Susanna salvas del fals nons», 2597).
343 y ss. Jimena vuelve de nuevo a los temas del *Nuevo Testamento* (en el v. 345 se le cruzaba *Mateo*, IV, 3, con *Mateo*, XVI).
343. *andidiste* (2.ª pers. sing. pret. ind. de *andar*): 'anduviste'.

»mostrando los miráculos, por én avemos qué fablar:
»del agua fezist vino e de la piedra pan, 345
»resuçitest a Lázaro, ca fue tu voluntad;
»a los iudios te dexeste prender do dizen monte Calvarie,
»pusiéronte en cruz por nombre en Golgotá,
»dos ladrones contigo, éstos de señas partes,
»el uno es en Parayso, ca el otro non entró allá; 350
»estando en la cruz, vertud fezist muy grant: 8r
»Longinos era çiego, que nunqua's vio alguandre,
»diot' con la lança en el costado, dont yxió la sangre,
»corrió la sangre por el astil ayuso, las manos se ovo de
[untar, 355
»alçólas arriba, lególas a la faz,
»abrió sos oios, cató a todas partes,
»en Ti crovó al ora, por end es salvo de mal;
»en el monumento [oviste a] resuçit[ar],
»fust a los ynfiernos commo fue tu voluntad,
»quebranteste las puertas e saqueste los padres santos; 360
»Tú eres rey de los reyes e de tod el mundo Padre,

344. *miráculos*: 'milagros'.
349. *señas partes*: 'sendas partes'.
352-354. *Longinos*: nombre apócrifo del soldado que hirió el costado de Cristo («sed unus militum lancea latus eius eperuit, et continuo exivit sanguis et aqua», *Juan*, XIX, 34). El nombre pudo originarse por una mala lectura de *lógje (lancea)*. P. E. Russell, *id.*, p. 127, nos remite el relato al apócrifo *Evangelium Nicodemi* o *Acta Pilati*, XVI, 7 (*cf.* Aurelio de Santos Otero, *Los evangelios apócrifos*, 1956; 1984⁴, p. 440). C. Smith, 1983, pp. 119-120, recomienda (atento a un apresurado aparato-crítico de esos versos: «la sangre» *om. Pidal et Bello;* «ayuso» *om. Bello;* «por el astil» *om. Restori et Cornu*) no alterar un ápice de texto: así, «la sangre» debe figurar dos veces a la vista de las fuentes que utiliza el poeta («li sang clers en salit», *Parise*, 814; «li sans livinst par l'anste» y «li sans fu par la lance», *Fierabras*, 948 y 1209); por las mismas razones tampoco debemos desprendernos de «por el astil» («por l'anste» de *Fierabras*, 948), y otro tanto haremos con «ayuso» al dejarse evocar de alguna manera en el «Aval» de *Parise*, 814. *alguandre* (adv. de tiempo): «'jamás'; usado en frases negativas, solo, o reforzando a *nunqua*» (Menéndez Pidal, p. 456). *ayuso*: 'abajo'. Edito *nunqua's*, considerando la *s* forma del pronombre apocopado, en forma de dativo de interés.
357. *crovó* (3.ª pers. sing. pret. ind. de *creer*): 'creyó'. *al ora*: 'al momento'.
358-359. En el ms. estos versos vienen así dispuestos: *En el monumento resuçitest e fust a los ynfiernos / como fue tu voluntad* («Fiat voluntas tua» del *Pater Noster*). Aceptamos la enmienda razonable de Menéndez Pidal, modificada ligeramente por Horrent. Michael los embebe en uno solo.

»a ti adoro e creo de toda voluntad.
»E ruego a San Peydro que me aiude a rogar
»por Myo Çid el Campeador que Dios le curie de mal,
»quando oy nos partimos, en vida nos faz iuntar.» 365
  La oración fecha, la missa acabada la an.
Salieron de la eglesia, ya quieren cavalgar,
el Çid a doña Ximena ývala abraçar,
doña Ximena al Çid la manol' va besar,
lorando de los oios, que non sabe qué se far. 370
E él a las niñas tornólas a catar:
—«A Dios vos acomiendo, fijas, e a la mugier e al Padre
                                           [spirital;
»agora nos partimos: ¡Dios sabe el aiuntar!»
  Lorando de los oios que non viestes atal, 8v
asís' parten unos d'otros commo la uña de la carne. 375
Myo Çid con los sos vassallos penssó de cavalgar,
a todos esperando, la cabeça tornando va.
Atán grand sabor fabló Minaya Albarfánez:
—«Çid, ¿dó son vuestros esfuerços?, ¡en buen ora nas-
                                           [quiestes de madre!
»Pensemos de yr nuestra vía, esto sea de vagar: 380
»aun todos estos duelos en gozo se tornarán;
»Dios, que nos dio las almas, conseio nos dará.»
  Al abbat don Sancho tornan de castigar
cómmo sirva a doña Ximena e a la[s] fijas que ha
e a todas sus duenas que con ellas están: 385
bien sepa el abbat que buen galardón dello prendrá.
  Tornado es don Sancho e fabló Álbar Fánez:
—«Si viéredes yentes venir por connusco yr, abbat,
»dezildes que prendan el rastro e pie[n]ssen de andar,
»ca en yermo o en poblado poder nos [han] alcançar.» 390
  Soltaron las riendas, pie[n]ssan de andar,

373. *aiuntar*: 'juntar'.
374. *atal*: 'tal'.
378. *Atán*: 'tan'.
380. *esto sea de vagar*: «parece significar 'cese esto, dejémo-
nos de esto'» (Menéndez Pidal nos lo confirma con varios testimonios por el estilo, p. 872).
383. *tornan de castigar*: 'van aconsejando'.
388. *connusco*: 'con nosotros'. *abbat* encabeza el v. 389.
389. *prendan el rastro*: 'tomar, seguir una dirección o guía'.
390. *han* es adición interlineada muy posterior.
391. *pienssan de andar*: 'se disponen a caminar (ir al trote) a
caballo'. Para el valor incoativo del auxiliar *pienssan*, véase la
nota al v. 10.

çerca viene el plazo   por el reyno quitar.
Vino Myo Çid iazer   a Spinaz de Can;
otro día mañana   pienssa de cavalgar;
—grandes yentes se le acoien   essa noch de todas partes—
yxiendos' va de tierra   el Canpeador leal,   396
de siniestro Sant Estevan,   una buena çipdad,
de diestro A[il]llón las torres,   que moros las han;   9r
passó por Alcobiella,   que de Castiella fin es ya,
la Calçada de Quinea   ývala traspassar,   400
sobre Navas de Palos   el Duero va pasar,
a la Figueruela   Myo Çid iva posar:
vánssele acogiendo   yentes de todas partes.

393. *Spinaz de Can*: lugar desconocido. *Spinacum del Can* «era uno de los términos municipales de Ávila en el siglo XII (Julio González [1960], II, n.º 365). En 1189 se nombra a un "Espinaz qui dicitur Canis" (*ibid.*, n.º 534) entre los términos que Alfonso VIII concedió a Calatrava. Estos datos no aparecen en el citado estudio de Menéndez Pidal (I, pp. 41-42)» (P. E. Russell, 1978, p. 200, n. 7). Esta afición del poeta a «hacer pernoctar a sus personajes en lugarejos sin importancia, la mayoría de ellos tan insignificantes que no parecen estar documentados en ninguna otra fuente medieval» la llama J. Horrent, 1973, pp. 315-319, «microtoponimia».

394. *otro día mañana*: 'al día siguiente por la mañana'.

395. Casi todos los editores colocan este verso tras el 393 para salvar, así, la continuidad cronológica. Preferimos respetar su lugar en el ms., porque el reclutamiento voluntario de «yentes» para la marcha se haría de mañana y es entonces cuando podría advertirse el aumento de la mesnada.

397. *de siniestro San Estevan*: 'a la izquierda, San Esteban'.

398. *Alilón* no ha sido aún identificado de forma clara. Menéndez Pidal pensó en Atiença a costa de conculcar el orden de los versos (415-398-416); A. Ubieto, 1973, pp. 80-81, no dio un paso más allá en esa atribución: aunque todo ello, en definitiva, le venía bien para probar «el desconocimiento del autor del *Cantar* de la geografía cercana a San Esteban de Gormaz». La explicación más admisible la da Criado de Val, 1970, pp. 83-107, al referir Alilón a Ayllón (y en especial a las muchas *torres* de esa comarca desde las cuales podría verse el Duero). Enmendamos, como Horrent, *alilon*.

400. La *calçada de Quinea* durante los siglos XII y XIII unía Mérida con Astorga; «el autor del *Cantar*», pues, «conoce muy mal las tierras de San Esteban, hasta el punto de que se imagina que por allí pasaba una calzada que está a varios cientos de quilómetros» (Ubieto, 1973, p. 79). Por lo menos, a las dudas de Ubieto nos permite asentir el borrón que exhibe el ms. en ese punto: el copista pudo sustituir el nombre original —que no alcanzamos a leer— por otro que le era más familiar. P. E. Russell, 1978, p. 170, no descarta la posibilidad de que un copista leyera erróneamente «Quinea» por «Crunia» o «Clunia».

402. *Figueruela*: lugar desconocido. Véase la nota al v. 393.

[19]

Y se echava Myo Çid   después que [çenado fo]
un suenol' priso dulçe   tan bien se adurmió: 405
el ángel Gabriel   a él vino en [visión]:
—«Cavalgad, Çid,   el buen Campeador,
»ca nunqua en tan buen punto   cavalgó varón;
»mientra que visquiéredes,   bien se fará lo to.»
Quando despertó el Çid,   la cara se sanctigó,   410
sinava la cara,   a Dios se acomendó:
mucho era pagado   del sueño que [soñó].

404. *çenado fo* es enmienda de Horrent, que aceptamos con
vistas a la regularización de la asonancia; el ms. trae *fue çenado*; Menéndez Pidal enmienda *fo de noch*.
405. La aparición profética de ángeles en sueños nutre una
buena parte de literatura medieval (de la *Chanson de Roland*
a *El caballero del Cisne*). «El poeta pretende» —apresurémonos
a resumir el episodio con las palabras de P. E. Russell, 1978,
p. 118— «evidentemente darnos a entender que Dios ha respon-
dido favorablemente a la oración de Jimena, enviando al ángel para comunicárselo al Cid. El héroe, al despertar de la visión
que ha tenido, responde primero santiguándose, mostrando con
ello que lo toma por una comunicación divina...» [En definitiva,
el pasaje] «Representa la garantía divina, al empezar el destierro
del Cid, de que todo le va a ir bien. Por consiguiente, todo lo
que luego se cuenta de la trayectoria del héroe debía tener para
auditorios medievales un carácter mucho más ejemplar que lo
que tienden a suponer los lectores modernos.»
406. Menéndez Pidal, sobre *sueño*, enmienda *visión* para elu-
dir así la repetición del término enmendado; Horrent y Smith la
aceptan.
408. *ca nunqua*: está añadido al final del verso anterior.
409. *lo to*: 'lo tuyo', 'tus asuntos'.
412. Menéndez Pidal incorpora a la tirada 20 los versos 411
y 412 introduciendo enmiendas. Smith y Horrent sólo dan entrada al v. 412 (este último con la corrección *soñado a*). Sin embargo, la cesura temporal que media entre el v. 412 y el v. 413, con
la insistencia de *Otro día* (el mismo del despertar del Cid), apoyaría aquí la interrupción. Así, cabría prestar más crédito a la
enmienda de Lindsfor (*a soñado > soñó*), que nosotros damos
por buena, o bien abogar por un acento métrico en *soñadó*.

[20]

Otro día mañana   pienssan de cavalgar,
es' día á de plazo,   sepades que non más.
A la sierra de Miedes   ellos yvan posar.   415

[21]

Aún era de día,   non era puesto el sol;
mandó ver sus yentes   Myo Çid el Campeador:
sin las peonadas   e omes valientes que son,
notó trezientas lanças,   que todas tienen pendones:

[22]

—«Temprano dat çevada,   sí el Criador vos salve;   9v
»el qu[e] quisiere comer,   e qui no, cavalge;   421
»passaremos la sierra,   que fiera es e grand;
»la tierra del rey Alfonsso   esta noch la podemos quitar,
»después qui nos buscare   fallar nos podrá.»
De noch passan la sierra;   vinida es la man,   425
e por la loma ayuso   pienssan de andar.
En medio d'una montana   maravillosa e grand
fizo Myo Çid posar   e çevada dar.
Díxoles a todos   cómmo querie trasnochar;
vassallos tan buenos   por coraçón lo an: 430

415. *sierra de Miedes*: hoy sierra de Pela, a unos 30 km. más
al sur (que Alcubilla) del Duero, 'tierra (en el *PMC*) del rey Alfonso'. Para el desajuste entre historia y literatura, *cf.* P. E.
Russell, 1978, pp. 171-172.
415-473. C. Smith, 1977, pp. 114-115, ha dado once razones para
remitir este pasaje a las secciones XC y XCI del *Bellum Iugurthinum* de Salustio; razones que una por una desmintió Châlon,
1978, pp. 479-490. Con todo, Smith, 1983, pp. 151-152, sigue ratificán-
dose en esa fuente.
417. *ver*: 'pasar revista'.
418. *peonadas*: 'tropas de a pie'.
421. Se nos antoja razonable la justificación paleográfica de
Horrent para la enmienda de *qui* (>ợ) que trae el ms.: «'qui'...
serait unique dans le poème... Le copiste a abregé 'el *que*' en 'el
qui' sous l'influence de *quisiera*» (1982, p. 148).
425. *man*, según escribe el copista antiguo; uno más moderno
añade -*ñana*.

mandado de so señor   todo lo han a far.
Ante que anochesca   pienssan de cavalgar;
por tal lo faze Myo Çid   que no lo ventasse nadi.
Andidieron de noch,   que vagar non se dan.
Ó dizen Casteión,   el que es sobre Fenares,   435
Myo Çid se echó en çelada   con aquelos que él trae;
el que en buen ora nasco,   toda la noche [en çelada iaze]
commo los conseiava   Minaya Albarfánez:

[23]

—«Ya, Çid,   en buen ora çinxiestes espada,
»vós con C   de aquesta nuestra conpaña,   440
»pues que a Casteión   sacaremos a çelada...»
—«Vós con los CC   ydvos en algara;
»alá vaya Álbar Abarez   e Álvar Salvadorez sin falla   442b-3

434. *vagar*: 'descanso'.
435. «una peculiaridad del Castejón medieval era que lo de-
fendían dos castillos, como comprueba un documento de 1149
en el que confirma Alfonso VII la venta de ambos al concejo de
Atienza ("vendidi vobis concilio atencie illos castellos quos sunt
in fenares scilicet casteion de suso et Casteion de iuso", Min-
guella y Arnedo [*Historia de la diócesis de Sigüenza y de sus
obispos*, Madrid, 1910], I, n.º XXIX, p. 383)» (Russell, 1978, página 204, n. 45).
436. *echó en çelada*: 'hízoles caer en celada'.
437. Al posponerse el hemistiquio formulístico (*Toda la noche iaze en çelada el que en buen ora nasco*) se interrumpe la
asonancia. Nosotros adoptamos la razonable enmienda de Horrent.
441. Tras este verso Menéndez Pidal reconoce una laguna que
no se le pudo pasar por alto a un corrector antiguo, pues retocó
el v. 442 en *yo con los·cc·yré en algara*. Menéndez Pidal reconstruye el pasaje «arbitrariamente». Cabría la sugerencia, empero,
de que un consejo de Alvar Fáñez sobre la toma de Castejón,
en la que intervendría el mismo, fuera rectificado por la mayor
sapiencia guerrera del Cid, que reparte su poderío militar en la
celada y en una algara independiente. En cualquier caso, la algara apoyaría la acción del Cid y evitaría la ayuda de las ciudades
adyacentes que Alvar Fáñez debilita (*cf.* los vv. 481-482). Pero
también sería posible que el propio Alvar Fáñez sugiriera la es-
tratagema, con lo que sólo se echaría en falta un verso detrás
del 441. *sacaremos a çelada*: véase la nota al v. 436.
442. *algara*: 'correría de una gran parte de los caballeros de
una hueste que se internan en la tierra enemiga para robarla'
(Menéndez Pidal, p. 454).
442b-444b. *Ms.*: «Vos con los .c.c. yd nos en algara ala vaya
Albarabarez / e Albar Saluadorez sin falla e Galin Garçia, vna
fardida / lança caualleros buenos que acompañen a Minaya.»

»e Galín García,   una fardida lança,   443b-4
»cavalleros buenos   que aconpañen a Minaya.   444b
»A osadas corred,   que por miedo non dexedes nada,   10r
»Fita ayuso   e por Guadalfaiara,   446
»fata Alcalá   legen las algara[s]   446b
»e bien acoian   todas las ganançias,
»que por miedo de los moros   non dexen nada.
»E yo con los C   aquí fincaré en la çaga;
»terné yo Casteión,   don abremos grand enpara.   450
»Si cueta vos fuere   alguna al algara,
»fazedme mandado   muy privado a la çaga:
»¡ d'aqueste acorro   fablará toda España!»
Nonbrados son   los que yrán en el algara
e los que con Myo Çid   fi[n]carán en la çaga.   455
    Ya quiebra[n] albores   e vinie la mañana;
yxie el sol: ¡Dios, qué fermoso apuntava!
En Casteión   todos se levantavan,
abren las puertas,   de fuera salto davan,
por ver sus labores   e todas sus heredades.   460
Todos exidos,   las puertas [abiertas an dexadas]
con pocas de gentes   que en Casteión fincar[a]n;
las yentes de fuera   todas son deramadas.
El Campeador   salió de la çelada,
corrie a Casteión   sin falla.   464b
Moros e moras   avienlos de ganançia   465
e essos gañados   quantos enderredor andan.

443b. *Galín García*: Menéndez Pidal, 1969, pp. 413-414, creyó
era un señor de Estada y de Ligüerra, en el occidente de Aragón.
fardida: 'atrevida'.
445. *A osadas*: 'audazmente'.
446. *Fita ayuso*: 'por Hita abajo'.
447. *acoian*: 'recogían'.
450. *don*: 'de donde'. *enpara*: 'protección'.
451. *cueta*: 'cuita, desventura'.
452. *çaga*: 'retaguardia'.
456. Después de *quiebra[n]* un corrector añade *los* interlineado.
460. *labores*: 'labranzas'. Menéndez Pidal y Horrent cam-
bian *heredades* por *heredanças*. Sin embargo, no hace falta tocar
nada si consentimos en cierto matiz neutro para la última *e* de
la palabra en cuestión (cf. *feremos* del v. 584). El segundo hemistiquio se lee erróneamente en el ms.: *las puertas dexadas an
abiertas*. Cumple ahí pensar en la posibilidad de una atracción
rímica interna. Tras *todos*, en el *Ms.* se interlinea *son*.
462. *Ms.*: fincaron.
464b. *corrie*: 'ataca'.
466. *gañados*: 'ganado lanar y vacuno'.

Myo Çid don Rodrigo   a la puerta adeliñava;
los que la tienen,   quando vieron la rebata,
ovieron miedo   e fue dese[n]parada.   *10v*
Mio Çid Ruy Diaz   por las puertas entrava,   470
en mano trae   desnuda el espada,
quinze moros matava   de los que alcançava:
gañó a Casteión   e el oro e la plata.
Sos cavalleros   legan con la ganançia,
déxanla a Myo Çid: todo esto non preçia[n] nada.   475
      Afevos los [IIcc]   en el algara,
e sin dubda corren,   fasta Alcalá legó la seña de Minaya,
e desí arriba   tórnanse con la ganançia,
Fenares arriba   e por Guadalfaiara:
tanto traen   las grandes gana[n]çias,   480
muchos gañados   de oveias e de vacas,   *480b*
e de ropas   e de otras riquizas largas.   481
Derecha viene   la seña de Minaya,
non osa ninguno   dar salto a la çaga;
con aqueste aver   tórnanse essa conpaña.
      Féllos en Casteión,   ó el Campeador estava;   485
el castielo dexó en so poder,   el Canpeador cavalga;
saliólos reçebir   con esta su mesnada.
Los braços abiertos,   reçibe a Minaya:
—«Venides, Álbar Fánez,   una fardida lança,
»do yo vos enbiás   bien abría tal esperança.   490
»Esso con esto   sea aiuntado,
»dóvos la quinta,   si la quisiéredes, Minaya.»

468.   *rebata*: 'asalto repentino'.
475.   De editar *preçia nada*, como Smith, nos las habríamos
con un Cid soberbio, a no ser que se incorporara un elemento
de comparación con lo que luego contará de la algara. Optamos,
no obstante, por suplir (con Menéndez Pidal, Michael y Horrent)
la más probable omisión de *n*.
476.   Aunque todos los editores mantienen la lección del ms.
(CCIII), no descartamos ahí un error por IIcc: se aviene mal
con la costumbre del poeta el singularizar a los capitanes (*cf.*
Michael).
478.   *desí arriba*: 'desde allí'.
480-481.   El ms. escribe: *tanto traen las grandes ganançias muchos gañados / de oveias e de vacas e de ropas e de otras riquezas largas.*
485.   *Féllos*: 'hélos'.
487.   *mesnada*: 'conjunto de caballeros vasallos de un señor'.
489.   *Venides*: exclamación para el saludo.
490.   *do*: 'doquier'. *enbiás* (1.ª pers. sing. pret. subj. de *enviar*): 'enviare'.
491.   Menéndez Pidal y Horrent añaden como segundo hemis-

[24]

—«Mucho vos lo gradesco, Campeador contado,   11r
»d'aquesta quinta   que me avedes man[da]do,
»pagar se ýa della   Alfonsso el castellano,   495
»yo vos la suelt[o]   e avello quitado.
»A Dios lo prometo,   a Aquel que está en alto,
»fata que yo me page   sobre mio buen cavallo,
»lidiando con moros   en el campo,
»que enpleye la lança   e al espada meta mano,   500
»e por el cobdo ayuso   la sangre destelando
»ante Ruy Díaz,   el lidiador contado,
»non prendré de vós   quanto vale un dinero malo;
»pues que por mí ganaredes   quesquier que sea d'algo,
»todo lo otro   afélo en vuestra mano.»   505

[25]

Estas ganançias   allí eran iuntadas.
Comidiós Myo Çid,   el que en buen ora [cinxó espada],

---

tiquio de este verso *e de toda la ganançia*. Si el texto no apoyara
el sentido se podría defender la hipótesis de que este verso está
desplazado y corresponde al parlamento de Minaya. Sin embargo, sólo al Cid le ha sido dado reunir toda la ganancia que sabe
procurarse en Castejón y en la algara; y también sólo de él está
el ofrecer la quinta a Alvar Fáñez, al que únicamente correspon-
día la quinta parte de su botín (Menéndez Pidal, p. 817). A la ge-
nerosidad del Cid, su lugarteniente responde con otra mayor, re-
chazando la quinta e ironizando sobre el rey Alfonso, a quien en
rigor pertenece la quinta parte de todas las ganancias del Cid en
estas sus tierras de las que nuestro protagonista se apresura a
huir (*cf.* vv. 508-511).
    492. *la quinta*: 'la quinta parte de lo ganado en guerra, que
corresponde al señor de la hueste' (Menéndez Pidal, p. 216).
    495. *pagar se ýa della* (cond. analítico): 'se pondría conten-
to con ella'.
    496. *Ms.: suelta.*
    498. *fata*: 'hasta'.
    500. *enpleye* (1.ª pers. sing. pres. subj. de *enplear*): 'maneje'.
    503. *vale*: entre líneas; es de admitir por las razones que
aduce Horrent, 1973, p. 237.
    504. *Pues que*: 'después que'. 'Tan pronto como por mi es-
fuerzo ganéis algo que valga la pena (aceptaré una parte de
ella); pero hasta entonces prefiero dejar todo el botín en vuestras manos' (C. Smith).
    507. El ajuste de la asonancia nos obliga a enmendar, con

al rey Alfonsso   que legarien sus compañas,
quel' buscarie mal   con todas sus mesnadas;
mandó partir   tod'aqueste aver [sin falla],   510
sos quiñoneros   que ge los diessen por carta,
sos cavalleros   ý an arribança,
a cada uno dellos   caen C marchos de plata
e a los peones   la meatad sin falla.
Toda la quinta   a Myo Çid fincava;   *11v*
aquí non lo pueden vender   nin dar en presentaia,   516
nin cativos nin cativas   non quiso traer en su conpaña:
fabló con los de Casteión   e envió a Fita e a Guadalfagara
esta quinta   por quánto serie conprada,
aun de lo que diessen   que oviessen grand ganançia.   520
Asmaron los moros   III mill marcos de plata,
plogo a Myo Çid   d'aquesta presentaia,
al tercer día   dados fueron sin falla.
Asmó Myo Çid   con toda su conpaña
que en el castiello   non ý avrie morada,   525
e que serie retenedor,   mas non ý avrie agua:

Menéndez Pidal y Horrent, el hemistiquio formulístico (*el que en buen ora fue nasco*) del ms.; aunque la reiteración de la misma fórmula desencajada de asonancia (*cf.* v. 559) nos llevaría a contemplarla así en ciertos casos o, en definitiva, diría poco en favor de la probidad poética del copista.

508-509. Michael cambia *al* por *el* para leer, con anacoluto y todo, «Mio Cid consideró que las tropas del rey Alfonso vendrían, que Alfonso le haría gran daño con todas sus fuerzas». Así las cosas, deberíamos admitir que las tropas reales venían persiguiéndole, lo que no es probable habida cuenta de que ya el Cid ha sobrepasado la frontera en el tiempo fijado. Caso de que el rey tuviera un protectorado sobre estas tierras, la enmienda sería aceptable. Aunque, según las crónicas, el Cid hostigaba desde aquí de palabra y obra al rey; luego, no se nos antoja del todo objetable la posibilidad de una respuesta de aquél (*cf.* Menéndez Pidal, pp. 1045-1046). De figurar, pues, en la versión primitiva del *PMC* el reto cidiano, deberíamos advertir aquí una laguna a la que se llega a costa de dignificar al héroe en sucesivas refundiciones: porque sí parece claro que el Cid esperaba el ataque del rey (*cf.* vv. 528-529).

510. A las razones de Menéndez Pidal para apoyar la adición de *sin falla* (que «corresponde al *sens faille, sans falseté* de la épica francesa») deben unirse las de Horrent, 1982, p. 151.

511. *quiñoneros*: 'repartidores del botín'.

512. *arribança*: 'buena fortuna, estado próspero'.

516. *presentaia*: 'presente, regalo'.

520. Ninguno de los editores consigna el *que* pleonástico, que creemos aceptable desde el punto de vista sintáctico.

521. *Asmaron*: 'estimaron, valoraron'.

—«Moros en paz,' ca escripta es la carta,
»buscar nos ye el rey Alfonsso   con toda su mesnada,
»quitar quiero Casteión,   oyd, escuellas e Minyaya.

[26]

»Lo que yo dixier   non lo tengades a mal,   530
»en Casteión   non podriemos fincar,
»çerca es el rey Alfonsso   e buscar nos verná,
»mas el castielo   non lo quiero hermar,
»çiento moros e çiento moras   quiérolas quitar,
»porque lo pris dellos,   que de mí non digan mal;   535
»todos sodes pagados   e ninguno por pagar,
»cras a la mañana   pensemos de cavalgar;
»con Alfonsso, myo señor,   non querría lidiar.»   12r
Lo que dixo el Çid   a todos los otros plaz.
    Del castiello que prisieron   todos ricos se parten; 540
los moros e las moras   bendiziendol' están.
Vansse Fenares arriba   quanto pueden andar;
troçen las Alcarias   e yvan adelant,
por las Cuevas d'Anquita   ellos passando van;
passaron las aguas,   entraron al campo de Toran[z],   545
por essas tierras ayuso   quanto pueden andar.
Entre Fariza e Çetina   myo Çid yva albergar.

529. *escuellas*: 'séquito de un señor'. En *Minyaya*, el grupo
-ny- representa un sonido palatal.
533. *hermar*: 'yeɪmar, asolar'.
534. *quitar*: 'libertar, soltar'.
536. Después de *ninguno*, una mano más moderna interlinea *non*.
537. *cras*: 'mañana'.
545. *passaron las aguas*: como no hay medio de saber si las
«aguas» ahí aluden a un río en concreto (el Henares, según interpreta la *Estoria de España*, o el Tajuña, según conjeturan la
mayoría de escoliastas del *Poema*), P. E. Russell, 1978, pp. 187-
188, entronca toda la frase con la fórmula «passent... les eves...»
de la épica francesa. Igualmente a Russell todo el itinerario de
este pasaje se le antoja extraño: «No conozco —confiesa— otro
documento medieval que justifique esa extensión de la Alcarria
tanto hacia el norte» (p. 187). Torançio *Ms.* (topónimo seguramente modernizado por el copista). Aceptamos la enmienda de
Horrent, que atiende a la asonancia, además de tomar en cuenta sus consideraciones lingüísticas.
547. A. Ubieto, 1973, p. 42, data —para enmendarle la plana a
Menéndez Pidal— la repoblación de *Cetina*, sita en la provincia
de Zaragoza, entre los años 1144 y 1163. En cualquier caso, Me-

Grandes son las ganançias   que priso por la tierra do va;
non lo saben los moros   el ardiment que an.

    Otros día movióš   Myo Çid el de Bivar   550
e passó a Alfama,   la foz ayuso va;
passó a Bovierca e a Teca,   que es adelant,
e sobre Alcoçer   Myo Çid yva posar,
en un otero redondo,   fuerte e grand;
açerca corre Salón: agua nol' puedent vedar.   555
Mio Çid don Rodrigo   Alcoçer cueda ganar.

---

néndez Pidal, 1960 (1963), p. 179, no se avino a ese razonamiento (que le había puesto sobre el tapete en su artículo de 1957), «porque los fueros de población no se daban a lugares deshabitados, y el mismo fuero de Cetina dice que allí había pobladores antes».

549. *ardiment*: 'ardid'.

551. Hacemos caso, pues, a Ubieto, 1973, p. 85: la palabra *foz* «no es un topónimo concreto sino una palabra descriptiva de un paso muy estrecho entre montañas o rocas».

553. La identificación de *Alcocer* plantea problemas tanto estéticos como historiográficos al estudioso del *PMC*. Así, los arabistas (Asín Palacios, 1944, pp. 53-54) entendieron *Alcocer* referido al árabe al-qaṣeir, diminutivo de al-qaṣr ('palacio, fortaleza') para registrar su aparición en «Alicante, Guadalajara y Valencia, y, con una ligera variante, Alcocero, en Burgos». Por ahí, a Criado de Val, 1970, pp. 95-97, se le ocurrió pensar en el pequeño pueblo bilbilitano de Castejón de las Armas: no le costó nada avenirlo con el nombre de *Alcocer* (al-Quṣair), forma diminutiva de 'Alcázar' (al-Qṣar). Con las pistas del *PMC*, y sobre el terreno, A. Ubieto, 1973, pp. 85-96, topó con Alcázar o Peñalcázar (además al revolver las páginas de la *Primera crónica general*, en la versión regia, encontró, a esa altura de la historia, la grafía «Alcaçar»). Tales esfuerzos se contemplan con mucha cautela y con numerosas objeciones en el artículo de P. E. Russell, 1978, pp. 45-69. Ya antes el propio Russell, 1978 (1957), pp. 37-44, y tras cazar un *Alcacer* en un documento inédito del Archivo de la Corona de Aragón (con fecha de 1369), dudaba de los propósitos historicistas del poeta y apuntaba otros básicamente literarios. Esa conclusión nos recomienda no desdeñar las analogías de algunos momentos del episodio con los *Strategemata*, II, V, 34, de Frontino (C. Smith, 1977, pp. 117-123, y 1983, pp. 149-155). Para el estudio al detalle de la estructura del pasaje en cuestión (sobre todo los vv. 574-610), *cf.* H. Ramsden, 1959, pp. 129-134.

555. *vedar agua*: 'cortar el agua al enemigo'.

556. Ubieto, *ibid.*, se para a contemplar la precisa correlación de topónimos que describe el poeta: «Ariza, Cetina (a 8 km.), Alhama de Aragón (a 5 km.), la foz del río Jalón en Alhama sobre la que se asienta esta población, Buvierca (a 5 km. de Alhama), Ateca (a 8 km.).» El poeta parecía tenerlo aquí bastante más claro. Sin embargo, a los comentaristas del *Poema* no les queda claro el significado de la construcción «passó a»: según, pues, el sentido que se le dé, el Cid pasa a la ribera norte del Jalón para atravesar esas poblaciones (Menéndez Pidal) o bordea el

[27]

Bien puebla el otero, firme prende las posadas;
los unos contra la sierra e los otros contra la agua.
El buen Canpeador, que en buen ora [cinxó espada],
derredor del otero, bien çerca del agua,   560
a todos sos varones mandó fazer una carcava,   12v
que de día nin de noch non les diessen arebata,
que sopiessen que Myo Çid allí avie fincança.

[28]

Por todas essas tierras yvan los mandados
que el Campeador Myo Çid allí avie poblado: 565
venido es a moros, exido es de christianos,
en la su vezindad non se treven ganar tanto.
Ag[u]ardándose va Myo Çid con todos sus vassallos;
el castiello de Alcoçer en paria va entrando;
los de Alcoçer a Myo Çid yal' dan parias de grado,   570

[29]

e los de Teca e los de Ter[er] la casa;
a los de Calatauth, sabet, ma[l] les pesava.

---

río por el lado sur dejando al otro los pueblos en cuestión (Criado de Val). La cita en serie de tales topónimos, en fin, podría
conducirnos al empleo de material geográfico escrito para los
itinerarios del *PMC* (cf. P. E. Russell, 1978, pp. 196-197): comp.
vv. 902-912, 936-951 y 1087-1093. *cueda* (3.ª pers. sing. pres. ind. de
cuidar): 'procura, piensa'.
  559. *Cf.*, v. 507.
  561. *carcava*: 'cárcava, foso'.
  567. *ganar*: 'trabajar la tierra, atender a las labores agrícolas'.
  568. *Aguardándose va*: 'va poniéndose en guardia'.
  569. *Cf.* Ubieto, 1973, pp. 85-92.
  571. *Ter[er] la casa*: 'la villa de Terrer' (véase v. 62). Teruel
Ms., pero, como señala Horrent, «il n'y a pas de Teruel dans
cette région. Le copiste, qui plus tard aura à transcrire Teruel
(vv. 868, 911), l'a copié ici par anticipation fautive» (1982, p. 153).
En el v. 585 se aprecia el mismo error, pero ahí «il semble bien
que le copiste ait d'abord écrit correctement 'Terer'..., puis se
soit ravisé fâcheusement» *(id., ibid.).*

Alí yogó Myo Çid,   conplidas XV semmanas.
Quando vio Myo Çid   que Alcoçer non se le dava,
él fizo un art   e non lo detardava: 575
dexa una tienda fita   e las otras levava,
coió Salón ayuso,   la su seña alçada,
las lorigas vestidas   e çintas las espadas,
a guisa de menbrado,   por sacarlos a çelada.
Veyenlo los de Alcoçer;   ¡Dios, cómmo se alabavan!:   580
—«Falido á a Myo Çid   el pan e la çevada;
»las otras abés lieva,   una tienda á dexada;
»de guisa va Myo Çid   como si escapasse de arrancada;   13r
»demos salto a él   e feremos grant ganançia,
»antes quel' prendan los de Ter[er],   si non, non nos darán
                                                      [dént nada;
»la paria quél á presa   tornar nos la ha doblada.»   586
    Salieron de Alcoçer   a una priessa much estraña.
Myo Çid quando los vio fuera   cogiós como de arrancada;
coiós Salón ayuso   con los sos a buelta [anda].
Dizen los de Alcoçer: —«Ya se nos va la ganançia.»   590
    Los grandes e los chicos   fuera salto da[va]n;
al sabor del prender   de lo ál non pienssan nada;
abiertas dexan las puertas,   que ninguno non las guarda.
    El buen Campeador   la su cara tornava:
vio que entr'ellos e el castiello   mucho avie grand plaça;   595
mandó tornar la seña,   apriessa espoloneavan:
—«Firidlos, cavalleros,   todos sines dubdança,
»con la merçed del Criador,   nuestra es la ganançia.»
    Bueltos son con ellos   por medio de la laña.
¡Dios, qué bueno es el gozo   por aquesta mañana!   600
Myo Çid e Albarfánez   adelant aguiiavan;

575. *art*: 'ardid (de guerra)'.
577. *coió*: 'fue'.
581. *Falido á*: 'se ha agotado'.
582. *abés*: 'apenas'.
585. No nos parece necesaria, como a Smith, la partición de
este verso en dos completando de *Terer la casa*.
587. *much estraña*: 'muy extraordinaria'.
589. La corrección de Menéndez Pidal (que restaura *nadi* por
anda) ha sido admitida por casi todos los editores (*cf.* Horrent,
1982, p. 154).
592. *lo ál*: 'el resto'.
595. *plaça*: 'espacio'.
597. *sines dubdança*: 'sin dudar'.
599. *Bueltos son con*: 'luchan contra'. *laña*: 'llanura'.

tienen buenos cavallos,   sabet, a su guisa les andan;
entr'ellos e el castiello   en ess'ora entravan;
los vassallos de Myo Çid   sin piedad les davan:
en una ora e un poco de logar   CCC moros matan. 605
Dando grandes alaridos   los que están en la çelada, *13v*
dexando vanlos delant,   por el castiello se tornavan;
las espadas desnudas,   a la puerta se paravan.
Luego legavan los sos,   ca fecha es el arrancada.
Myo Çid gañó a Alcoçer,   sabet, por esta maña. 610

[30]

Vino Pero Vermuez,   que la seña tiene en mano,
metióla en somo,   en todo lo más alto;
fabló Myo Çid Ruy Díaz,   el que en buen ora fue nado:
—«¡Grado a Dios del çielo   e a todos los sos sanctos,
»ya meioraremos posadas   a dueños e a cavallos! 615

[31]

»Oýd a mí, Albarfáñez   e todos los cavalleros,
»en este castiello   grand aver avemos preso;
»los moros yazen muertos,   de bivos pocos veo,
»los moros e las moras   vender non los podremos,
»que los descabeçemos   nada non ganaremos; 620
»coiamos los de dentro,   ca el señorío tenemos,
»posaremos en sus casas   e dellos nos serviremos.»

[32]

Myo Çid con esta ganançia   en Alcoçer está,
fizo enbiar por la tienda   que dexara allá.
Mucho pesa a los de Teca   e a los de Ter[er] non plaze, 625
e a los de Calatauth   [les ovo de pesar].

602. *a su guisa:* 'a su mando'.
610. *Ms.: sabent.*
615. *posadas:* 'cuarteles'.
620. *que + subj:* oración concesiva ('aunque los descabece-
mos').
625. Teruel *Ms.*
626. Conviene tocar algo del segundo hemistiquio de este verso. Con tal propósito, aceptamos la enmienda de Bello retocada

Al rey de Valençia   enbiaron con mensaie,
que a uno que dizien   Myo Çid Ruy Díaz de Bivar
ayrólo el rey Alfonsso,   de tierra echado lo ha,   *14r*
vino posar sobre Alcoçer,   en un tan fuerte logar,   630
sacólos a çelada,   el castiello ganado á:
«si non das consejo,   a Teca e a Ter[er] perderás;
»perderás Calatayuth,   que non puede escapar;
»ribera de Salón   toda yrá a mal,
»assí ferá lo de Siloca,   que es del otra part».   635
      Quando lo oyó el rey Tamín   por cuer le pesó mal:
—«Tres reyes veo de moros   derredor de mí estar;
»non lo detardedes,   los dos yd pora allá,
»tres mill moros levades   con armas de lidiar,
»con los de la frontera   que vos aiudarán;   640
»prendétmelo a vida,   aduzídmelo deland:
»porque se me entró en mi tierra   derecho me avrá a dar.»
      Tres mill moros cavalgan   e pienssan de andar;
ellos vinieron a la noch   en Sogorve posar;
otro día mañana   pienssan de cavalgar,   645
vinieron a la noch   a Çelfa posar.
Por los de la frontera   pienssan de enviar:
non lo detienen,   vienen de todas partes.
Yxieron de Çelfa,   la que dizen de Canal,
andidieron todo'l día,   que vagar non se dan;   650
vinieron essa noche   en Calatayúh posar.
Por todas essas tierras   los pregones dan:
gentes se aiuntaron   sobeianas e grandes,   *14v*
con aquestos dos reyes   que dizen Fariz e Galve;
al bueno de Myo Çid   en Alcoçer le van çercar.   655

---

por Horrent; Menéndez Pidal y Smith prefieren *sabet, pesando
va*. Otros editores respetan la lectura mendaz del ms.; pero se
nos imponen con bastante crédito las razones de Horrent sobre
la rareza de un hemistiquio de tres sílabas (1982, p. 154).
    632. Teruel *Ms*.
    632-633. *conseio*: 'ayuda'. *Anadiplosis quiásmica* («a Teca e a
Ter[er] perderas, / perderas Calatayuth...»).
    636-637. Los nombres de Tamín, rey de Valencia, y el de sus
generales Fáriz y Galve son históricamente falsos pero verosímil-
mente literarios. Jules Horrent, 1973, pp. 275-276, cree que ahí
«el poeta ha sustituido, como enemigo del Cid, al rey de Zaragoza [Mutamin] por un soberano valenciano».
    642. *derecho*: 'reparación'.

[33]

Fincaron las tiendas   e prenden las posadas,
creçen estos virtos,   ca yentes son sobeianas;
las arobdas   que los moros sacan
de día e de noch   enbueltos andan en armas;
muchas son las arobdas   e grande es el almofalla: 660
a los de Myo Çid   ya les tuellen el agua.
Mesnadas de Myo Çid   exir querien a la batalla,
el que en buen ora nasco   .firme ge lo vedava.
Toviérongela en çerca   complidas tres semanas.

[34]

A cabo de tres semanas   la quarta querie e[n]trar;   665
Myo Çid con los sos   tornós a acordar:
—«El agua nos an vedada,   exir nos ha el pan,
»que nos queramos yr de noch   no nos lo consintrán;
»grandes son los poderes   por con ellos lidiar,
»dezidme, cavalleros,   ¿cómmo vos plaze de far?»   670
    Primero fabló Minaya,   un cavallero de prestar:
—«De Castiella la gentil   exidos somos acá:
»si con moros non lidiáremos,   no nos darán del pan;
»bien somos nós VI çientos,   algunos ay de más:
»¡en el no[n]bre del Criador,   que non pase por ál!   15r
»Vayamos los ferir   en aquel día de cras.»   676
    Dixo el Campeador: —«A mi guisa fablastes;

656. *Ms.: prendend*, que será error del copista, como muestra Menéndez Pidal en su ed. paleográfica.
657. *virtos*: 'fuerzas, huestes' (además de cierto contexto bíblico en que se utiliza la palabra en cuestión con ese sentido,
cabe rescatar otro —el de la *Chronica Adefonsi Imperatoris*—
más próximo al *PMC*: «Et fortitudo Sarracenorum et maxima
virtus eorum permansit» [*Apud* C. Smith, 1977, p. 95]).
658. *arobdas*: 'guarda o centinela avanzado de un ejército'.
659. *de día*: aparece escrito en el v. anterior.
661. *tuellen*: 'cortan'.
664. *çerca*: 'cerco'.
666. *acordar*: 'consultar'.
667. «El agua nos han cortado y puede faltarnos el pan» (C.
Smith).
677. *A mi guisa*: 'a mi gusto'.

»ondrastes vos, Minaya, ca aun vós lo yedes de far.»

Todos los moros e las moras de fuera los manda echar,
que non sopiesse ninguno esta su poridad. 680
El día e la noche piénsansse de adobar.
Otro día mañana el sol querie apuntar,
armado es Myo Çid con quantos que él ha.
Fablava Myo Çid commo odredes contar:
—«Todos yscamos fuera que nadi non raste, 685
»sinon dos peones solos por la puerta guardar;
»si nós muriéremos en campo, en castiello nos entrarán;
»si vençiéremos la batalla, creçremos en rictad.
»E vós, Pero Vermuez, la mi seña tomad,
»commo sodes muy bueno tener la edes sin ar[t]h, 690
»mas no aguijedes con ella si yo non vos lo mandar.»
Al Çid besó la mano, la seña va tomar.

Abrieron las puertas, fuera un salto dan;
viéronlo las arobdas de los moros al almofalla se van
[tornar:
¡qué priessa va en los moros!, e tornáronse a armar. 695
Ante roydo de atamores la tierra querie quebrar;
veriedes armarse moros, apriessa entrar en az.
De parte de los moros dos señas ha cabdales;
e fizieron dos azes de peones mezclados: ¡quí los podrie
[contar! 15v
Las azes de [los] moros yas' mueven adelant 700
pora Myo Çid e a los sos a manos los tomar.
—«Quedas sed, me[s]nadas, aquí en este logar,

678. *aun*] auer Ms. Cabría también sanar este segundo hemistiquio y así resolver el «caso extraordinario» (Menéndez Pidal,
p. 411) de una construcción sintáctica con verbo vicario. Imagi-
nemos el cambio (fácil) de una tilde de nasal por otra de abre-
viación -*er* y obtendremos una oración optativa con *aun* muy normal y, desde luego, más acorde con el carácter del Cid y con el
del episodio (la mesnada está en situación difícil, tanto que se
plantea una posible huida nocturna: resultaría, pues, una bala-
dronada en boca del Cid la seguridad de la victoria y sería lo propio declarar las dudas explicables en estos casos).
681. *adobar*: 'preparar'.
685. *yscamos* (1.ª pers. pl. pres. subj. de *exir*): 'salgamos'.
raste (3.ª pers. sing. pres. subj. de *rastar*): 'permanezca', 'se
quede'.
688. *rictad*: 'riqueza'.
690. arch Ms. (cf. Horrent, p. 156).
691. *mandar* (1.ª pers. sing. fut. subj. de *mandar*): 'mandare'.
700. *los*, interlineado.

»non deranche ninguno   fata que yo lo mande.»
Aquel Pero Vermuez   non lo pudo endurar,
la seña tiene en mano,   conpeçó de espolonar: 705
—«¡El Criador vos vala,   Çid Campeador leal!,
»vo meter la vuestra seña   en aquela mayor az;
»los que el debdo avedes   veremos cómmo la acorr[a]des.»
Dixo el Campeador: —«¡Non sea, por caridad!»
Respuso Pero Vermuez: —«¡Non rastará por ál!»   710
    Espolonó el cavallo   e metiol' en el mayor az,
moros le reçiben   por la seña ganar,
danle grandes colpes,   mas nol' pueden falssar.
Dixo el Campeador: —«¡Valelde, por caridad!»

[35]

Enbraçan los escudos   delant los coraçones,   715
abaxan las lanças   a bue[l]ltas de los pendones,
enclinaron las caras,   de suso de los arzones,
ývanlos ferir   de fuertes coraçones.
A grandes vozes lama   el que en buen ora na[çió]:
—«¡Feridlos, cavalleros,   por amor de caridad   720
»yo só Ruy Díaz, el Çid,   campeador de Bivar!»
Todos fieren en el az   do está Pero Vermuez.
Trezientas lanças son,   todas tienen pendones;   *16r*
seños moros mataron,   todos de seños colpes;
a la tornada que fazen   otros tantos son.   725

703. *deranche* (3.ª pers. sing. pres. subj. de *derranchar*): 'salga de filas'.
704. *endurar*: 'sufrir, resistir'.
708. *debdo*: 'deber de vasallaje'. acorredes Ms. (si se admite la pronunciación neutra de *e* no es tan necesaria la enmienda).
710. *¡Non rastará por ál!*: 'no podrá dejar de ser', 'no hay otra manera'.
713. *falssar*: 'romper o atravesar las armas defensivas'.
714. *Valelde* (metátesis ld > dl): 'ayúdenle'.
716. *buestas Ms.*
717. *de suso de*: 'encima de'.
719. Aceptamos la enmienda de Menéndez Pidal, también recogida por Smith y Horrent, de *naçio* por *nasco*. Pero véase la nota al v. 737.
720-721. Pese a las razonables propuestas de Horrent, 1982, pp. 156-157, que resume y matiza una superada tradición crítica, dejamos estos versos como están: los vemos independizados por asonancia propia acaso realzando el grito mismo del Cid y adelantando, a modo de trenzado, la asonancia de la tirada siguiente.
725. *tornada*: «es la carga de vuelta que hacen los caballe-

[36]

Veriedes tantas lanças   premer e alçar,
tanta adagara   foradar e passar;
tanta loriga   fallsa[r] [e] desmanchar;
tantos pendones blancos   salir vermeios en sangre;
tantos buenos cavallos   sin sos duenos andar.   730
Los moros laman: «¡Mafomat!»;   e los christianos: «¡Sancti
                                          [Yagü[e]!»
Cayen en un poco de logar   moros muertos mill e CCC ya.

[37]

¡Quál lidia bien   sobre exorado arzón
Mio Çid Ruy Díaz,   el buen lidiador!
Mynaya Albarfánez,   que [Ç]orita mandó,   735
Martín Antolínez,   el burgalés de pro,
Nuño Gustioz,   que fue so criado,

---

ros, después de haber pasado a través de las filas enemigas» (Menéndez Pidal, pp. 869).
    726. *premer*: 'bajar'.
    727. *adagara*: 'adarga' ('escudo de cuero').
    728. *desmanchar*: 'desmallar, romper las mallas'.
    731. ¡*Mafomat!*: 'Mahoma'. ¡*Sancti Yagü*[e]!: 'Santiago'. Mi-
chael nos acerca aquí la octava real 113 del canto III de *Os Lu-
siadas* de Luis de Camoës («Chamam, segundo as leis que ali
seguiam, / Uns 'Mafamede' e os outros 'Santiago'). Comp. *Chronica Adefonsi Imperatoriis*, que además encaja a maravilla en el
contexto: «Initio autem certamine, Sarraceni clamabant tubis
aereis et tamboribus et vocibus et invocabant Mahometum. Chris-
tiani autem ex toto corde clamabant ad Dominum Deum et ad
Beatam Mariam et Sanctum Iacobum...» (ed. L. Sánchez Belda,
Madrid, 1950, p. 94).
    733. *exorado*: 'dorado'.
    735. Corita *Ms*.
    737-741. Cumple esforzarse por perseguir a los personajes del
PMC en los documentos de la época: aunque en el caso de Félez
Muñoz y Martín Antolínez el esfuerzo cunde bien poco. «El Muño
Gustioz histórico acompañó a doña Ximena en su viudedad»:
«[e]n 29 agosto de 1113. "Sçemena uxor Roderici Didaz" ven-
de su heredad de Valdecañas, confirmando la carta de venta el
abad de Cardeña y Munio Gustioz» (Menéndez Pidal, p. 767). Tampoco Martín Muñoz era un cualquiera: «casó con Elvira, la hija
de Sisnando, y cuando éste murió el año 1091, Alfonso VI colocó en su lugar, como conde de Coimbra, a Martín Muñoz» (*ibid*.,

Martín Muñoz,   el que mandó a Montmayor,
Álbar Álbarez   e Álbar Salvadórez,
Galín Garçía,   el bueno de Aragón,   740
Félez Munoz,   so sobrino del Campeador.
desí adelante   quantos que ý son
acorren la seña   e a Myo Çid el Canpeador.

[38]

A Mynaya Albarfánez   matáronle el cavallo,
bien lo acorren   mesnadas de christianos;   745
la lança á quebrada,   a[l] espada metió mano,
mager de pie,   buenos colpes va dando.   16v
Violo Myo Çid Ruy Díaz   el castelano,
acostós' a un aguazil   que tenie buen cavallo,
diol' tal espadada   con el so diestro braço,   750
cortol' por la çintura,   el medio echó en campo.
A Mynaya Albarfánez   yval' dar el cavallo:
—«Cavalgad, Mynaya,   vós sodes el myo diestro braço:
»oy en este día   de vós abré grand bando;
»firme[s] son los moros,   aun nos van del campo.»   755
Cavalgó Minaya,   el espada en la mano,
por estas fuerças   fuertemientre lidiando,
a los que alcança,   valos delibrando.
    Myo Çid Ruy Díaz,   el que en buen ora nasco

_____

p. 750). A partir de los últimos años del siglo XI deja de pasear-
se por los documentos portugueses para hacerlo, en 1111, de Aragón a Castilla al frente de trescientos aragoneses («Martinus Mu-
niades» llama la *Historia Compostelana* al capitán de los aragoneses) en ayuda de Alfonso el Batallador, «cuando éste se hallaba
sobre Astorga, combatiendo al ejército de la reina Urraca allí reu-
nido...» *(ibid.).* Pues «[e]n vista de estos hechos, podríamos suponer que Martín Muñoz dejó a Arouca, para irse al lado del Cid,
a causa de enemistad con el *conde don Remond*; por eso, luego,
hizo guerra a la viuda de éste, doña Urraca» *(ibid.).*
    737. La asonancia parece invalidar el segundo hemistiquio. Si
bien Horrent postula *que so criado f[o]*, nosotros propondríamos
que fue criado só. Sin embargo, mantenemos el verso tal como
está porque no sabemos a ciencia cierta la presión que ejerce
el tono rímico sobre versos que, con el aspecto de mendosos, sólo
serían moldeables e influibles dentro de una tirada con asonancia
dominante.
    749. *acostós'*: 'allegóse'. *aguazil*: 'visir, general de los moros'.
    758. *delibrando*: 'despachando, matando'.

al rey Fariz   III colpes le avie dado,
los dos le fallen   e el unol' ha tomado:
por la loriga ayuso   la sangre destella[n]do;
bolvió la rienda   por ýrsele del campo.
Por aquel colpe   rancado es el fonssado.

[39]

Martín Antolínez   un colpe dio a Galve,   765
las carbonclas del yelmo   echógelas aparte,
cortol' el yelmo   que legó a la carne;
sabet, el otro   non ge lo osó esperar.
Arancado es el rey   Fariz e Galve.
¡Tan buen día   por la Christiandad!,   770
ca fuyen los moros   de la [e de la] part,
los de Myo Çid   firiendo en alcaz.
El rey Fariz   en Ter[er] se fue entrar,
e a Galve   nol' cogieron allá,   17r
para Caltayuch   quanto puede se va.   775
El Campeador   ýval' en alcaz,
falta Calatayuch   duró el segudar.

[40]

A Mynaya Albarfánez   bien l'anda el cavallo,
d'aquestos moros   mató XXXIIII;
espada taiador,   sangriento trae el braço,   780
por el cobdo ayuso   la sangre destellando.
Dize Mynaya: —«Agora só pagado,
»que a Castiella   yrán buenos mandados,

761. le fallen: 'le yerran',
762. Aunque la mayoría de editores suplen destella[n]do, creemos también probable [ha] destellado, cuya acción en perfecto potencia la plasticidad y la rapidez del hecho.
764. rancado: 'derrotado'.
766. carbonclas: «'carbunclos' o rubíes que adornaban el yelmo de los moros Galve y Búcar» (Menéndez Pidal, p. 533).
771. de la [e de la] part: 'de una y otra parte' (cf. vv. 2079,
3019).
772. alcaz: 'alcance, persecución de los fugitivos'.
773. Ms.: Teruel.
774. nol' cogieron allá: 'no le dieron refugio allá'.
777. segudar (inf. sust. masc.): 'persecución del enemigo'.

»que Myo Çid Ruy Díaz   lid campal á [arrancado].»
Tantos moros yazen muertos   que pocos bivos á dexados,
ca en alcaz   sin dubda les fueron dando.   786
Yas' tornan   los del que en buen ora nasco.
Andava Myo Çid   sobre so buen cavallo,
la cofia fronzida,   ¡Dios, cómmo es bien barbado!,
almofar a cuestas,   la espada en la mano.   790
Vio los sos   cómmos' van alegando:
—«Grado a Dios,   Aquel que está en alto,
»quando tal batalla   avemos arancado.»
Esta albergada los de Myo Çid   luego la an robad[o]:
de escudos e de armas   e de otros averes largos;   795
de los moriscos,   quando son legados,
fallaron   DX cavallos.   796b
Grand alegreya va   entre essos christianos.
Más de quinze de los sos   menos non fallaron.
Traen oro e plata   que non saben recabdo;
refechos son   todos esos christianos   17v
con aquesta ganançia   [que ý avien ganado].   800b
A sos castiellos a los moros   dentro los an tornados;
mandó Myo Çid aun   que les diessen algo.
¡Grant á el gozo Myo Çid   con todos sos vassalos!
Dio a partir estos dineros   e estos averes largos;
en la su quinta al Çid   caen C cavallos.   805
¡Dios, qué bien pagó   a todos sus vassallos,
a los peones   e a los encavalgados!
¡Bien lo aguisa   el que en buen ora nasco!,
quantos él trae,   todos son pagados.
—«Oýd, Mynaya,   sodes myo diestro braço,   810

784. Horrent ha aceptado la enmienda de Menéndez Pidal
(*arrancado* sobre *vençida*). Smith remedió la concordancia editando *arrancada*.
789. *cofia*: «gorra de tela, bajo la cual se recogía el pelo (no
la barba), antes de cubrirse la cabeza con el almófar (o con el
capiello)... iba *fronzida* sobre la frente...» (Menéndez Pidal, p. 581).
790. *almofar*: «capucha que tenía la loriga, para cubrir la cabeza y el cuello del guerrero» (Menéndez Pidal, pp. 458-459).
794. *albergada*: 'campamento de los moros'. robada *Ms*.
795. *largos*: 'abundantes'.
800. La solución de Menéndez Pidal, al suplir la segunda mitad de un hemistiquio tomándolo de la *PCG* (cf. p. 1056), parece
la mejor. Horrent, en la tradición de Milá, prefiere cambiar el
orden de los hemistiquios remedando, así, la asonancia pero a costa de obtener un verso excesivamente hipermétrico.
804. *partir*: 'repartir'.

»d'aquesta riqueza   que el Criador nos á dado
»a vuestra guisa   prended con vuestra mano.
»Enbiar vos quiero   a Castiella con mandado:
»desta batalla   que avemos arancad[o],
»al rey Alfonsso,   que me á ayrado,   815
»quierol' enbiar   en don XXX cavallos,
»todos con siellas   e muy bien enfrenados,
»señas espadas   de los arzones colga[ndo].»
Dixo Mynaya Albarfánez: —«Esto faré yo de grado.»

[41]

    —«Evades aquí   oro e plata [limpia],   820
»una uesa leña,   que nada nol' mingua,
»en Sancta María de Burgos   quitedes mill missas;
»lo que romaneçiere   daldo a mi mugier e a mis fijas,
»que ruegen por mí   las noches e los días;   18r
»si les yo visquier,   serán duenas ricas.»   825

[42]

Minaya Albarfánez   desto es pagado;
por yr con él, omnes   son contados.   826b

[42 bis]

    Agora davan çevada,   ya la noch era entrada.
Myo Çid Ruy Díaz   con los sos se acordava:

    814. arancada Ms.
    818. Corregimos sobre *colgadas* en compañía de la mayor par-
te de los editores. Nótese, sin embargo, la insistencia en la in-
tercalación de asonancia *á-a* en esta serie.
    820-821. Estos versos han sido modificados de un modo u otro
por los editores. Nosotros preferimos la corrección de Menéndez
Pidal y Horrent, que al menos restituye la asonancia.
    823. *romaneçiere* (3.ª pers. sing. fut. subj. de *remaneçer*): 'so-
brase'.
    826b. *contados*: añadido por la mano de un corrector más
moderno.

[43]

—«Hydes vós, Mynaya,   a Castiella la gentil,
»a nuestros amigos   bien les podedes dezir   830
»Dios nos valió   e vençiemos la lid.
»A la tornada,   si nos fallaredes, aquí;
»si non, do sopiéredes que somos   yndos conseguir.
»Por lanças e por espadas   avemos de guarir;
»si non, en esta tierra angosta   non podriemos bivir.»   835

[44]

Ya es aguisado,   mañanas' fue Minaya
e el Campeador   con su mesnada.
La tierra es angosta   e sobeiana de mala,
todos los días   a Myo Çid aguardavan
moros de las fronteras   e unas yentes estrañas.   840
Sanó el rey Fariz,   con él se conseiavan;
entre los de Techa   e los de Ter[er] la casa,
e los de Calatayut,   que es más ondrada,
así lo an asmado   e metudo en carta:
vendido les á Alcoçer   por tres mill marchos de plata.   845

[45]

Myo Çid Ruy Díaz   a Alcoçer es venido;
¡qué bien pagó   a sus vassalos mismos!;
a cavalleros e a peones   fechos los ha ricos,
en todos los sos   non fallariedes un mesquino: *18v*
qui a buen señor sirve   siempre bive en.deliçio.   850

831. *lid*] lidit *Ms*.
833. *do sopiéredes*: 'dondequiera que se entere'. *yndos*: 'idnos'.
834. *guarir*: 'mantenernos'.
835. *angosta*: 'estéril, escasa'.
838. *sobeiana de mala*: 'extremadamente dura'.
842. *Ms*.: *Teruel*.
844. *metudo en carta*: 'puesto en acuerdo escrito'.
846. Admitimos las razones de Horrent, 1982, p. 160, para defender la lección *es venido* («la leçon ms. est acceptable: après avoir conduit ses tractations financières avec ceux d'Ateca, de Terrer et de Calatayud, le Cid vient à Alcocer où il pase ses vassaux»).
849. *mesquino*: 'pobre'.
850. Sería expresión proverbial: «quien a buen señor sirve, ése vive en bienandanza».

[46]

Quando Myo Çid   el castiello quiso quitar,
moros e moras   tomáronse a quexar:
—«¿Vaste, Myo Çid?,   nuestras oraçiones váyante delante;
»nós pagados finca[m]os,   señor, de la tu part.»
Quando quitó a Alcoçer   Myo Çid el de Bivar   855
moros e moras   compeçaron de lorar.
Alçó su seña,   el Campeador se va;
pasó Salón ayuso,   aguijó cab'adelant;
al exir de Salón,   mucho ovo buenas aves.
Plogo a los de Terer,   e a los de Calatayut más;   860
pesó a los de Alcoçer,   ca pro les fazie grant.
     Aguijó Myo Çid,   ývas' cab'adelant,
ý fincó en un poyo,   que es sobre Mont Real;
¡alto es el poyo,   maravilloso e grant!
Non teme gerra,   sabet, a nulla part.   865
Metió en paria   a Daroca enantes,
desí a Molina,   que es del otra part,
la terçera Teruel,   que estava delant,
en su mano tenie   a Çelfa la de Canal.

[47]

¡Myo Çid Ruy Díaz   de Dios aya su graçia!   870
Ydo es a Castiella   Albarfánez Minaya;
treynta cavallos al rey los enpresentava.
Violos el rey,   fermoso sonrisava: 19r

851-852. *quiso quitar* y *tomáronse a quexar*: querer y tornar
conjugados + inf. = empezar(a) + inf.
854. fincados *Ms.*
856. *compeçaron*: 'empezaron'.
858. *cab' adelant*: 'hacia adelante'.
859. *buenas aves* (de *bona avis*): 'buenos agüeros'.
860. El copista corrige, sin embargo, *Teruel*.
863. *poyo*: 'eminencia de terreno'.
863-869. Adviértase la correcta localización de la colina que
el poeta llama «el Poyo de Mio Cid», cerca de Monreal; pero
igualmente repárese en el anacronismo que representa «men-
cionar Monreal como si existiera en la época del Cid» (Ubieto,
ibid., p. 40, y Russel, *ibid.*, p. 176).
865. *a nulla part*: 'de ninguna parte'.
872. *empresentava*: 'presentaba'.

—«¿Quién los dio éstos, sí vos vala Dios, Mynaya?»
—«Myo Çid Ruy Díaz, que en buen ora cinxó espada; 875
»vençió dos reyes de moros en aquesta batalla,
»sobeiana es, señor, la su gana[n]çia;
»a vós, rey ondrado, enbía esta presentaia;
»bésavos los pies e las manos amas,
»quel' ay[a]des merçed, sí el Criador vos vala.» 880
Dixo el rey: —«Mucho es mañana
»omne ayrado, que de señor non ha graçia,
»por acogello a cabo de tres semmanas;
»mas, después que de moros fue, prendo esta presentaia.
»Aun me plaze de Myo Çid que fizo tal ganançia; 885
»sobr'esto todo a vós quito, Mynaya:
»honores e tierras avellas condonadas;
»hyd e venit, d'aquí vos do mi graçia.
»mas del Çid Campeador yo non vos digo nada.
»Sobre aquesto todo, dezir vos quiero, Mynaya, 890

[48]

»de todo myo reyno los que lo quisieren far,
»buenos e valientes pora Myo Çid huyar,
»suéltoles los cuerpos e quítoles las heredades.»
Besóle las manos Minaya Albarfáñez:
—«Grado e graçias, rey, commo a señor natural: 895
»esto feches agora, ál feredes adelant.»

[49]

—«Hyd por Castiella e déxenvos andar, Minaya;
»si[n] nulla dubda yd a Myo Çid buscar ganançia.»

880. *sí*: 'así'. *Cf.* 420, 874.
881. *Mucho es mañana*: 'es muy pronto'.
887. *condonadas*: 'restauradas, devueltas'.
888. *do*: 'doy'.
892. *huyar* (inf. de *uviar*): 'ayudar'. *bueños Ms.*
893. 'les he liberado de sus obligaciones (hacia mí) y no confiscaré sus heredades' (C. Smith).
897-898. Damos por admisibles las razones de Horrent, 1982, p. 161, para retrasar estos dos versos a la tirada anterior, si bien con algunos pequeños retoques: «*Hid por Castiella, Minaya, e dexen uos andar / si' nulla dubda yd a Myo Cid ganançia buscar.*» Así, permitiríamos cerrar el parlamento con el rey e inaugurar

      Quiero vos dezir   del que en buen ora nascó e cinxó
                                             [espada: *19v*
aquel poyo   en él priso posada,   900
mientra que sea el pueblo de moros   e de la yente chris-
                                                          [tiana,
el Poyo de Myo Çid   asil' dirán por carta.
      Estando allí   mucha tierra preava,
el [val] de río Martín   todo lo metió en paria.
A Saragoça   sus nuevas legavan;   905
non plaze a los moros,   firmemientre les pesava.
Alí sovo Mio Çid,   complidas XV semanas,
quando vio el caboso   que se tardava Minaya;
con todas sus yentes   fizo una trasnochada,
dexó el poyo,   todo lo desenparava,   910
alén de Teruel   don Rodrigo passava,
en el pinar de Tévar   don Roy Díaz posava;
todas essas tierras   todas las preava:
a Saragoça   metuda l'á en paria.
      Quando esto fecho ovo,   a cabo de tres semanas,   915
de Castiella   venido es Minaya,
dozientos con él   que todos çinen espadas,
non son en cuenta,   sabet, las peonadas.
Quando vio Myo Çid   asomar a Minaya,
el cavallo corriendo,   valo abraçar sin falla,   920
besóle la boca   e los oios de la cara,
todo ge lo dize,   que nol' encubre nada;
el Campeador   fermoso sonrisava:
—«Grado a Dios   e a las sus vertudes sanctas,   *20r*
»mientra vós visquiéredes,   bien me yrá a mí, Minaya.»   925

_____
asonancia con el cambio de sujeto. Sin embargo, los versos se aso-
cian naturalmente (por su asonancia perfecta) con la tirada siguiente (*cf.* la estructura pareja de los vv. 897 y 925).
      902.   Se le ocurre a C. Smith, 1983, p. 77, pensar en un poeta
(«Per Abad was lawyer») familiarizado con los *fueros*: entre otros
motivos, porque el *Poyo del Myo Cid* también aparece nombrado
en el *Fuero de Molina. Cf.* en especial a A. Ubieto, 1973, p. 40, y
P. E. Russell, 1978, p. 176. Para la localización geográfica váyase
directo a las páginas 803-804 de Menéndez Pidal.
      903.   *preava:* 'saqueaba'.
      904.   Damos crédito a Menéndez Pidal (otro tanto hacen Smith
y Horrent); aunque se podría defender una enmienda *lo de río
Martín todo lo metió en paria,* más acorde con la hipótesis de
Michael.
      911.   *alén:* 'más allá'.
      919.   *asomar:* 'aparecer'.

[50]

¡Dios, cómmo fue alegre   todo aquel fonssado
que Minaya Albarfánez   assí era legado!,
diziéndoles saludes   de primos e de hermanos
e de sus compañas,   aquelas que avien dexad[o].

[51]

¡Dios, cómmo es alegre   la barba velida   930
que Albarfánez   pagó las mill missas
a quel' dixo saludes   de su mugier e de sus fijas!
¡Dios, cómmo fue el Çid pagado   e fizo grant alegría!
—«Ya, Albarfánez,   bivades muchos días.»

[52]

Non lo tardó   el que en buen ora nasco,   935
tierras d'Alcaraz   negras las va parando,
e aderredor   todo lo va preando.
Al terçer día   d'on yxó ý es tornado.

[53]

Hya va el mandado   por las tierras todas:
pesando va a los de Monçón   e a los de Huesca;   940
porque dan parias,   plaze a los de Saragoça,
de Myo Çid Ruy Díaz   que non temien ninguna fonta.

[54]

Con estas ganançias   a la posada tornando se van;
todos son alegres,   ganançias traen grandes;

928. *diziéndoles saludes*: 'trayéndoles salutaciones'.
929. dexadas *Ms*.
936. *tierras negras*: 'tierras yermas, estériles' (comp. *tierras blancas* o de sembradura).
942. *fonta*: 'afrenta, ultraje, insulto'.
943. *posada*: 'campamento'.

plogo a Myo Çid   e mucho a Albarfánez.   945
Sonrisós' el caboso,   que non lo pudo endurar:
—«Hya, cavalleros,   dezir vos he la verdad;
»qui en un logar mora   siempre lo so puede menguar.
»Cras a la mañana   penssemos de cavalgar;   20v
»dexat estas posadas   e yremos adelant.»   950
    Estonçes se mudó el Çid   el puerto de Alucant;
d'ent, corre Myo Çid   a Huesca e a Montalván.
En aquessa corrida   X días ovieron a morar;
fueron los mandados   a todas partes,
que el salido de Castiella   así los trae tan mal;   955
los mandados son ydos   a todas partes.

[55]

    Legaron las nuevas   al conde de Barçilona,
que Myo Çid Ruy Díaz   quel' corrie la tierra toda.
Ovo grand pesar   e tóvos'lo a grand fonta.

[56]

    El Conde es muy folón   e dixo una vanidat: 960
—«Grandes tuertos me tiene   Myo Çid el de Bivar,
»dentro en mi cort   tuerto me tovo grand,
»firióm' el sobrino   e non lo enmendó más;
»agora corren las tierras   que en mi enpara están.

946.   que non lo pudo endurar: 'que no pudo permanecer allí
más' (Michael).
    952.   d'ent: 'de allí'. huesca Ms.
    953.   corrida: 'incursión'. morar: 'pasar'.
    955.   salido: 'exiliado'.
    956.   Horrent propone desplazar este verso a la tirada siguiente
para, de este modo, encabezarla como una variante de reiteración
épica (Los mandados son ydos a [las] partes todas).
    957-1084.   Hace poco C. Smith, 1983, pp. 145-147, ha venido a
confirmar la deuda del episodio con la Historia Roderici (desde los preliminares mismos: «Comitem uero et suorum bellato-
rum multitudinem omnino uilipendio et sperno», 942.8). M. Mol-
ho, 1981, pp. 200-203, relaciona algunos de sus momentos con
cierta tradición jurídica de la Europa medieval. Para esos y otros
propósitos también pueden verse los trabajos de T. Montgomery,
1962, pp. 1-11, y M. Garci-Gómez, 1975, pp. 113-138.
    960.   folón: 'follón, fanfarrón', 'necio'. vanidat: 'palabra vana'.
    961.   tuertos: 'sinrazones, injusticias'.

965
»Non lo desafié   nil' torné enemistad,
»mas quando él me lo busca   yr ge lo he yo demandar.»

Grandes son los poderes   e a priessa [legándose van]
entre moros e christianos   gentes se le alegan grandes.
Adelinan tras Myo Çid,   el bueno de Bivar;
tres días e dos noches   penssaron de andar.   970
Alcançaron a Myo Çid   en Tévar e el pinar;
así viene esforçado   que el Conde a manos se le cuydó
                                              [tomar.

Myo Çid don Rodrigo   trae grand ganançia.
Diçe de una sierra   e legava a un val.   *21r*
Del conde don Remont   venido l'es mensaie;   975
Myo Çid quando lo oyó   enbió pora allá:
—«Digades al Conde,   non lo tenga a mal,
»de lo so non lievo nada,   dexem'yr en paz.»
Respuso el Conde: —«Esto non será verdad;
»lo de antes e de agora   todom' lo pechará: 980
»sabrá el salido   a quien vino desondrar.»
Tornós' el mandadero   quanto pudo más;
essora lo conosçe   Mio Çid el de Bivar,
que a menos de batalla   nos' pueden d'én quitar.

[57]

—«Ya, cavalleros,   apart fazed la ganançia,   985
»apriessa vos guarnid   e metedos en las armas:
»el conde don Remont   dar nos ha grant batalla.
»De moros e de christianos   gentes trae sobeianas,

966-967. Aceptamos las enmiendas de Horrent, si bien no descartamos la posibilidad de que puedan aislarse dos versos de
transición, con asonancia propia, dentro de una misma tirada.
los poderes: 'las fuerzas'.
971. Rescatemos el contexto al que remiten (Menéndez Pidal
y C. Smith) este episodio, dibujemos la abreviatura sobre *dicitur*
y quizá daremos con la pista de una lección errada que nuestro
copista, atento a un buen modelo, sanaría por «Tevar»: *in loco
qui dicitur iber* > *(Ti)ber* > *Tévar* (*cf.* C. Smith, 1983, p. 236,
n. 5).
974. *Diçe*: 'desciende'.
980. *pechará*: 'pagará'.
982. *mandadero*: 'mensajero'. *quanto pudo más*: 'cuanto antes'.
984. *a menos de*: 'fuera de'.
985. *apart fazed*: 'apartad'.
986. *vos guarnid*: 'armaros'.

»a menos de batalla   non nos dexarie por nada.
»Pues adellant yrán tras nós,   aquí sea la batalla.   990
»Apretad los cavallos   e bistades las armas;
»ellos vienen cuesta yuso   e todos trahen calças
»e las siellas coçeras   e las çinchas amoiadas;
»nós cavalgaremos siellas gallegas   e huesas sobre calças:
»çiento cavalleros   devemos vençer aquelas mesnadas;   995
»antes que ellos legen a laño,   presentémosles las lanças,
»por uno que firgades   tres siellas yrán vazias.
»Verá Remont Verengel   tras quien vino en alcança
»oy en este pinar de Tévar   por tolerme la ganançia.»

[58]

Todos son adobados   quando Myo Çid esto ovo fablado. 21v
Las armas avien presas   e sedien sobre los cavallos;   1001
vieron la cuesta yuso   la fuerça de los francos,
al fondón de la cuesta   çerca es de laño.
Mandólos ferir Myo Çid,   el que en buen ora nasco;
esto fazen los sos,   de voluntad e de grado: 1005
los pendones e las lanças   ¡ tan bien las van enpleando!,
a los unos firiendo   e a los otros derrocando:
vençido á esta batalla   el que en buen ora nasco.
Al conde don Remont   a presón le an tomado.

992. *cuesta yuso*: 'cuesta abajo'.
993. *coçeras*: «aplicado a ciertas sillas de caballo que no daban
al jinete buen apoyo contra el empuje de la lanza amiga» (Menéndez Pidal, p. 579). *çinchas amoiadas*: 'cinchas (de la silla) aflo-
jadas'.
994. *gallegas*: «sillas de montar que usaban los caballeros del
Cid; pasaban por más seguras que las sillas *coçeras*. Pero parece
que la silla *gallega* no era la propia de las armas, según se desprende del testamento del caballero leonés Gonzalo Fernández
de Negriellos...» (*ibid.*, p. 699). *huesas*: 'bota alta', calzado que
protegía la pierna del frío, la lluvia y el barro, para campaña,
viaje o caza» (*ibid.*, p. 896).
995. *çiento cavalleros*: 'con sólo cien caballeros'.
997. *firgades* (2.ª pers. pl. pres. subj. de *ferir*): 'hiráis'.
1002. *francos*: 'catalanes'.
1003. *al fondón de*: 'debajo de'.

[59]

Hý gañó a Colada,   que más vale de mill marcos de plata.
Ý bençió esta batalla,   por ó ondró su barba.   1011
Prísolo al Conde,   pora su tie[nd]a lo levava,
a sos creenderos   mandar los guardava.
De fuera de la tienda   un salto dava;
de todas partes   los sos se aiunta[va]n.   1015
Plogo a Myo Çid,   ca grandes son las ganançias.
   A Myo Çid don Rodrigo   grant cozinal' adobavan;
el conde don Remont   non ge lo preçia nada.
Adúzenle los comeres,   delant ge los paravan;
él non lo quiere comer,   a todos los sosanava.   1020
— «Non combré un bocado   por quanto ha en toda España;
»antes perderé el cuerpo   e dexaré el alma,
»pues que tales mal calçados   me vençieron de batalla.»

[60]

Myo Çid Ruy Díaz   odredes lo que dixo:
—«Comed, conde, deste pan   e beved deste vino.   *22r*
»Si lo que digo fiziéredes,   saldredes de cativo;   1026
»si non, en todos vuestros días   non veredes christianismo.»

[61]

   Dixo el conde don Remont: —«Comede, don Rodrigo,
                              [e penssedes de folgar,

1010. *Colada*: 'espada del Conde de Barcelona, ganada por el Cid'.
1011. *por ó ondró su barba*: en términos parecidos se describe a Ayax en el *Libro de Alexandre* («Áyaz, una barva honrada», 587b).
1012. tierra *Ms*.
1013. *creenderos*: 'criados personales'.
1015. aiuntaron *Ms*.
1017. *grant cozinal' adobavan*: 'gran banquete le guisaban'.
1020. *sosanava*: 'desdeñaba'.
1021. *combré* (1.ª pers. sing. fut. ind. de *comer*): 'comeré'.
1023. *mal calçados*: 'desharrapados'.
1028. Michael ha creído conveniente hacer del primer hemistiquio un solo verso que queda incompleto, y otro tanto ha hecho del segundo hemistiquio. Contra esta medida y en defensa de la hipermetría, véase Horrent, 1982, p. 164.

»que yo dexar m'é morir, que non quiero comer.»
  Fasta terçer día nol' pueden acordar.   1030
Ellos partiendo estas ganançias grandes,
nol' pueden fazer comer un muesso de pan.

[62]

  Dixo Myo Çid: —«Comed, conde, algo,
»ca, si non comedes, non veredes christianos,   1033b
»e si vós comiéredes d'ón yo sea pagado,
»a vós e dos fijos d'algo   1035
»quitarvos he los cuerpos e darvos é de mano.»   1035b
  Quando esto oyó el Conde, yas' yva alegrando:
—«Si lo fiziéredes, Çid, lo que avedes fablado,
»tanto quanto yo biva seré dent maravillado.»
—«Pues comed, conde, e quando fuéredes iantado,
»a vós e a otros dos darvos he de mano,   1040
»mas quanto avedes perdido e yo gané en canpo,
»sabet, non vos daré a vós un dinero malo;
»mas quanto avedes perdido non vos [será dado],
»ca huebos me lo he para estos myos vassallos,
»que comigo andan lazdrados.   1045
»Prendiendo de vós e de otros yr nos hemos pagando;
»abremos esa vida, mientra plogiere al Padre Sancto,
»commo que yra á de rey e de tierra es echado.»
  Alegre es el Conde e pidió agua a las manos,
e tiénengelo delant e diérongelo privado.   1050
Con los cavalleros que el Çid le avie dados   22v
comiendo va el Conde: ¡Dios, qué de buen grado!

1030. *acordar*: 'persuadir'.
1032. *muesso*: 'bocado'.
1034. *d'ón*: 'de lo cual'.
1035. Horrent suple *a vós*, [*conde*] para redondear el hemistiquio bisílabo.
1035b. «El verso contiene una pareja sinónima que significa
'dejar en libertad'» (C. Smith).
1038. Sobre *dent* una mano posterior corrige *dende*; Horrent
edita *dend*.
1043. Menéndez Pidal y Michael suprimen este verso que se
halla corrupto en la asonancia (*lo daré*). Nosotros editamos la restitución de Horrent.
1045. *lazdrados*: 'necesitados'. El verso se lee en el *Ms.*: «que
comigo andan larrados e non uos lo dare».
1048. *commo que*: 'como quien'.

Sobr'él sedie   el que en buen ora nasco:
—«Si bien non comedes, conde,   d'ón yo sea pagado,
»aquí feremos la morada,   no nos partiremos amos.»   1055
Aquí dixo el Conde: —«De voluntad e de grado.»

Con estos dos cavalleros   apriessa va iantando,
pagado es Myo Çid   que lo está aguardando,
porque el conde don Remont   tan bien bolvie las manos.
—«Si vos ploguiere, Myo Çid,   de yr somos guisados;   1060
»mandadnos dar las bestias   e cavalgeremos privado;
»del día que fue conde   non ianté tan de buen grado:
»el sabor que dende é   non será olbidado.»

Danle tres palafrés   muy bien ensellados
e buenas vestiduras   de peliçones e de mantos.   1065
El conde don Remont   entre los dos es entrado;
fata cabo del albergada   escurriólos el castelano:
—«Hya vos ydes, conde,   a guisa de muy franco,
»en grado vos lo tengo   lo que me avedes dexado;
»si vos viniere emiente   que quisiéredes vengalo,   1070
»si me viniéredes buscar,   fallar me podredes;
»e si non, mandedes buscar: o me dexaredes
»de lo vuestro   o de lo myo levaredes algo.»
—«Folgedes ya, Myo Çid,   sodes en vuestro salvo,
»pagado vos he   por todo aqueste año,   1075
»de venirvos buscar,   sol non será penssado.»

[63]

Aguijava el Conde   e penssava de andar;
tornando va la cabeça   e catandos' atrás;   23r
myedo yva aviendo   que Myo Çid se repintrá,
lo que non ferie el caboso   por quanto en el mundo ha,   1080

1053. *sobr'él sedie*: 'estaba inclinado sobre él'.
1058. *aguardando*: 'observando'.
1059. *bolvie*: 'movía'.
1062. *fue*: 'fui'.
1064. *palafrés*: 'caballo de camino y de lujo'.
1065. *peliçones*: 'pellizas'.
1067. *escurriólos*: 'les escoltó'.
1070. vengalo[n] *Ms.*
1071-1072. La enmienda de Horrent fuerza en exceso la integridad del poema: *Si me vinieredes bu[s]car, fa[zed] me mand [ado] / o me dexaredes de lo uestro o de lo suyo leuaredes algo.*
1074. *Folgedes*: 'no os preocupéis'.
1079. *se repintrá*: 'se arrepentirá'.

una deslea[l]tança,   ca non la fizo alguandre.
   Hydo es el Conde,   tornós' el de Bivar,
juntos con sus mesnadas,   conpeçólas de legar
de la ganançia que an fecha,   maravillosa e grand.

[CANTAR SEGUNDO]

[64]

¡Aquís' conpieça la gesta   de Myo Çid el de Bivar!   1085
¡Tan ricos son los sos   que non saben qué se an!
Poblado ha Myo Çid   el puerto de Alucant,
dexando a Saragoça   e a las tierras d'[a]cá,
e dexando a Huesca   e las tierras de Montalván;
contra la mar salada   conpeçó de guerrear;   1090
a orient exe el sol,   e tornós' a essa part.
Myo Çid gañó a Xerica   e a Onda e [a] Almenar;
tierras de Borriana   todas conquistas las ha.

[65]

Aiudól' el Criador,   el Señor que es en çielo.
Él con todo esto   priso a Murviedro: 1095

1085. Aunque mantenemos la división tradicional del *Poema*
en cantares, estamos de acuerdo con Horrent en que nada nos
permite pensar que el autor dividiera en medio de una tirada
su obra. Como Garci-Gómez, Horrent cree que este verso y los
que siguen son «un cri d'allegresse devant butin amassé' et un
cri d'espérance dans l'avenir et en dounant à "gesta" le sens l'ex-
ploit mémorable (...), qu'il a en anc. cast. comme en anc. frç»
(1982, p. 169).
1087. *puerto de Alucant*: M. Pidal lo identifica con «Olocau
del Rey (4 leguas al O. de Morella), donde se conservan aún
vestigios de un castillo de moros, que quizá sea el que ree-
dificó el Campeador por orden del rey de Zaragoza Almutamín...»;
Michael, en cambio, se decide por el Olocau próximo a Liria; y
Criado del Val, finalmente, lo refiere a Gallocanta (cosa que ya
había hecho el mismo Pidal para el v. 951 a la vista de la variante «Laguna de Allucant» [ms. *K*]: «L. de Gallocanta» [ms. *A*],
del *Fuero de Molina*).
1088. duca *Ms.* Horrent no se acaba de creer sea un topónimo
d'*Ucá* (*cf.* Menéndez Pidal) y es partidario de la enmienda, a la
que damos provisionalmente el visto bueno (1982, p. 170).
1091. *exe* (3.ª pers. sing. pres. ind. de *exir*): 'sale'.
1095. Nuestro poeta parece volver a la *Historia Roderici* para
tomar prestado ahora los topónimos a que se refiere en esta cam-

ya vie Myo Çid   que Dios le yva valiendo.
Dentro en Valençia   non es poco el miedo.

[66]

Pesa a los de Valençia,   sabet, non les plaze:
prisieron so conseio   quel' viniessen çercar;
trasnocharon de noch   al alva de la man,   1100
açerca de Murviedro   tornan tiendas a fincar.
Violo Myo Çid,   tomós' a maravillar:
—«Grado a ti,   Padre spirital,   1102b
»en sus tierras somos   e fémosles todo mal,
»bevemos so vino   e comemos el so pan;   23v
»si nos çercar vienen,   con derecho lo fazen;   1105
»a menos de lid   aquesto nos' partirá.
»Vayan los mandados   por los que nos deven aiudar,
»los unos a Xerica   e los otros a Alucad,
»desí a Onda   e los otros a Almenar;
»los de Borriana   luego vengan acá: 1110
»conpeçaremos   aquesta lid campal;
»yo fío por Dios   que en nuestro pro enadrán.»
Al terçer día   todos iuntados s'[a]n,
el que en buen ora nasco   compeçó de fablar:
—«Oýd, mesnadas,   sí el Criador vos salve,   1115
»después que nos partiemos   de la linpia christiandad,

───────────

paña levantina, pero equivocando la cronología (el Cid no se gana
a Murviedro —Sagunto— hasta 1098). El lince de C. Smith, 1983,
p. 147, siempre al tanto de todo, intenta justificar el desliz lle-
vándonos a los años 1089 de la *Historia* en que Alcadir «hoc»
(el Cid) «enim fecit et dux de Muro Uetulo» (933.18). Para algunos apuntes del préstamo recién aludido y las conclusiones que
de tal deuda cumple deducir con cautela, véase P. E. Russell, 1978,
p. 177 y n. 24 (eco de tal conjetura es que la geografía del episodio anterior aún era mora en los años en que se compuso el *PMC*).
D. Hook, 1973, pp. 120-126, ofrece un examen más pormenorizado
de todo el pasaje.
    1101.   *tornan a fincar* (perífrasis en que desaparece el signifi-
cado iterativo de *tornan*): 'acamparon'.
    1106.   *aquesto nos' partirá*] nos' partira aquesto *Ms. Id.*: 'esto
no concluirá'.
    1110.   *luego*: 'en seguida'.
    1112.   *en nuestro pro enadrán*: 'aumentarán nuestro provecho'.
    1113.   *s'[a]n* son *Ms*.
    1116.   *partiemos*: «este -iemos es lo general en el siglo XIII,
y pudiera explicarse por influencia de la 3.ª persona y analogía
de la sexta...; pero son éstas razones limitadas para explicar un

»non fue a nuestro grado   ni nós non pudiemos más,
»grado a Dios,   lo nuestro fue adelant.
»Los de Valençia   çercados nos han:
»si en estas tierras   quisiéremos durar,   1120
»firmemientre son éstos   a escarmentar.

[67]

»Passe la noche   e venga la mañana,
»apareiados me sed   a cavallos e armas,
»hyremos ver   aquela su almofalla,
»commo omnes exidos   de tierra estraña.   1125
»Alí pareçrá   el que mereçe la soldada.»

[68]

   Oýd qué dixo   Minaya Albarfánez:
—«Campeador fagamos   lo que a vós plaze;
»a mí dedes C cavalleros,   que non vos pido más;
»vós con los otros   firádeslos delant.   1130
»Bien los ferredes,   que dubda non ý avrá;   24r
»yo con los çiento   entraré del otra part;
»commo fio, por Dios,   el campo nuestro será.»
   Commo gelo á dicho,   al Campeador mucho plaze.
Mañana era   e piénssanse de armar;   1135
quis cada uno dellos   bien sabe lo que ha de far.
Con los alvores   Myo Çid ferirlos va:
—«En el nombre del Criador   e del apóstol Sancti Yagüe,
»feridlos, cavalleros,   d'amor e de grado e de grand volun-
                                                              [tad,
»ca yo só Ruy Díaz,   Myo Çid el de Bivar.»   1140
   Tanta cuerda de tienda   ý veriedes quebrar,
arancarse las estacas   e acostarse a todas partes los ten-
                                                              [dales.

---

fenómeno tan extendido como el diptongo *ie* en el plural del perfecto y en todas las personas de los tres tiempos análogos al
perfecto...» (Menéndez Pidal, p. 276).
   1118. *lo nuestro fue adelant*: 'lo nuestro progresó'.
   1124. *almofalla*: 'hueste, chusma'.
   1136. *quis cada uno dellos*: 'cada uno de ellos'.
   1142. *acostarse*: 'inclinarse'. *tendales*: 'postes verticales que
sirven para armar la tienda'.

Moros son muchos,   ya quieren reconbrar.
Del otra part   entróles Albarfánez;
mager les pesa,   oviéronse a dar e a arancar.   1145
¡Grand es el gozo   que va por es' logar!
Dos reyes de moros   mataron en es' alcanz.
Fata Valençia   duró el segudar.
    Grandes son las ganançias   que Myo Çid fechas ha.
Prisieron Çebola   e quanto que es ý adelant   1150
[e a] pies de cavallo   los ques' pudieron escapar;
robavan el campo   e piénssanse de tornar.
Entravan a Murviedro   con estas ganançias que traen gran-
    [des.

Las nuevas de Myo Çid,   sabet, sonando van.
    Miedo an en Valençia,   que non saben qué se far,   24v
sonando van sus nuevas   alent parte del mar.   1156

[69]

Alegre era el Çid   e todas sus compañas
que Dios le aiudara   e fiziera esta arrancada.
Davan sus corredores   e fazien las trasnochadas:
legan a Guiera   e legan a Xátiva,   1160
aun más ayusso,   a Deyna la casa.
Cabo del mar   tierra de moros firme la quebranta;
ganaron Pena Cadiella,   las exidas e las entradas.

1143. reconbrar: 'rehacerse'.
1151. Menéndez Pidal (1145, 1151, 1147-1149, 1152-1153 1146, 1150,
1155, 1154, etc.), Michael (1145, 1151, 1147, 1148, 1149, 1151, 1152,
etcétera) y Horrent (1145, 1151, 1147, 1148, 1149, 1150, 1152, 1153,
1146, 1154, etc.) reordenan este pasaje (hemos recogido las recons-
trucciones de cada uno entre paréntesis) procurando organizar
las relaciones militares y afectivas de la descripción (que, por
otra parte, siempre son desorganizadamente poéticas en el Poema).
En realidad, el verso que suscita la necesidad de reorganización
es éste, que con nuestra enmienda se explica mejor en el lugar en
que lo colocaba el ms.: los del Cid lograron saquear, en su alcance, Cebolla y todo lo que encontraban (incluido los prófugos
de la batalla). Ms.: de pies.
1154. nuevas: 'fama, renombre'.

[70]

Quando el Çid Campeador ovo Peña Cadiella,
mal [l]es pesa en Xátiva e dentro en Guiera, 1165
non es con recabdo el dolor de Valençia.

[71]

En tierra de moros, prendiendo e ganando,
e durmiendo los días e las noches trasnochando,
en ganar aquelas villas Myo Çid duró III años.

[72]

A los de Valençia escarmentados los han: 1170
non osan fueras exir nin con él se aiuntar;
taiávales las huertas e fazíales grand mal,
en cada uno destos años Myo Çid les tolió el pan.
Mal se aquexan los de Valençia, que no saben ques' far:
de ninguna part que sea non les vinie pan; 1175
nin da consseio padre a fijo nin fijo a padre,
nin amigo a amigo nos' pueden consolar:
mala cueta es, señores, aver mingua de pan;
fijos e mugieres verlo[s] murir de fanbre.
Delante veyen so duelo, non se pueden huviar: 25r
por el rey de Marruecos ovieron a enbiar; 1181
con el de los Montes Claros avye guerra tan grand,
non les dixo coseio, nin les vino huviar.
Sópolo Myo Çid, de coraçón le plaz;
salió de Murviedro una noch en trasnochada, 1185

1166. *non es con recabdo*: 'no es calculable, mesurable' (luego, *lítote*: 'es estraordinario').
1169. *duró*: 'tardó'.
1171. *fueras*: 'afuera'.
1172. *taiávales*: 'les talaba'.
1173. «el Cid destruyó las reservas de 'grano' (quemando los sembrados)» (C. Smith).
1176. *consseio*: 'amparo, socorro'.
1179. Además de arrimarse a la altura de texto en que cabe situarlos en la *Historia Roderici* (958.19), estos versos también pueden evocarse en los sufrimientos de Murviedro contados ahí mismo («Jam enim nos et uxores nostre et filij atque filie fame procul dubio moriemur», 964.19) (*cf.* C. Smith, 1983, p. 147).
1182. avye Ms. Para *Montes Claros*, véase el v. 2693.

amaneçió a Myo Çid　en tierras de Monreal.
Por Aragón e por Navarra　pregón mandó echar;
a tierras de Castiella　enbió sus menssaies:
«Quien quiere perder cueta　e venir a ritad
»viniesse a Myo Çid,　que á sabor de cavalgar;　　　　　　1190
»çercar quiere a Valençia　pora christianos la dar.»

[73]

—«Quien quiere yr comigo　çercar a Valençia,
»todos vengan de grado,　ninguno non ha premia;
»tres días le speraré　en Canal de Çelfa.»

[73 bis]

Esto dixo Myo Çid,　el que en buen ora nasco;　　　　　1195
tornávas' a Murviedro,　ca él se la á ganad[o].

[74]

Andidieron los pregones,　sabet, a todas partes;
al sabor de la ganançia　non lo quiere detardar.
Grandes yentes se le acoien　de la buena christiandad:
creçiendo va en riqueza　Myo Çid el de Bivar.　　　　　1200
Quando vio Myo Çid las gentes iuntadas,　compeçós de
　　　　　　　　　　　　　　　　　　　　　　　　　　[pagar.

Myo Çid don Rodrigo　non lo quiso detardar;
adelinó pora Valençia　e sobr'ellas' va echar.
Bien la çerca Myo Çid,　que non ý avýa hart:

1189. *perder cueta*: 'salir de miseria'.
1193. *premia*: 'apremio, coacción'.
1195. Para no innovar en la propia distribución de los *laisses*
(y porque el de dos versos aún con acción propia es en exceso
breve), preferimos meter como 73 bis la que, a nuestro modo
de ver, es independiente. Así, pasamos por alto las correcciones
de Menéndez Pidal-Horrent (la de éstos, demasiada afectada) y
Michael para tocar mínimamente el texto en 1196 editando *ganado*.
1197. *pregones*: 'pregoneros'.
1201. En el ms. se lee *iuntades*, con corrección superpuesta
(¿eco de *e* neutra de una antigua copia?).
1204. *hart*: 'escapatoria'.

POEMA DE MIO CID

viédales exir   e viédales entrar.   1205
   Sonando van sus nuevas todas   a todas partes,   25v
más le vienen a Myo Çid,   sabet, que nos' le van.
Metióla en plazo,   si les viniessen huvyar;
nueve meses complidos,   sabet, sobr'ella iaz;
quando vino el dezeno,   oviérongela a dar.   1210
Grandes son los gozos   que van por es' logar
quando Myo Çid gañó a Valençia   e entró en la çibdad.
Los que fueron de pie   cavalleros se fazen;
el oro e la plata   ¡quién vos lo podrie contar!
Todos eran ricos   quantos que allí ha.   1215
Myo Çid don Rodrigo   la quinta mandó tomar:
en el aver monedado   XXX mill marcos le caen,
e los otros averes   ¡quién los podrie contar!
Alegre era el Campeador   con todos los que ha.

[75]

   Quando su seña cabdal   sidie en somo del alcáçar   1220
ya folgava Myo Çid   con todas sus conpañas.
[A] aquel rey de Sevilla   el mandado legava,
que presa es Valençia,   que non ge la enparan.
Vínolos ver   con XXX mill de armas;
aprés de la uerta   ovieron la batalla.   1225
Arrancólos Myo Çid,   el de la luenga barba;
fata dentro en Xátiva   duró el arrancada.
En el passar de Xúcar   ý veriedes barata,
moros en aruenço   amidos bever agua.

   1206-1207. Horrent desplaza innecesariamente (en nuestra opinión) estos versos tras el 1200. En el texto se viene a decir que,
pese a la enorme empresa del cerco de Valencia, las gentes siguen incorporándose y no se desaniman abandonando la mesnada.
   1215. Colin Smith, *ibid.*, sigue desvelándonos analogías mi-
núsculas entre la *HR* y nuestro *Poema*: «uniuersi sui facti sunt
diuites et locupletes» (959.4).
   1220. En gracia a la asonancia agrupamos este verso con los
de la tirada 75. Creemos que el v. 1219 expresa el bienestar por
la riqueza y el 1221 la holganza de la conquista.
   1224. *ver*: 'atacar'.
   1225. *aprés de*: 'cerca de'.
   1228. *barata*: 'confusión, barullo'.
   1229. *en aruenço*: 'ronceando, ronceramente por luchar contra la corriente del agua' (Menéndez Pidal, p. 482).

Aquel rey de [Sevilla]   con tres colpes escapa.   1230
Tornado es Myo Çid   con toda esta ganançia:
buena fue la de Valençia,   quando ganaron la casa,
más mucho fue provechosa,   sabet, esta arancada.   26r
A todos los menores   cayeron C marcos de plata.
Las nuevas del cavallero   ya vedes dó legavan.   1235

[76]

Grand alegría es   entre todos essos christianos
con Myo Çid Ruy Díaz,   el que en buen ora nasco.
Yal' creçe la barva   e vale allongando.
Dixo Myo Çid   de la su boca atanto: 1239
—«Por amor del rey Alfonsso,   que de tierra me á echado,
»nin entrarie en ela tigera,   nin un pelo non avrie taiado,
»e que fablassen desto   moros e christianos.»
Myo Çid don Rodrigo   en Valençia está folgando,
con él Mynaya Albarfánez,   que nos' le parte de so braço.
Los que exieron de tierra   de ritad son abondados;   1245
a todos les dio en Valençia   casas e heredades, de que son
                                                         [pagados:
el amor de Myo Çid   ya lo yvan provando.
Los que fueron con él e los de después   todos son pagados.
Véelo Myo Çid   que con los averes que avien tomados,
que, sis' pudiessen yr,   fer lo yen de grado.   1250
Esto mandó Myo Çid,   Minaya lo ovo consseiado,
que ningún omne de los sos   ques' le non spidiés o nol'
                                                 [besás la mano,
sil' pudiessen prender   o fuese alcançado,
tomássenle el aver   e pusiéssenle en un palo.
Afévos todo aquesto   puesto en buen recabdo,   1255
con Minaya Albarfánez   él se va consega[ndo]:
—«Si vós quisiéredes, Minaya,   quiero saber recabdo   26v
»de los que son aquí   e comigo ganaron algo,

1230. Es ejemplar la argumentación de Horrent para defender la enmienda (1982, pp. 175-176), que se nos impone razona-
blemente, de Sevilla por Marruecos.
1239. dixo... atanto: 'dijo... esto', 'dijo... así'.
1245. ritad: 'riqueza'.
1246. de que son pagados: se halla incorporado al v. 1247.
1256. consegar Ms.

»meter los he en escripto   e todos sean contados,
»que si algunos s'furtare   o menos le fallar[on]   1260
»el aver me avrá a tornar   [a] aquestos myos vassalos
»que curian a Valençia   e andan arobdando.»   1261*b*
Alí dixo Minaya   —«Conseio es aguisado.»

[77]

Mandólos venir a la corth   e a todos los iuntar,
quando los falló por cuenta   fízolos nonbrar;
tres mill e seys çientos   avié Myo Çid el de Bivar.   1265
Alégras'le el coraçón   e tornós' a sonrisar:
—«Grado a Dios, Mynaya,   e a Sancta María madre,
»con más pocos yxiemos   de la casa de Bivar.
»Agora avemos riqueza,   más avremos adelant.
»Si a vós ploguiere, Minaya,   e non vos caya en pesar,   1270
»enbiar vos quiero a Castiella,   do avemos heredades,
»al rey Alfonsso,   myo señor natural:
»destas mis gananças,   que avemos fechas acá,
»darle quiero C cavallos,   e vós ýdgelos levar.
»Desí por mí besalde la mano   e firme gelo rogad   1275
»por mi mugier [doña Ximena]   e mis fijas [naturales]
»si fuere su merçed   que [m'] las dexe sacar,

1260.   *s'furtare*: 'hurtarse, irse a hurto'. *menos le fallaron*: 'le echaron de menos'. *fallaren Ms.* (la falta de concordancia no afecta a nuestra enmienda). La corrección de Horrent *(fallavo)* es cuando menos arriesgada.
1261.   El primer hemistiquio del verso se halla incorporado al anterior, mientras que el segundo entra en el cuerpo del siguiente (1261b).
1261b.   *andan arobdando*: 'hacen la ronda'.
1263.   *corth*: 'sala grande'. Véase nota al v. 2733.
1266.   *tornós' a sonrisar (tornos' aux.* incoativo): 'se sonrió'.
1268.   *más pocos*: '(muchos) menos'.
1275.   *Desí*: 'luego'.
1276-1277.   Los editores se han visto obligados a enmendar estos versos *(Por mi mugier e mis fijas si fuere su merçed / quen las dexe sacar)*. De proceder así, preferimos las razones de Menéndez Pidal (que se apoya en la *PCG* para defender la pertinencia de *si fuere su merced*) a las de Smith (que elimina el condicional para formar un solo verso de los dos que trae el ms.). Horrent, 1982, pp. 177-178, ha respaldado de nuevo —y con otras posibilidades— a Menéndez Pidal. Nos parece necesario corregir haciendo explícito el pronombre enclítico apocopado (también podríamos jugar la carta —dejándolo todo como está— de *que'n* = = *que en* = 'que de ahí', 'de castilla').

»enbiaré por ellas   e vós sabed el mensage:
»la mugier de Myo Çid   e sus fijas las yffantes
»de guisa yrán por ellas   que a grand ondra vernán   1280
»a estas tierras estranas   que nós pudiemos ganar.»
Essora dixo Minaya: —«De buena voluntad.»
Pués esto an fablado,   piénssanse de adobar.   27r
Ciento omnes le dio   Myo Çid a Albarfáñez
por servirle en la carrera,   [a toda su voluntad]   1284b
e mandó mill marcos de plata   a San Pero levar,   1285
e que los [D] diesse   [a] don Sancho [el] abbat.

[78]

En estas nuevas   todos se alegrando,
de parte de Orient   vino un coronado,
el obispo don Ierónimo   so nombre es lamado,

1283. El copista escribe, después de *pienssan, de adobar* y a
continuación lo tacha.
1284b. Completamos (en compañía de Menéndez Pidal) el hemistiquio.
1286. al abbat don Sancho *Ms*. Seguramente el copista se ade-
lantó, por salto, a la asonancia (pudo haber escrito primero *el
abbat* y luego, al darse cuenta del salto, añadir sin más *don Sancho*). Es razonable la enmienda para encajar el verso en su tirada natural. Por otra parte, hay aquí posiblemente otro error:
pues, según el v. 1422, Álvar Fáñez entrega al abad 500 marcos y
los otros 500 los emplea en el «adobo» de la mujer e hijas del
Cid (cf. v. 1423). Es también sensato admitir la corrección de Horrent, según quien «le 'd.' de 'diesse' a pu trop facilement ab-
sorbes le '.d.' numéral pour qu'on renonce à celui-ci; sans l'addi-
tion de .d. Minaya dounerait cinq cents marcs à l'abbé au lieu
des mill marcs qui lui aurait été ordonné de remettre» (1982,
p. 178).
1287. sea alegrando *Ms*.
1288. *de parte de Orient*: 'del este'.
1289. *el obispo don Ierónimo*: en sus *Antigüedades de España...*, 1719, I, pp. 463-464, Berganza nos resumía las andanzas de
Jérôme de Périgord (su viaje a España, desde Francia, en compañía de Bernardo, arzobispo de Toledo; su estancia en Cardeña
como confesor de doña Ximena, y su paso por Valencia en calidad de obispo); pero también nos ponía en castellano cierto documento latino de 1103 en que nuestro obispo (ahora de Salamanca) disponía que se le diera sepultura en el monasterio de
Cardeña, «ubi est humatum corpus Venerabilis Roderici Didaci...» (cf. P. E. Russell, 1978, p. 106). Por ahí, C. Smith, 1983, p. 172,
no da por descartado que ese documento pudo haberlo conocido
nuestro poeta en Salamanca «or in a copy, perhaps accompanying
a text of the *Historia Roderici* sent to Burgos or Cardeña; or

bien entendido es de letras e mucho acordado, 1290
de pie e de cavallo mucho era areziado,
las provezas de Myo Çid andávalas demandando,
sospirando el obispo ques' viesse con moros en el campo;
que sis' fartás' lidiando e firiendo con sus manos,
a los dias del sieglo non le lorassen christianos. 1295
Quando lo oyó Myo Çid, de aquesto fue pagado:
—«Oýd, Minaya Albarfánez, por Aquel que está en alto,
»quando Dios prestar nos quiere, nós bien ge lo grades-
[camos:
»en tierras de Valençia fer quiero obispado
»e dárgelo a este buen christiano; 1300
»vós, quando ydes a Castiella, levaredes buenos mandados.»

[79]

Plogo a Albarfánez de lo que dixo don Rodrigo.
A este don Ierónimo yal' otorgan por obispo;
diéronle en Valençia ó bien puede estar rico.
¡Dios, qué alegre era todo christianismo, 1305
que en tierras de Valençia señor avie obispo!
Alegre fue Minaya e spidiós' e vinos'.

[80]

Tierras de Valençia remanidas en paz,
adelinó pora Castiella Minaya Albarfánez. 27v
Dexarévos las posadas, non las quiero contar. 1310

---

possibly the bishop's name was added as a marginal gloss to the
MS of the *Historia* used by the poet».
1290. *mucho acordado*: 'muy cuerdo'.
1291. *areziado*: 'esforzado'.
1292. *provezas*: 'proezas'.
1305. El copista escribió primero *toda* y luego lo corrige.
1307. *spidiós' e vinos'*: 'se despidió y se marchó'.
1310. Menéndez Pidal, 1962, pp. 105-108, en respuesta a Curtius,
tiene presente aquí el «Deses jornees ne sai que vos contasse» de
Le Couronnement de Louis (v. 269), el «De lor jornees ne vos quier
a conter» del *Aymeri de Narbone* (v. 3900 y *passim*), el «Que vus
en ai je mais lonc plait a aconter? / ils passent les païs, les es-
tranges regnez...» del *Pèlerinage de Charlemagne* (vv. 860-861),
etcétera.

Demandó por Alfonsso   dó lo podrie fallar.
Fuera el rey a San Fagunt   aun poco ha;
tornós' a Carrión,   ý lo podrie fallar.
Alegre fue de aquesto   Minaya Albarfánez;
con esta presenteia   adelinó pora allá.   1315

[81]

De missa era exido   essora el rey Alfonsso,
¡afé Minaya Albarfánez   do lega tan apuesto!
Fincó los ynoios   ante todo'l pueblo,
a los pies del rey Alfonsso   cayó con grand duelo,
besávale las manos   e fabló tan apuesto: 1320

[82]

—«Merçed, señor, Alfonsso,   por amor del Criador,
»besávavos las manos   Myo Çid lidiador,
»los pies e las manos   commo a tan buen señor,
»quel' ayades merçed,   ¡sí vos vala el Criador!
»Echástesle de tierra,   non ha la vuestra amor,   1325
»magér en tierra agena   él bien faze lo so:
»ganada a Xerica   e a Onda por nombre;
»priso a Almenar   e a Murviedro. que es miyor;
»assí fizo Çebolla   e adelant Casteión,
»e Peña Cadiella,   que es una peña fuert;   1330
»con aquestas todas,   de Valençia es señor.
»Obispo fizo de su mano   el buen Campeador.
»E fizo çinco lides campales   e todas las arrancó;   28r

1315. Menéndez Pidal, Horrent y Smith corrigen; nosotros, con Michael, no lo creemos necesario si tomamos en cuenta algunos casos de fluctuación con *e* neutra que ya hemos notado.

1317 y ss. Menéndez Pidal y Horrent consideran necesaria la restitución de los diptongos en -*uo*- para la buena asonancia de la tirada; con todo, y contra lo que pensaba Menéndez Pidal, sólo se puede proceder así en el caso que demos por sentado que el poeta arcaiza con propósitos artísticos: pues -*ue*- representaba el estado fonético de una época (cf. Horrent, 1982, p. 180).

1327. ondra *Ms.*

1333. La discordancia entre las cinco lides campales a que se alude en la recapitulación y las dos que en verdad había librado el Cid se salva mediante el recurso al tópico número cinco de la épica (véase A. D. Deyermond, 1969, pp. 162-163).

»¡grandes son las gananças quel' dio el Criador!
»Févos aquí las señas, verdad vos digo yo: 1335
»çient cavallos gruessos e corredores,
»de siellas e de frenos todos guarnidos son.
»Bésavos las manos e que lo prendades vós:
»razónas' por vuestro vassallo e a vós tiene por señor.»
     Alçó la mano diestra, el rey se sanctigó,   1340
de tan fieras gananças commo á fechas el Campeador:
—«Sí me vala Sant Esidro, plazme de coraçón
»e plazm' de las nuevas que faze el Campeador.
»Reçibo estos cavallos quem' enbía de don.»
     Mager plogo al rey, mucho pesó a Garçiordónez: 1345
—«Semeia que en tierra de moros non á bivo omne
»quando assí faze a su guisa el Çid Campeador.»
Dixo el rey al Conde: —«Dexad essa razón,
»que en todas guisas miior me sirve que vós.»
     Fablava Minaya ý a guisa de varón: 1350
—«Merçed vos pide el Çid, si vos cayesse en sabor,
»por su mugier doña Ximena e sus fijas amas a dos
»saldrien del monesterio do elle las dexó
»e yrien pora Valençia al buen Campeador.»
Essora dixo el rey: —«Plazme de coraçón;   1355
»hyo les mandaré dar conducho mientras que por mi tie-
                                        [rra fueren,
»de fonta e de mal curialdas e de desonor;   *28v*
»quando en cabo de mi tierra aquestas dueñas fueren,
»catad cómmo las sirvades vós e el Campeador.
»Oýdme escuellas e toda la mi cort,   1360
»non quiero que nada pierda el Campeador;
»a todas las escuellas que a él dizen señor,
»porque los deseredé, todo ge lo suelto yo;

1341. *fieras*: 'extraordinarias'.
1345. *García Ordóñez*: en el año 1074 aparece como alférez
del nuevo rey Alfonso VI; y, en julio del 84, figura entre los fia-
dores de la donación que hizo el Cid a doña Jimena. Alcanzó
la cumbre de su buena fortuna en 1076, cuando Alfonso VI (tras
haber conquistado la Rioja del rey de Navarra), le dio el gobierno de Nájera y lo casó con doña Urraca, hija del rey de Navarra y prima del mismo rey castellano; pero en 1080 fue derrotado por el Cid en Cabra. Para las razones históricas del destierro del Campeador, véase la Introducción.
1356. Siguiendo a Menéndez Pidal, Horrent enmienda *fu[o]ren*.
Lo mismo ocurre en 1358.
1363. Tras *por* el copista escribe y tacha *todas las*.

»sírvanle[s] sus herdades   do fuere el Campeador;
»atrégoles los cuerpos   de mal e de ocasión: 1365
»por tal fago aquesto   que sirvan a so señor.»
    Minaya Albarfánez   las manos le besó.
Sonrisós' el rey,   tan velido fabló:
—«Los que quisieren   yr se[r]vir al Campeador,
»de mí sean quitos   e vayan a la graçia del Criador: 1370
»más ganaremos en esto   que en otra desonor.»
    Aquí entraron en fabla   los yffantes de Carrión:
—«Mucho creçen las nuevas   de Myo Çid el Campeador;
»bien casariemos con sus fijas   pora huebos de pro.
»Non la osariémos acometer   nós esta razón: 1375
»Myo Çid es de Bivar,   e nós de los Condes de Carrión.»
Non lo dizen a nadi   e fincó esta razón.
    Minaya Albarfánez   al buen rey se espidió:
—«¿Hya vos ydes, Mynava?   ¡Yd a la graçia del Criador!
»Levedes un portero,   tengo que vos avrá pro;   1380

1364. «'queden en posesión de ellas [las heredades] aunque au-
sentes'. El que se ausentaba de un señorío o un municipio per-
día sus derechos sobre las heredades de que se ausentaba y sólo
las conservaba por una concesión especial...» (Menéndez Pidal,
p. 850).
    1365. *atrégoles*: 'les garantizo'.
    1372. *yffantes de Carrión*: Menéndez Pidal ha intentado pro-
bar su existencia histórica en un documento que en 1100 dio
Alfonso VI a la catedral de Oviedo («Petrus Ansuriz comes de
terra de Carrion confirmat; Froyla Didaz et comes confirmat;
... Garcia Ordoniz comes conf.; ... Didacus Gonsalvis filius comitis conf.; Fernandus Gonsalviz filius comitis conf...»): allí, en
efecto, nos las habemos con Diego y Fernando, hijos de un conde
Gonzalo («fijos del conde don Gonçalo», según el *PMC*); o, en
ese sentido, en otro donde aparecen confirmando «ciertas exen-
ciones concedidas por el rey a la ciudad de Santiago en 1095».
Por separado, el hermano Diego figura, como miembro de la
scola regis, en un diploma de 1090 y, como vasallo *de Castella*,
en otro de 1099; en cambio, Fernando únicamente se deja atra-
par «en el año 1109 en la confirmación de los fueros de León
y Carrión». Sin embargo, resulta mucho más difícil compaginar
esos datos con la noticia de que fueran condes de Carrión: «no
obstante, para que los infantes se llamen de natura condes de
Carrión, basta que sean hijos de un conde y sobrinos del conde
de Carrión Pedro Ansurez» (p. 558), emparentado con los Vanigómez (véase Introducción).
    1374. *pora huebos de pro*: 'para nuestro provecho'.
    1375. 'no nos atreveríamos a abordar este asunto' (Michael).
    1380. *portero*: «'oficial del palacio del rey' encargado origina-
riamente de introducir las personas a la presencia del monarca,
y luego de llevar las cartas reales, hacer los emplazamientos, ir
en nombre del rey a efectuar las entregas o a reparar las injus-

»si levaredes las dueñas, sírvanlas a su sabor;
»fata dentro en Medina denles quanto huebos les fuer; ²⁹ʳ
»desí adelant, piensse dellas el Campeador.»
Espidiós' Mynaya e vasse de la cort.

[83]

Los yffantes de Carrión dando yvan compaña a Minaya
[Albarfánez:
—«En todo sodes pro, en esto assí lo fagades; 1386
»saludadnos a Myo Çid el de Bivar;
»somos en so pro quanto lo podemos far:
»el Çid que bien nos quiera nada non perderá.»
Respuso Mynaya: —«Esto non me á por qué pesar.» 1390
Hydo es Mynaya, tórnansse los yffantes.
Adelinó pora San Pero, ó las dueñas están:
¡tan grand fue el gozo quandol' vieron assomar!
Deçido es Minaya, a San Pero va rogar;
quando acabó la oración, a las dueñas torn[ado] se [ha]:

---

ticias sobre que había recaído sentencia del tribunal de la corte,
a dar y a recibir los castillos, etc. (Part II.ª 9.º 14.ª y 18º 3.ª)»
(Menéndez Pidal, p. 805). *tengo que vos avrá pro*: 'creo que os
será útil'.

1382. Medinaceli fue siempre en vida del Cid musulmana:
«[l]a primera noticia de la intervención cristiana contra Medinaceli es del año 1104, cuando el Cid ya llevaba varios años muerto»
(A. Ubieto, 1973, pp. 37-39). Así, Ubieto —que coge al poeta en
flagrante anacronismo histórico— toma el dato sobre la conquista de Medinaceli de los *Anales Toledanos Primeros* («El rey don
Alfonso prisó a Medinaceli en el mes de Julio, era M.C.XLII») y
de unos versos acrósticos del *De rebus Hispaniae* de Rodrigo
Jiménez de Rada. *huebos les fuer*: 'necesitaren'. Como Menéndez
Pidal, Horrent enmienda *fu[o]r*.

1385. Se ha enmendado este verso (al parecer hipermétrico)
en distinta forma. Mientras Bello sugiere *Los infantes de Carrión,
Diego e Ferrand González, / Dando iban compaña a Minaya Alvar Fáñez;* Menéndez Pidal lee *Iffantes de Carrión so consejo
preso ane / dando ivan conpaña a Minaya Alvar Fáñez.* Admitimos, sin embargo, las indicaciones de Horrent, 1982, v. 1385,
para, como Smith, dejar los versos como están.

1394. *Deçido es*: 'se ha apeado'.

1395. Restituimos la asonancia con Horrent (se torno *Ms.*).
Antes de *a las* el copista escribe y testa *a san pe le*; caso de que
no fuera un *lapsus* sobre el verso anterior, cabría reconocer ahí
un hemistiquio fragmentario de este verso *(a San Pero ¿leal?)* que
entraría antes de *a las dueñas tornado se ha.*

—«Omilom', doña Ximena, ¡Dios vos curie del mal,   1396
»assí faga   a vuestras fijas amas!
»Salúdavos Myo Çid   allá onde elle está,
»sano lo dexé   e con tan grand rictad.
»El rey por su merçed   sueltas me vos ha,   1400
»por levaros a Valençia,   que avemos por heredad.
»Si vos viesse el Çid   sanas e sin mal,
»todo serie alegre,   que non avrie ningún pesar.»
Dixo doña Ximena: —«¡El Criador lo mande!»
Dio tres cavalleros   Mynaya Albarfánez,   1405
enviólos a Myo Çid   a Valençia, do está:
—«Dezid al Canpeador,   ¡que Dios le curie de mal!,
»que su mugier e sus fijas   el rey sueltas me las ha,   29v
»mientra que fuéremos por sus tierras,   conducho nos man-
[dó dar;
»de aquestos XV días,   si Dios nos curiare de mal,   1410
»seremos [ý] yo e su mugier   e sus fijas que él á
»hy todas las dueñas con ellas   quantas buenas ellas han.»
Hydos son los cavalleros   e dello penssarán.
Remaneçió en San Pero   Minaya Albarfánez;
veriedes cavalleros   venir de todas partes.   1415
Hyr se quiere[n] a Valençia,   a Myo Çid el de Bivar,
que le toviesse pro   rogavan a Albarfánez,
diziendo est[á] Mynaya: —«Esto feré de veluntad.»
A Minaya LXV cavalleros   acreçídol' han
e él se tenie C   que aduxiera d'allá: 1420
por yr con estas duenas   buena conpana se faze.
Los quinientos marcos   dio Minaya al abbat,
de los otros quinientos   dezir vos he qué faze:
Minaya a doña Xim[e]na   e a sus fijas que ha
e a las otras dueñas   que las sirven delant   1425
el bueno de Minaya   pensólas de adobar
de los meiores guarnimientos   que en Burgos pudo falar,

1397.   No tenemos como aceptables las correcciones de Menéndez Pidal y Horrent en este verso.
1398.   ond de *Ms.* De jugárnosla con la lección del manuscrito
acaso pudiera considerarse una construcción temporal *de ond*,
con el significado de 'desde donde'. *elle*: 'él'.
1411.   Con Horrent, convenimos en que hay que añadir el ad-
verbio de lugar, sin el cual queda incompleto el sentido. Se explicaría la pérdida aquí por absorción de la *y* griega de *yo*.
1413.   *dello penssarán*: 'se ocuparán de ello'.
1414.   *Remaneçió*: 'permaneció'.
1418.   esto myanaya *Ms.* (¿*lapsus* de *pericopa*?)
1424.   ximina *Ms.*

palafrés e mulas   que non parescan mal.
    Quando estas dueñas   adobadas las han,
el bueno de Minaya   penssar quiere de cavalgar.   1430
Afévos Rachel e Vidas   a los pies le caen:
—«¡Merçed, Minaya,   cavallero de prestar!,   *30r*
»desfechos nos ha el Çid,   sabet, si no nos val;
»soltariemos la ganançia,   que nos diesse el cabdal.»
—«Hyo lo veré con el Çid,   si Dios me lieva alá: 1435
»por lo que avedes fecho   buen cosiment ý avrá.»
Dixo Rachel e Vidas: —«El Criador lo mande;
»si non, d[e]xaremos Burgos,   yr lo hemos buscar.»
    Hydo es pora San Pero   Minaya Albarfánez;
muchas yentes se le acogen,   penssó de cavalgar.   1440
Grand duelo es   al partir del abbat:
—«Sí vos vala el Criador,   Minaya Albarfánez,
»por mí al Campeador   las manos le besad,
»aqueste monesterio   no lo quiera olbidar
»todos los días del sieglo   en levarlo adelant: 1445
»el Çid   siempre valdrá más.»
Respuso Minaya: —«Fer lo he de veluntad.»
    Hyas' espiden   e pienssan de cavalgar,
el portero con ellos   que los ha de aguardar;
por la tierra del rey   mucho conducho les dan.   1450
De San Pero fasta Medina   en V días van;
félos en Medina,   las duenas e Albarfánez.
    Dirévos de los cavalleros   que levaron el menssaie.
Al ora que lo sopo   Myo Çid el de Bivar,
plógol' de coraçón   e tornós' a alegrar;   1455
de la su boca   conpeçó de fablar:

    1434. «perdonaríamos los intereses con tal que nos devolviese el capital» (Menéndez Pidal); Garci-Gómez, 1975, p. 106, por otro lado, hila demasiado fino: «devolveríamos al Campeador las ganancias que nos reportase la venta de las arcas». Para ello, y con apoyaturas jurídicas, supone a Rachel y Vidas comprometiéndose a pagar la diferencia («ganancias»), entre el préstamo y el coste de las arcas, en el momento en que la presencia del Cid (necesaria jurídicamente) les autorice a venderlas; luego, Rachel y Vidas aun no conocen (!!) el contenido de las arcas.
    1436. *cosiment*: 'favor, merced'.
    1438. dixaremos *Ms*.
    1446. Menéndez Pidal suple en el primer hemistiquio el *Cid campeador*, mientras que Horrent prefiere *el Cid* [*lidiador*]. Aceptando una teoría métrica acentual, regularizada como propone Smith, 1983 (*cf.* especialmente Prólogo), parece razonable la restitución.

—«Qui buen mandero enbía   tal deve sperar;
»tú, Muño Gustioz   e Pero Vermuez delant   *30v*
»e Martín Antolínez,   un burgalés leal,
»e'l obispo don Ierónimo,   coronado de prestar,   1460
»cavalgedes con çiento   guisados pora huebos de lidiar.
»Por Sancta María   vós vayades passar;
»vayades a Molina,   que iaze más adelant;
»tiénela Avegalvón,   myo amigo es de paz:
»con otros çiento cavalleros   bien vos conssigrá.   1465
»Hyd pora Medina   quanto lo pudiéredes far.
»My mugier e mis fijas   con Mynaya Albarfánez,
»así commo a mí dixieron,   hý los podredes falar;
»con grand ondra,   aduzídmelas delant.
»E yo fincaré en Valençia,   que mucho costadom' ha;   1470
»grand locura serie   si la desenparás';
»yo fincaré en Valençia,   ca la tengo por heredad.»
    Esto era dicho,   pienssan de cavalgar
e quanto que pueden   non fincan de andar.
Troçieron a Santa María   e vinieron albergar a Fron[cha-
                                                        [les]
e el otro día   vinieron a Molina posar.   1476
El moro Avegalvón   quando sopo el menssaie,
saliólos reçebir   con grant gozo que faze:
—«Venides, los vassallos   de myo amigo natural,
»a mý non me pesa,   sabet, mucho me plaze.»   1480
Fabló Muño Gustioz,   non speró a nadi:
—«Myo Çid vos saludava   e mandólo recabdar
»con çiento cavalleros   que privadol' acorrades;
»su mugier e sus fijas   en Medina están,
»que vayades por ellas,   adugádesgelas acá,   *31r*
»e fata en Valençia   dellas non vos partades.»   1486
Dixo Avegalvón: —«Ferlo he de veluntad.»
    Essa noch   conducho les dio grand;

1460. *coronado de prestar*: 'excelente clérigo'.
1461. *guisados pora huebos de lidiar*: 'listos para el combate', 'como para la lid'.
1464. *Avegalvón*: véase Prólogo.
1465. *conssigra* (3.ª pers. sing. fut. ind. de *conseguir*): 'conse-
guirá'.
1474. *fincan de*: 'dejan de'.
1475. *frontael Ms.* La crítica cidiana —como nosotros— lee
aquí según la *Crónica de veinte reyes* («Fronchales») para identificar el pueblo en cuestión con Bronchales, situado a unos 25 kiló-
metros al noroeste del Albarracín.
1485. *adugádesgelas acá*: 'tráigalas aquí'.

a la mañana   pienssan de cavalgar.
Çientol' pidieron,   mas él con dozientos va. 1490
Passan las montanas,   que son fieras e grandes;
passaron Mata de Toranz,   de tal guisa que ningún miedo
[non han;
por el val de Arbux[uel]o   piensan a deprunar,
e en Medina   todo el recabdo está.
Envió dos cavalleros Mynaya Albarfánez   que sopiesse la
[verdad;
esto non detardan,   ca de coraçón lo han; 1496
el uno fincó con ellos   e el otro tornó a Albarfánez:
—«Virtos del Campeador   a nós vienen buscar;
»afévos aquí Pero Vermuez e Muño Gustioz,   que vos quie-
[ren sin hart,
»e Martín Antolínez,   el burgalés natural, 1500
»e el obispo don Jerónimo,   coranado leal,
»e el alcayaz Avegalvón   con sus fuerças que trahe,
»por sabor de Myo Çid   de grand ondral' dar;
»todos vienen en uno,   agora legarán.»
Essora dixo Mynaya   —«Vaymos cavalgar.» 1505
Esso fue apriessa fecho,   que nos' quiere detardar;
bien salieron den çiento,   que non pareçen mal:
en buenos cavallos   a petrales e a cascaveles,
e a coberturas de çendales   e escudos a los cuellos,
e en las manos   lanças que pendones traen, 1510
que sopiessen los otros   de qué seso era Albarfánez,
o, cuémo saliera de Castiella Albarfánez   con estas dueñas
[que trahe 31v

1493. arbuxado *Ms.*, pero corregido (*cf.* Menéndez Pidal, ed. paleográfica). *deprunar:* 'bajar una cuesta'. *Arbuxuelo:* Arbujuelo.
1495. Menéndez Pidal, basándose en la *Crónica de veinte reyes,* reconstruye el verso: *Vidolos venir armados temiós Minaya Álvar Fáñez / envió dos cavalleros que sopiessen la verdad.* Horrent prefiere acortar el verso elidiendo *Álvar Fáñez.* Como Michael, nosotros preferimos respetar *sopiesse* (cuyo sujeto será *Álvar Fáñez*).
1499. *sin hart:* 'fielmente, totalmente'.
1504. *en uno:* 'juntos'. *agora:* 'ahora mismo'.
1507. *bien:* 'al menos'.
1508. Preferimos mantener con ruptura de asonancia estos versos (como también hace Smith), aunque es muy prudente la reconstrucción de Horrent: *en buenos cauallos a cascaueles e a petrales / e a coberturas de çendales, e escudos a los cuellos* [*traen*]. *petrales:* 'petos del caballo'.
1509. *coberturas de çendales:* 'especie de gualdrapa de tela (de seda)'.

Los que yvan mesurando   e legando delant
luego toman armas   e tómanse a deportar:
por çerca de Salón   tan grandes gozos van.   1515
Don legan los otros   a Minaya Albarfánez se van homilar;
quando legó Avegalvón   dont a oio ha,
sonrisándose de la boca,   hývalo abraçar,
en el ombro lo saluda,   ca tal es su husaie:
—«¡Tan buen día convusco,   Minaya Albarfánez!,   1520
»traedes estas dueñas,   por ó valdremos más,
»mugier del Çid lidiador   e sus fijas naturales;
»ondrar vos hemos todos,   ca tal es la su auze.
»Mager que mal le queramos,   non ge lo podremos f[a]r;
»en paz o en gerra   de lo nuestro avrá;   1525
»muchol' tengo por torpe   qui non conosçe la verdad.»

[84]

Sonrisós' de la boca   Albarfánez Minaya:
—«Hý, Avegalvón,   amigol' sodes sin falla;
»si Dios me legare al Çid   e lo vea con el alma,
»desto que avedes fecho,   vós non perderedes nada;   1530
»vayamos posar,   ca la çena es adobada.»
Dixo Avengalvón: —«Plazme desta presentaia;
»antes deste te[r]çer día   vos la daré doblada.»
Entraron en Medina,   sirvíalos Minaya;
todos fueron alegres   del serviçio que tomar[a]n.   1535
El portero del rey   quitar lo mandava.
Ondrado es Myo Çid   en Valençia do estava   32r
de tan grand conducho   commo en Medinal' sacar[a]n:
el rey lo pagó todo   e quito se va Minaya.

1513. El ms. testa, después de legando, lo van.
1514. tómanse a deportar: 'empiezan a ejercitarse en los jue-
gos de caballería'.
1515. por çerca de: 'cerca de', 'por la ribera de'.
1517. a oio ha: 'lo tiene a la vista, lo devisa'.
1519. lo saluda: 'lo besa'.
1520. Tan buen día convusco!: 'Muy buenos días tengáis'.
1523. la su auze: 'su buena suerte'.
1524. fer Ms.
1527. Aceptamos la enmienda de Menéndez Pidal y Horrent
alterando el orden de las palabras en el segundo hemistiquio (Minaya Alvarfáñez).
1535. del serviçio que tomaran: 'de la hospitalidad que re-
cibieran'.

Passada es la noche, venida es la mañana, 1540
oýda es la missa e luego cavalgavan;
salieron de Medina e Salón passavan,
Arbuxuelo arriba privado aguijavan,
el campo de Torançio luegol' atravessavan.
Vinieron a Molina la que Avegalvón mandava. 1545
El obispo don Iherónimo, buen christiano sin falla,
las noches e los días las duenas aguarda[va],
e buen cavallo en diestro, que va ante sus armas;
entre él e Albarfánez hyvan a una compaña.
Entrados son a Molina, buena e rica casa; 1550
el moro Avegalvón bien los sirvie sin falla:
de quanto que quisieron non ovieron falla;
aun las ferraduras quitárgelas mandava;
a Mynaya e a las dueñas, ¡Dios, cómmo las ondrava! 1555
Otro día mañana luego cavalgavan;
fata en Valençia sirvíalos sin falla:
los sos despendie el moro, que de lo so non tomava nada.
Con estas alegrías e nuevas tan ondradas
aprés son de Valençia a tres leguas contadas.

[85]

A Myo Çid, el que en buen ora nasco, 1560
dentro a Valençia liévanle el mandado.
Alegre fue Myo Çid, que nunqua más nin tanto,
ca de lo que más amava yal' viene el mandado. 32v
Dozi[en]tos cavalleros mandó exir privado,
que reçiban a Mynaya e a las duenas fijasdalgo. 1565
Él sedie en Valençia curiando e guardando,
ca bien sabe que Albarfánez trahe todo recabdo.

1545. Medina] *Ms.* El corrector interlinea *Molina.* Podría
aceptarse *medina,* con minúscula.
1547. *aguardava:* 'velaba'. aguardando *Ms.*
1548. *cavallo en diestro:* es el caballo de combate (*cheval
endestre,* ant. fr.; *dexterarius,* lat.).
1553. «Esto es, el anfitrión hizo cambiar las herraduras de
los caballos de sus huéspedes; era un acto tradicional de hospitalidad» (C. Smith).
1557. Damos por buenas las razones de Horrent para respetar
el verso según la lección del ms. (1982, p. 186).
1558. *nuevas tan ondradas:* 'sucesos, hechos tan honrados'.
1565. myanaya *Ms.*

[86]

Afevos todos aquestos   reçiben a Minaya
e a las duenas e a las niñas   e a las otras conpañas.
Mandó Myo Çid   a los que ha en su casa   1570
que guardassen el alcáçar   e las otras torres altas,
e todas las puertas   e las exidas e las entradas,
e aduxiéssenle a Bavieca   —poco avie quel' ganara:
aún non sabie Myo Çid,   el que en buen ora çinxó espada,
si serie corredor   o si abrie buena parada—.   1575
A la puerta de Valençia,   do fuesse en so salvo,
delante su mugier e de sus fijas   querie tener las armas.
Reçebidas las duenas   a una grant ondrança,
el obispo don Iherónimo   adelant se entrava;
ý dexava el cavallo,   pora la capiella adelinava,   1580
con quantos que él puede,   que con oras se acordar[a]n,
sobrepeliças vestidas   e con cruçes de plata,
reçibir salien las duenas   e al bueno de Minaya.
El que en buen ora nasco   non lo detardava;
ensiéllanle a Bavieca,   coberturas le echavan,   1585

1571. *alcáçar*: 'la torre más alta de las fortificaçiones de un lugar'.
1573. *Bavieca*: Martín de Riquer, 1968, pp. 227-247, contempla la posibilidad de que sea una mala interpretación del nombre del caballo de Guillaume d'Orange, *Bauçan* (*cf*. C. Smith, 1983, p. 173).
1575. 'si sería veloz o si sabría parar a una orden'.
1576. Menéndez Pidal y Horrent enmiendan el segundo hemistiquio *(do en so salvo estaua)*. Sin embargo parece dañarse ligeramente el aspecto semántico.
1581. «Lang interpreta...: con cuantos clérigos pudieran ir, que hubieran hecho su arreglo respecto al rezo de sus horas canónicas. Hace buen sentido» (Menéndez Pidal, p. 1224). Así, Horrent traduce «ils s'étaient mis d'accord sur les heures canoniales à reciter» (1982, p. 596) y comenta que «les clercs quidans la chapelle attendaient don Jérôme s'étaient mis d'accord sur les heures canonials à dire, pour choisir celle qui conviendrait le mieux au moment de l'arrivée de Chimène, avaient revêtu leurs habits sacerdotaux, puis sortent sur le parvis recevoir les voyageuses et leur réciter l'heure qui s'accorde chronologiquement avec leur apparition» (1982, p. 292). acordaron *Ms*.
1582. *sobrepeliças*: 'sobrepelliz'.
1584. en el *Ms*.
1585. Menéndez Pidal invirtió el orden de estos versos (1584, 1587, 1585-1586, 1589, 1588, 1590), Horrent y Michael hicieron otro tanto, mientras que Smith procedió en distinta forma al intercambiar sólo los versos 1589-1588. Acaso sea el v. 1587 el respon-

Myo Çid salio sobr'el   e armas de fuste tomava;
vistiós' el sobregonel,   luenga trahe la barba.
Fizo una corrida,   ésta fue tan estraña,   *33r*
por nombre el cavallo   Bavieca cavalga;
quando ovo corrido,   todos se maravillavan: 1590
des' día se preçió Bavieca   en quant grant fue España.

En cabo del cosso   Myo Çid desca[va]lgava;
adelinó a su mugier   e a sus fijas amas.
Quando lo vio doña Ximena,   a pies se le echava:
—«Merçed, Campeador,   en buen ora cinxiestes espada:
»sacada me avedes   de muchas vergüenças malas;   1596
»afeme aquí, señor,   yo e vuestras fijas amas;
»con Dios e convusco   buenas son e criadas.»

A la madre e a las fijas   bien las abraçava,
del gozo que avien   de los sos oios loravan;   1600
todas las sus mesnadas   en grant dele[i]t estavan,

---

sable de la reordenación. Sin embargo, nosotros preferimos respetar el orden pues consideramos que en el v. 1587 no se está na-
rrando una acción presente del Cid sino pasada con cambios de
punto de vista; así, el Cid, ensillado Babieca, sale afuera con armas simuladas, y ahora lo ven los espectadores que admiran el
sobregonel y la larga barba de su señor. El respeto del orden enriquece aquí el arte del poeta (*cf.* la justificación de Garci-Gómez). Un caso parecido ocurre en el v. 1715, cuya acción antece-
de al del anterior.
    1587. *sobregonel*: 'especie de gonela que viste el Cid para co-
rrer con armas de fuste' (Menéndez Pidal, p. 855).
    1588. *estraña*: 'extraordinaria'.
    1589. Este verso, que incluso C. Smith traspone, lo dejamos
ahí. Con acierto Horrent llama la atención sobre la extrañeza de
colocar la cesura entre *por nombre* y *Bavieca*; creemos advertir, sin embargo, en el verso la ironía del poeta cuando comenta
precisamente el contraste entre el nombre del caballo y su significado («denominación humorística, pues la voz *'bavieca'* tenía
corrientemente la significación de 'necio'», Menéndez Pidal, p. 50).
Incluso hasta es posible pensar que sea ahora cuando el Cid
bautice al caballo y que la mención anterior (v. 1573) aluda pros-
pectivamente a ésta. Para el origen literario del nombre del caballo, véase la nota al v. 1573.
    1592. *En cabo del cosso*: 'al terminar su galope'.
    1597. yo vuestras fijas e amas *Ms.*
    1601-1605. Las enmiendas en estos versos parecen necesarias.
El copista hubo de retocar esos versos en un pasaje difícil o bien
se dejó llevar de la asonancia. El ms. trae: *armas teniendo e ta-*
blados quebrantando / oyd lo que dixo el que en buen ora nasco
/ vos querida e ondrada mugier e amas mis fijas / my coraçon;
repite y tacha *e mi coraçon e mi alma.* Coincidimos en las im-
prescindibles correcciones de Smith.

armas teniendo   e tablados quebrant[avan].
Oýd lo que dixo   el que en buen ora [çinxó espada]:
—«Vos [doña Ximena],   querida mugier e ondrada,
»e amas mis fijas,   my coraçón e mi alma,   1605
»entrad comigo   en Valençia la casa,
»en esta heredad   que vos yo he ganada.»
Madre e fijas   las manos le besavan.
Atan grand ondra   ellas a Valençia entravan.

[87]

Adelinó Myo Çid   con ellas al alcáçar,   1610
alá las subie   en el más alto logar.
Oios velidos catan   a todas partes:
miran Valençia,   cómmo iaze la çibdad,   33v
e del otra parte   a oio han el mar;
miran la huerta,   espessa es e grand.   1615
Alçan las manos   pora Dios rogar
desta ganançia   cómmo es buena e grand.
    Myo Çid e sus companas   tan a grand sabor están;
el yvierno es exido,   que el marçó quiere entrar:
dezir vos quiero nuevas   de alent partes del mar,   1620
de aquel rey Yucef,   que en Marruecos está.

[88]

Pesol' al rey de Marruecos   de Myo Çid don Rodrigo:
—«Que en mis heredades   fuerte mie[n]tre es metido,

1602. *tablados*: «'castillejo de tablas'; hacíase muy elevado, y
los caballeros lanzaban a él sus varas o lanzas, para probar de
alcanzarle y quebrantar algunas de las tablas de que estaba
hecho» (Menéndez Pidal, p. 861).
1615. *espessa*: 'exuberante'.
1621. *rey Yucef* (comp. 1181). «Se trata del primer emperador
almorávide Yúçuf ben Texufin (1059-1106), aunque éste no trató en
persona de recobrar a Valencia, sino que envió a su sobrino Mohámed (sin duda Mohámed ben Ayixa; Dozy, Recherches, II[3],
p. LXXI) que fue derrotado, hacia el año 1095, en el campo del
Cuarte, según refiere la historia latina del Cid... Pero según esta
misma historia, antes de la toma de Valencia y para impedirla,
el mismo Yúçuf había armado un gran ejército, destinado a pasar
el mar contra el Cid..., aunque luego por enfermedad no pudo
él en persona dirigir la expedición, la cual se volvió sin éxito ninguno (Prim Crón Gral 574 *a* 42)» (Menéndez Pidal, pp. 725-726).

»e él non ge lo gradeçe   sinon a Ihesu Christo.»
   Aquel rey de Marruecos   aiuntava sus virtos;   1625
con L vezes mill de armas   todos fueron conpl[i]dos.
Entraron sobre mar,   en las barcas son metidos;
van buscar a Valençia   a Myo Çid don Rodrigo.
Arribado an las naves,   fuera eran exidos.

[89]

   Legaron a Valençia,   la que Myo Çid á conquista;   1630
fincaron las tiendas   e posan las yentes descreýdas.
Estas nuevas   a Myo Çid eran venidas.

[90]

—«Grado al Criador   e a[l] Padre espirital,
»todo el bien que yo he   todo lo tengo delant:
»con afán gané a Valençia   e éla por heredad,   1635
»a menos de muert   no la puedo dexar.
»Grado al Criador   e a Sancta María madre,
»mis fijas e mi mugier   que las tengo acá;   34r
»venidom' es deliçio   de tierras d'alent mar;
»entraré en las armas,   non lo podré dexar;   1640
»mis fijas e mi mugier   verme an lidiar:
»en estas tierras agenas   verán las moradas cómmo se fazen;
»afarto verán por los oios   cómmo se gana el pan.»
   Su mugier e sus fijas   subiólas al alcáçar;
alçavan los oios,   tiendas vieron fincadas: 1645
—«¿Qu'es esto, Çid,   sí el Criador vos salve?»
—«Ya, mugier ondrada,   non ayades pesar,
»riqueza es que nos acreçe   maravillosa e grand;
»á poco que viniestes,   presend vos quieren dar:
»por casar son vuestras fijas,   adúzenvos axuvar.»   1650
—«A vos grado, Çid,   e al Padre spirital.»

1631. yentes descreýdas: 'los no creyentes, los infieles'.
1635. éla: 'la tengo'.
1639. deliçio: «Le Cid est un guerrier et la guerre fait son
bonheur. Dans la bataille présente son bonheur s'accroit du fait
qu'il va combattre sous les yeux de Chimène et de ses filles» (Horrent, 1982, p. 293).
1649. presend: 'presente, regalo'.
1650. axuvar: 'dote'.

—«Mugier, sed en este palaçio,   e, si quisiéredes, en el al-
[cáçar,
»non ayades pavor   porque me veades lidiar;
»con la merçed de Dios   e de Sancta María madre,
»créçem' el cora[ç]ón   porque estades delant;   1655
»con Dios aquesta lid   yo la he de arrancar.»

[91]

  Fincadas son las tiendas   e pareçen los alvores,
a una grand priessa   tanien los atamores.
Alegravas' Mio Çid,   e dixo: —«¡Tan buen día es oy!»
  Miedo á su mugier   e quierel' quebrar el coraçón;   1660
assí fazie a las dueñas   e a sus fijas amas a dos:
del día que nasquieran   non vieran tal tremor.
Prisos' a la barba   el buen Çid Campeador:
—«Non ayades miedo,   ca todo es vuestra pro;   34v
»antes destos XV días,   si plogiere a[l] Criador   1665
»aquelos atamores a vós los pondrán delant   e veredes quá-
[les son;
»desí an a ser   del obispo don Iherónimo,
»colgar los han en Sancta María,   madre del Criador.»
Vocaçión es que fizo   el Çid Campeador.
Alegre[s] son las duenas,   perdiendo van el pavor.   1670
  Los moros de Marruecos   cavalgan a vigor,
por las huertas adentro   están sines pavor.

[92]

Violo el atalaya   e tanxó el esquila;
prestas son las mesnadas   de las yentes christíanas;
adóbanse de coraçón   e dan salto de la villa.   1675
Dos' fallan con los moros,   cometienlos tan aýna.
Sácanlos de las huertas   mucho a fea guisa.
Quinientos mataron dellos   conplidos en es' día.

  1655. coracon Ms.
  1667. desí an de ser: 'luego han de ser entregados'.
  1673. esquila: 'esquilón, campana'.
  1674. Horrent restituye la asonancia del segundo hemistiquio:
de Myo Cid Ruy Diaz.

[93]

Bien fata las tiendas   dura aqueste alcaz.
Mucho avien fecho,   pie[n]ssan de cavalgar.   1680
Albar Salvadórez   preso fincó allá,
tornados son a Myo Çid   los que comien so pan;
él se lo vio con los oios,   cuéntangelo delant,
alegre es Myo Çid   por quanto fecho han:
—«Oýdme, cavalleros,   non rastará por ál,   1685
»oy es día bueno   e meior será cras;
»por la mañana prieta   todos armados seades;
»el obispo do[n] Iherónimo   soltura nos dará;
»dezir nos ha la missa,   e penssad de cavalgar,   1689
»hyr los hemos ferir   en el nombre del Criador e del após-
[tol sancti Yagüe: *35r*
»más vale que nós los vezcamos   que ellos coian el [pan].»
Essora dixieron todos: —«D'amor e de voluntad.»
Fablava Mynaya,   non lo quiso detardar:
—«Pues esso queredes, Çid,   a mí mandedes ál,
»dadme CXXX cavalleros   pora huebos de lidiar;   1695
»quando vós los fuéredes ferir,   entraré yo del otra part,
»o de amas o del una   Dios nos valdrá.»
Essora dixo el Çid: —«De buena voluntad.»

[94]

Es' día es salido   e la noch es entrada,
nos' detardan de adobasse   essas yentes christianas;   1700

1685. *non rastará por ál*: 'no hay otra manera'.
1687. *por la mañana prieta*: 'cerca de la mañana, al acercarse la mañana'.
1688-1689. Aquí damos por buena la inversión que propone Smith, y que evita tocar nada (contra lo que hace Horrent en la línea de Bello y Menéndez Pidal): *el obispo do[n] Jheronimo la missa dezir nos ha / soltura nos dara, e penssad de caualgar; / hyr los hemos fferir [d'amor e de voluntad]*.
1691. *vezcamos* (1.ª pers. pl. pres. de subj. de *venzer*): 'venzamos'. Como indica Menéndez Pidal en su edición paleográfica, el copista escribió *pan* y el corrector lo cambió por *campo*.
1694. *a mí mandedes ál*: 'dadme otras órdenes'.
1695. *pora huebos de lidiar*: 'listos para combatir'.
1699. *entrada es Ms*. Lo ajustamos a la asonancia, pero no debe descartarse una lectura *entrada's*.

a los mediados gallos,   antes de la mañana,
el obispo don Iherónimo   la missa les cantava;
la missa dicha,   grant sultura les dava:
—«El que aquí muriere   lidiando de cara,
»préndol' yo los pecados   e Dios le abrá el alma.   1705
»A vós, Çid don Rodrigo,   en buen ora çinxiestes espada,
»hyo vos canté la missa   por aquesta mañana,
»pídovos un don   e seam' presentado:
»las feridas primeras   que las aya yo otorgadas.»
Dixo el Campeador: —«Des aquí vos sean mandadas.»   1710

[95]

Por las torres de Va[le]nçia   salidos son todos armados,
Mio Çid a los sos vassalos   tan bien los acordando;
dexan a las puertas   omnes de grant recabdo.
Dio salto Myo Çid   en Bavieca, el so cavallo,
de todas guarnizones   muy bien es adobado.   1715
La seña sacan fuera,   de Valençia dieron salto,   35v
quatro mill menos XXX   con Myo Çid van a cabo,
a los çinquaenta mill   van los ferir de grado.
Alvar Álvarez e Minaya Albarfánez   entráronles del otro
                                                    [cabo.   1719-20
Plogo al Criador   e oviéronlos de arrancar.
Myo Çid enpleó la lança,   al espada metió mano:
atantos mata de moros   que non fueron contados;
por el cobdo ayuso   la sangre destellando.
Al rey Yuçef   tres colpes le ovo dados;   1725

1708. Lecturas alternantes: *una don[a] e seam presentada*
(Bello, Menéndez Pidal, Horrent); *don y sea en presentaia* (Restori, Coester). *Cf.* Menéndez Pidal, p. 1089.
   1711. Menéndez Pidal ha introducido aquí una ingeniosa enmienda, basándose en elementos cronísticos: *por las torres de
Questo*; además, cuenta con la falsilla de una mala lectura *van-
çia* (cuyas causas no han de explicarse sólo por una apocopación
del copista). Contemplamos con más cautela la inversión que su-
girió Bello y ha aceptado (entre otros) Horrent porque parece
difícil admitir que el poeta (no gran conocedor del terreno) por-
menorice aquí.
   1719. El copista escribe tras *Alvar Alvarez, Alvar Salvadorez*;
pero lo tacha (se dejaría llevar de las enumeraciones formulísti-
cas y luego, al advertir que A. Salvadorez había caído prisionero el día anterior —si bien no sabemos nada del rescate, lo
podemos imaginar en el día de la batalla— se autoenmendaría).
Optamos por la solución de Horrent, 1982, p. 192.

saliós'le de so'l espada,   ca muchol' andido el cavallo;
metiós'le en Guiera,   un castiello palaçiano.
Myo Çid el de Bivar   fasta allí legó en alcaz,
con otros quel' consigen   de sus buenos vassallos.
Desd'allí se tornó   el que en buen ora nasco.   1730
Mucho era alegre   de lo que an caçado;
alí preçió a Bavieca   de la cabeça fasta a cabo,
tod[a] esta ganançia   en su mano á rastado.
Los L mill   por cuenta fuero[n] notados,
non escaparon   mas de çiento e quatro.   1735
Mesnadas de Myo Çid   robado an el canpo:
entre oro e plata   fallaron tres mill marcos,
[de] las otras ganançias   non avýa recabdo.
Alegre era Myo Çid   e todos sos vassallos,
que Dios les ovo merçed   que vençieron el campo.   1740
Quando al rey de Marruecos   assí lo an arrancado,
dexó [a] Albarfáñez   por saber todo recabdo.   36r
Con C cavalleros   a Valençia es entrado,
fronzida trahe la cara,   que era desarmado,
assí entró sobre Bavieca,   el espada en la mano.   1745
Reçibienlo las dueñas,   que lo están esperando;
Myo Çid fincó ant'ellas,   tovo la ryenda al cavallo:
—«A vós me omillo, dueñas,   grant prez vos he gañado,
»vos teniendo Valençia   e yo vençí el campo;
»esto Dios se lo quiso   con todos los sos santos,   1750
»quando en vuestra venida   tal ganançia nos an dad[o].
»Vedes el espada sangrienta   e sudiento el cavallo:
»con tal cum esto   se vençen moros del campo.
»Rogand al Criador   que vos biva algunt año,
»entraredes en prez   e besarán vuestras manos.»   1755
Esto dixo Myo Çid   diçiendo del cavallo.
     Quandol' vieron de pie,   que era descavalgado,
las dueñas e las fijas   e la mugier que vale algo
delant el Campeador   los ynoios fincaron:
—«Somos en vuestra merçed,   ¡e bivades muchos años!»

1729. *quel' consigen*: 'que le acompañan'.
1731. *caçado*: 'capturado'.
1733. *todo Ms.*
1738. Suplimos como la mayoría de editores, y teniendo presente la misma construcción en el v. 2451.
1751. *dada Ms.*
1753. *cum*: 'como'.
1758. *que vale algo*: 'honrada, noble'.

En buelta con él   entraron al palaçio,   1761
e yvan posar con él   en unos preçiosos escaños:
—«Hya, mugier, d[o]ña Ximena,   ¿nom' lo aviedes rogado?,
»estas dueñas que aduxiestes,   que vos sirven tanto,
»quiérolas casar   con de aquestos myos vassallos;   1765
»a cada una dellas   doles CC marcos,
»que lo sepan en Castiella   a quien sirvieron tanto.
»Lo de vuestras fijas   venir se á más por espaçio.»   86v
Levantáronse todas   e besáronle las manos;
grant fue el alegría   que fue por el palaçio.   1770
Commo lo dixo el Çid,   assí lo han acabado.
    Mynaya Albarfánez   fuera era en el campo
con todas estas yentes   escriviendo e contando;
entre tiendas e armas   e vestidos preçiados
tanto fallan desto   que es cosa sobeiana.   1775
Quiérovos dezir   lo que es más granado:
non pudieron ellos saber   la cuenta de todos los cavallos,
que andan arriados   e non ha qui tomalos;
los moros de las tierras   ganado se an ý algo.
Mager de todo esto   el Campeador contado   1780
de los buenos e otorgados   cayéronle mill e D cavallos.
Quando a Myo Çid   cayeron tanto,
los otros bien pueden   fincar pagados.   1782b
¡Tanta tienda preçiada   e tanto tendal obrado,
que á ganado Myo Çid   con todos sus vassallos!
La tienda del rey de Marruecos,   que de las otras es cabo,
dos tendales la sufren,   con oro son labrados.   1786
Mandó Myo Çid Ruy Díaz   que fita soviesse la tienda

1761. *En buelta con él*: 'junto con él'.
1762. *escaños*: 'asientos'.
1763. daña *Ms.* Por nuestra parte, pocos pasos más allá da-
ríamos en la conjetura de Michael (ni tan siquiera considerando el
término como influencia francesa).
1766. marcos de plata *Ms.*
1771. *acabado*: 'ejecutado'.
1775. Horrent, de acuerdo con Menéndez Pidal y otros, enmienda: *que mucho es sobejano*. Parece, sin embargo, que el
copista había escrito *sobeiano* y un corrector enmendó.
1776. *más granado*: 'más importante, extraordinario'.
1778. «andan errados y no hay quien los tome» (Menéndez
Pidal).
1786. *sufren*: 'soportan'.
1787-1788. Menéndez Pidal, Horrent y otros editores reconstruyen el pasaje: *Mando myo Cid Ruy Diaz [el Campeador conta-
do]. / que fita souiesse la tienda e non la tolliesse dent Christiano.*

e non la tolliesse   d'ent christiano:
—«Tal tienda commo ésta,   que de Marruecos [ha] passad[o]
»enbiar la quiero   a Alfonsso el castellano,   1790
»que croviesse sos nuevas   de Myo Çid que avie algo.»
    Con aquestas riquezas tantas   a Valençia son entrados.
El obispo don Iherónimo,   caboso coronado,
quando es farto de lidiar   con amas las sus manos,
non tiene en cuenta   los moros que ha matados;   *37r*
lo que caye a él   mucho era sobeiano.   1796
Myo Çid don Rodrigo,   el que en buen ora nasco,
de toda la su quinta   el diezmo l'á mandado.

[96]

    Alegres son por Valençia   las yentes christianas:
¡tantos avien de averes,   de cavallos e de armas!   1800
Alegre es doña Ximena   e sus fijas amas
e todas las otras duenas   que[s'] tienen por casadas.
    El bueno de Myo Çid   non lo tardó por nada:
—«¿Dó sodes, caboso?   Venid acá, Mynaya;
»de lo que a vos cayó   vós non gradeçedes nada;   1805
»desta mi quinta,   dígovos sin falla,
»prended lo que quisiéredes,   lo otro remanga.
»E cras a la mañana   yr vos hedes sin falla
»con cavallos desta quinta   que yo he ganada,
»con siellas e con frenos   e con señas espadas,   1810
»por amor de mi mugier   e de mis fijas amas,
»porque assí las enbío   dond'ellas son pagadas.
»Estos dozientos cavallos   yrán en presentaias,
»que non diga mal el rey Alfonsso   del que Valençia manda.»
    Mandó a Pero Vermuez   que fuesse con Mynaya.   1815
Otro día manana   privado cavalgavan
e dozientos omnes   lievan en su conpaña,
con saludes del Çid,   que las manos le besava,
desta lid,   que ha arrancada,

1789. es passada *Ms.* Enmendamos con Menéndez Pidal, Horrent y otros.
1791. *croviesse* (3.ª pers. sing. pret. subj. de *creer*): 'creyese'.
1796. *lo que caye a él*: 'lo que le toca'.
1798. *diezmo*: 'la décima parte'.
1807. *remanga* (3.ª pers. sing. pres. subj. de *remanir*): 'quede'.
1819. Menéndez Pidal y Horrent suplen en el segundo hemistiquio: *que* [*mio Cid*] *ha arrancada*.

CC cavallos   le enbiava en presentaia: 1819b
—«E servir lo he sienpre   mientra que ovisse el alma.»   1820

[97]

Salidos son de Valençia   e pienssan de andar,   37v
talles ganançias traen   que son a aguardar.
Andan los días e las noches,   [que vagar non se dan],
e passada han la sierra,   que las otras tierras parte.
Por el rey don Alfonsso   tómansse a preguntar.   1825

[98]

Passando van las sierras   e los montes e las aguas;
legan a Valadolid,   do el rey Alfonsso estava.
Enviávale mandado   Pero Vermuez e Mynaya,
que mandasse reçebir   a esta conpaña:
—«Myo Çid, el de Valençia,   enbia su presentaia.»   1830

[99]

Alegre fue el rey,   non viestes atanto.
Mandó cavalgar apriessa   todos sos fijosdalgo.
Hý en los primeros   el rey fuera dio salto,
a ver estos mensaies   del que en buen ora nasco.
Los yfantes de Carrión,   sabet, ý s'açertaron,   1835
e'l conde don Garçía,   so enemigo malo:
a los unos plaze   e a los otros va pesando.
A oio lo avien   los del que en buen ora nasco.

1822.   *que son a aguardar*: 'que son para guardar', 'que se
debe guardar bien' (Menéndez Pidal), 'que son dignos de ver'
(Bello).
1823-1824.   Andan los dias e las noches e passada han la sierra
/ que las otras tierras parte *Ms*. Adoptamos la enmienda de Menéndez Pidal.
1832.   tosdos *Ms*. *Cf*. la nota a la ed. paleográfica de Menéndez Pidal, p. 963.
1835.   *ý s'açertaron*: 'se hallaban allí mismo'.
1836.   Como Menéndez Pidal, Horrent suple: [*del Cid*] *so enemigo malo*.

Cuédanse que es almofalla,   ca non vienen con mandado.
El rey don Alfonsso   seyse sanctiguando.   1840
Mynaya e Per Vermuez   adelante son legados,
firiéronse a tierra,   deçendieron de los cavalos,
ant'el rey Alfonsso   los ynoios fincados.
Besan la tierra   e los pies amos:
—«Merçed, rey Alfonsso,   sodes tan ondrado,   1845
«por Myo Çid el Campeador   todo esto vos besamos;
»a vos lama por señor   e tienes' por vuestro vassallo;   *38r*
»mucho preçia la ondra el Çid   quel' avedes dado.
»Pocos días ha, rey,   que una lid á arrancado
»a aquel rey de Marruecos,   Yucef por nombrado,   1850
»con çinquaenta mill   arrancólos del campo;
»las ganançias que fizo   mucho son sobeianas,
»ricos son venidos   todos los sos vassallos.
»E embíavos dozientos cavallos   e bésavos las manos.»
     Dixo el rey don Alfonsso: —«Reçíbolos de grado;   1855
»gradéscolo a Myo Çid,   que tal don me ha enbiado.
»¡Aun vea ora   que de mí sea pagado!»
     Esto plogo a muchos   e besáronle las manos;
pesó al conde don Garçía   e mal era yrado.
Con X de sus parientes   a parte davan salto: 1860
—«Maravilla es del Çid,   que su ondra creçe tanto:
»en la ondra que él ha   nós seremos abiltados,
»por tan biltadamientre   vençer reyes del campo,
«commo si los falasse muertos,   aduzirse los cavallos.
»Por esto que él faze   nós abremos enbargo.»   1865

[100]

     Fabló el rey don Alfonsso   e dixo esta razón:
—«Grado al Criador   e al señor sant Esidro, el de León,

1839.   *Cuédanse que es almofalla*: 'se creen es ejército enemigo
(porque no se les había adelantado un mensajero anunciándo-
los)'. De ahí que el rey se santigüe (1840).
1852.   Como Menéndez Pidal, Horrent enmienda: *L[o]s gan
[ados] que fizo mucho son sobejan[os]*.
1860.   *a parte davan salto*: 'se apartaron'.
1862.   *abiltados*: 'afrentados'.
1863.   *biltadamientre*: 'fácilmente, sin esfuerzo' ('afrentosa-
mente' entendió Sánchez).
1865.   *enbargo*: 'menoscabo'.
1866-1867. Al igual que Menéndez Pidal, Horrent opta por la
enmienda de este pareado: *Fablo el rrey don Alfonsso [odredes*

»estos dozientos cavallos   quem' enbía Myo Çid.
»Myo reyno adelant,   meior me podrá servir.
»A vós, Minaya Albarfánez   e a Pero Vermuez aquí,   1870
»mándovos los cuerpos   ondradamientre servir e vestir   *38v*
»e guarnirvos de todas armas   commo vós dixieredes aquí,
»que bien parescades   ante Ruy Díaz Myo Çid;
»dovos III cavallos   e prendedlos aquí.
»Assí commo semeia   e la veluntad me lo diz,   1875
»todas estas nuevas   a bien abrán de venir.»

[101]

Besáronle las manos   e entraron a posar;
bien los mandó servir   de quanto huebos han.
De los yffantes de Carrión   yo vos quiero contar,
fablando en su consseio,   aviendo su poridad: 1880
—«Las nuevas del Çid   mucho van adelant,
»demandemos sus fijas   pora con ellas casar:
»creçremos en nuestra ondra   e yremos adelant.»
Vinien al rey Alfonsso   con esta poridad.

[102]

—«Merçed vos pidimos,   commo a rey e a natural señor;
»con vuestro consseio   lo queremos fer nós,   1885
»que nos demandedes   fijas del Campeador,
»casar queremos con ellas   a su ondra e a nuestra pro.»
Una grant ora   el rey penssó e comidió:
—«Hyo eché de tierra   al buen Campeador,   1890
»e faziendo yo a él mal   e él a mí grand pro.
»Del casamiento non sé   sis' abrá sabor,

_____

lo que diz]: / «*Grado al Criador e al señor sant Essidr*[e] (*el de León*). Cabría la posibilidad de sustituir *Myo Çid* por *el Campeador*. También se salvaría la asonancia del v. siguiente con el solo cambio de orden: *me podrá servir meior*.
1869. 'en lo sucesivo de mi reinado' (Menéndez Pidal).
1870. *e ea Ms*.
1885. Sólo para preservar la asonancia invertimos los términos del segundo hemistiquio (como a rey e a señor natural *Ms*), por más que la estructura de las tiradas 101 y 102 tampoco quedan indemnes, pues, como ya indica Menéndez Pidal; también habría que enmendar el v. 1884.

»mas, pues bós lo queredes,   entremos en la razón.»
    A Mynaya Albarfánez   e a Pero Vermuez
el rey don Alfonsso   essora los lamó,   1895
a una quadra   ele los apartó: *39r*
—«Oýdme, Mynaya,   e vós, Per Vermuez,
»sirvem' Myo Çid   el Campeador,
»él lo mereçe   e de mí abrá perdón,
»viniessem' a vistas   si oviesse dent sabor.   1899*b*
»Otros mandados   ha en esta mi cort,   1900
»Diego e Ferrando,   los yffantes de Carrión,
»sabor han de casar   con sus fijas amas a dos;
»sed buenos menssageros   e ruégovoslo yo
»que ge lo digades   al buen Campeador:
»abrá ý ondra   e creçrá en onor   1905
»por conssagrar   con los yffantes de Carrión.»
    Fabló Mynaya   e plogo a Per Vermuez:
—«Rogar ge lo emos   lo que dezides vós,
»después faga el Çid   lo que oviere sabor.»
—«Dezid a Ruy Díaz,   el que en buen ora nasco,   1910
»quel' yré a vistas   do fuere aguisado,
»do él dixiere,   ý sea el moión;
»andar le quiero   a Myo Çid en toda pro.»
    Espidiensse al rey,   con esto tornados son,
van pora Valençia   ellos e todos los sos.   1915
Quando lo sopo   el buen Campeador,
apriessa cavalga,   a reçebir los salió.
Sonrisós' Myo Çid   e bien los abraçó:
—«¿Venides, Mynaya,   e vós, Pero Vermuez?
»¡En pocas tierras   atales dos varones!   1920
»¿Cómmo son las saludes   de Alfonsso myo señor,
»si es pagado   o reçibió el don?»   *39v*
Dixo Mynaya: —«D'alma e de coraçón
»es pagado   e davos su amor.»

    1896. *quadra*: 'cuarto'.
    1899b. *vistas*: 'reunión de dos o más personas, convenida de
antemano, para tratar algún asunto'.
    1906. *conssagrar*: 'emparentar, con relación de suegro a yerno'.
    1910-1911. En este pareado intermedio optamos por la correc-
ción de Menéndez Pidal (y en la misma forma procede Horrent):
Dezid a Ruy Díaz, el que en buen ora na[ci]*o / quel yre a vistas
de aquisado fore.*
    1912. *moión*: 'lugar intermedio prefijado para una entrevista'.
    1921. '¿Qué noticias traéis de Alfonso?' (C. Smith).
    1924. *e davos su amor*: 'os devuelve el favor'.

Dixo Myo Çid: —«¡Grado al Criador!»   1925
      Esto diziendo   conpieçan la razón,
lo quel' rogava   Alfonsso el de León
de dar sus fijas   a los yfantes de Carrión,
quel' connosçie ý ondra   e creçie en onor,
que ge lo consseiava   d'alma e de coraçón.   1930
Quando lo oyó Myo Çid,   el buen Campeador,
una grand ora   penssó e comidió:
—«Esto gradesco   a Christus, el myo Señor,
»echado fu de tierra   e tollida la onor;
»con grand afán   gané lo que he yo.   1935
»A Dios lo gradesco,   que del rey he su [amor],
»e pidem' mis fijas   pora los yfantes de Carrión;
»ellos son mucho urgullosos   e an part en la cort:
»deste casamiento   non avría sabor,
»mas, pues lo conseia   el que más vale que nós,   1940
»fablemos en ello,   en la poridad seamos nós;
»afé, Dios del çiello,   que nos acuerde en lo miior.»
      —«Con todo esto   a vós dixo Alfonsso
»que vos vernie a vistas   do oviéssedes sabor;
»querer vos ye ver   e darvos su amor;   1945
»acordar vos yedes después   a todo lo meior.»
Essora dixo el Çid: —«Plazme de coraçón.   40r
»Estas vistas   ¿ó las ayades vós?»
Dixo Minaya: —«Vós sed sabidor.»
—«Non era maravilla   sí quisiesse el rey Alfonsso;   1950
»fasta do lo fallássemos   buscar lo yremos nós
»por darle grand ondra   commo a rey [e señor],
»mas lo que él quisiere   esso queramos nós.
»Sobre Taio,   que es una agua [mayor],

1934.   *e tollida la onor*: 'y despojado de mi patrimonio'.
1936.   Gracia *Ms*. Restituimos *amor* en compañía de Menéndez
Pidal, Smith, Horrent y otros editores.
1937.   El ms. trae *pide*[*n*] e interlinea *me*. Como la tilde ni el
me son del primer copista (*cf*. Menéndez Pidal, ed. paleográfica,
p. 966) suponemos la aglutinación del pronombre enclítico apocopado con *mis* (de ahí que restituyamos).
1938.   *an part en*: 'forman parte de'.
1950-1951.   «No sería una sorpresa si el Rey Alfonso quisiera
señalar él mismo el lugar de la reunión, pues iríamos a buscar-
le hasta encontrarle» (C. Smith).
1952.   commo a rey de tierra *Ms*. Corregimos con la mayoría
de editores.
1954.   agua cabdal *Ms*. Enmendamos en compañía de otros
editores.

»ayamos vistas   quando lo quiere myo señor.»   1955
    Escrivien cartas,   bien las selló,
con dos cavalleros   luego las enbió:
lo que el rey quisiere   esso ferá el Campeador.

[**103**]

    Al rey ondrado   delant le echaron las cartas;
quando las vio   de coraçón se paga: 1960
—«Saludadme a Myo Çid,   el que en buen ora çinxó espada;
»sean las vistas   destas III semanas;
»s'yo bivo só,   alí yré sin falla.»
    Non lo detardan,   a Myo Çid se tornavan;
della e ella part   pora las vistas se adobavan.   1965
¡Quién vio por Castiella   tanta mula preçiada
e tanto palafré   que bien anda,
cavallos gruessos   e coredores sin falla,
tanto buen pendón   meter en buenas astas,
escudos boclados   con oro e con plata,   1970
mantos e pielles   e buenos çendales d'A[n]dria.
Conduchos largos   el rey enbiar mandava   40v
a las aguas de Taio,   ó las vistas son apareiadas.
Con el rey,   atantas buenas conpañas.
Los yffantes de Carrió[n]   mucho alegres andan,   1975
lo uno adebdan   e lo otro pagavan;
commo ellos tenien,   creçer les ýa la ganançia,
quantos quisiessen averes   d'oro e de plata.
El rey don Alfonsso   apriessa cavalgava,
cuendes e podestades   e muy grandes mesnadas.   1980

1965. *della e della part*: fórmula jurídica que traduce el *ex
utraque parte* (véase Prólogo).
1970. *boclados*: 'provistos de bloca (guarnición de metal que
llevaba el escudo en su centro)'.
1971. Recogemos la enmienda comúnmente aceptada, *çendales
de Andria*: las famosas sedas de la isla griega de Andrós (mar
Egeo). Entre los varios textos de la épica francesa que mencio-
nan las sedas —a los que no hizo caso Menéndez Pidal por problemas de datación del *PMC*—, C. Smith, 1977, p. 131, se fijó en el
de la *Florence de Rome* («De pennes et de drais, de riches cen-
daus d'Andrel!», 451).
1980. *cuendes*: 'condes'. *podestades*: 'son los *ricos omnes* in-
vestidos con un alto cargo, inferior al de los condes, que consis-
tía en el gobierno o tenencia de un territorio del reino' (Menéndez Pidal, pp. 799-800).

Los yfantes de Carrión   lievan grandes conpañas.
Con el rey van leoneses   e mesnadas galizianas,
non son en cuenta,   sabet, las castellanas.
Sueltan las riendas,   a las vistas se van adeliñadas.

[104]

Dentro de Vallençia   Myo Çid el Sampeador   1985
non lo detarda,   pora las vistas se adobó:
tanta gruessa mula   e tanto palafré de sazón,
tanta buena arma   e tanto buen cavallo coredor,
tanta buena capa   e mantos e pelliçones;
chicos e grandes   vestidos son de colores.   1990
Mynaya Albarfánez   e aquel Pero Vermuez,
Martín Munoz e Martín Antolínez,   el burgalés de pro,
e'l obispo don Ierónimo,   coranado meior,
Álvar Álvarez   e Álvar Sa[l]vadórez,
Muño Gustioz,   el cavallero de pro,   1995
Galind Garçíaz,   el que fue de Aragón,
éstos se adoban   por yr con el Campeador,
e todos los otros   que ý son.   41r
Álvar Salvadórez   e Galind Garçíaz, el de Arazón,
a aquestos dos   mandó el Campeador   2000
que curien a Valençia /   d'alma e de coraçón   2000-1
e todos los que en poder   dessos fossen,   2001
las puertas del alcáçar   que non se abriessen de día nyn de
                                                   [noch;

dentro es su mugier   e sus fijas amas a dos,
en que tiene   su alma e su coraçón,
e otras dueñas   que las sirven a su sabor.   2005
Recabdado ha,   commo tan buen varón,
que del alcáçar   una salir non puede
fata ques' torne   el que en buen ora nas[çió].

Salien de Valençia,   aguijan [a] espolón,
tantos cavallos en diestro,   gruessos e corredores, 2010

1987. *de sazón*: 'excelente'.
1992. Como Menéndez Pidal, Horrent propone dividir el verso
en dos, supliendo un hemistiquio: *Martin Muñoz, [el que mando a Mont Mayor]* / *e Martin Antolinez el burgales de pro.*
2008. nasco *Ms.*
2009. e espolonavan *Ms.* Corregimos en forma igual a la mayor parte de editores.

Myo Çid se los gáñara,   que non ge los dieran en don.
Hyas' va pora las vistas   que con el rey paró.
    De un día es legado   antes el rey don Alfonsso.
Quando vieron que vinie   el buen Campeador,
reçebir lo salen   con tan grand onor.   2015
Don lo ovo a oio   el que en buen ora nas[çió],
a todos los sos   estar los mandó,
sinon a estos cavalleros   que querie de coraçón;
con unos XV   a tierras' firió:
¡cómmo lo comidía   el que en buen ora nació!   2020
Los ynoios e las manos   en tierra los fincó,
las yervas del campo   a dientes las tomó;
lorando de los oios,   tanto avie el gozo mayor: *41v*
así sabe dar omildança   a Alfonsso, so señor.
De aquesta guisa,   a los pies le cayó;   2025
tan grand pesar ovo   el rey don Alfonsso:
—«Levantados en pie,   ya. Çid Campeador,
»besad las manos,   ca los pies no;
»si esto non feches,   non avredes my amor.»
Hynoios fitos   sedie el Campeador: 2030
—«Merçed vos pido a vós,   myo natural señor,
»assí estando,   dédesme vuestra amor,
»que lo oyan   quantos aquí son.»   2032b
Dixo el rey: —«Esto feré d'alma e de coraçón;
»aquí vos perdono   e dovos my amor,
»e'n todo myo reyno   parte desde oy.»   2035
Fabló Myo Çid   e dixo [esta razón]:
—«¡Merçed! yo lo reçibo,   Alfonsso, myo señor,   2036b
»gradéscolo a Dios del çielo   e después a vós
»e a estas mesnadas   que están aderredor.»
    Hynoios fitos,   las manos le besó,
levós' en pie   e en la bocal' saludó.   2040
Todos los demás   desto avien sabor;
pesó a Álbar Díaz   e a Garci Ordóñez.
Fabló Myo Çid   e dixo esta razón:
—«Esto gradesco   al Criador   2043b
»quando he la graçia   de don Alfonsso, myo señor;
»valer me á Dios   de día e de noch;   2045

    2016. nasco *Ms.*
    2036. Suplimos el hemistiquio según procede la mayoría de
editores después de Menéndez Pidal. Antes de *Alfonsso* el *Ms.*
añade entre líneas *don.*

»fuéssedes my huésped,   si vos plogiesse, señor.»
Dixo el rey: —«Non es aguisado oy:
»vós agora legastes   e nós viniemos anoch;   42r
»myo huésped seredes,   Çid Campeador,
»e cras feremos   lo que ploguiere a vós.»   2050
    Besóle la mano,   Myo Çid lo otorgó.
Essora se le omillan   los yffantes de Carrión:
—«Omillámosnos, Çid,   en buen ora nasquiestes vós,
»en quanto podemos   andamos en vuestro pro.»
Respuso Mio Çid: —«Assí lo mande el Criador.»   2055
    Myo Çid Ruy Díaz,   que en ora buena nas[çió],
en aquel día   del rey su huésped fue:
non se puede fartar dél,   ¡tantol' querie de coraçón!
Catándol' sedie la barba,   que tan aýnal' creçi[ó]
Maravíllanse de Myo Çid   quantos que ý son.   2060
    Es' día es passado   e entrada es la noch;
otro día mañana   claro salie el sol.
El Campeador   a los sos lo mandó,
que adobassen cozina   pora quantos que ý son:
¡de tal guisa los paga   Myo Çid el Campeador!   2065
Todos eran alegres   e acuerdan en una razón:
passado avie III años   no comieran meior.
Al otro dia mañana,   assí commo salió el sol,
el obispo don Iherónimo   la missa cantó.
Al salir de la missa,   todos iuntados son;   2070
non lo tardó el rey,   la razón conpeçó:
—«Oýdme, las escuellas,   cuendes e yfánçones,
»cometer quiero un ruego   a Myo Çid el Campeador;   42v
»así lo mande Ch[r]istus   que sea a so pro.»
»Vuestras fijas vos pido,   don Elvira e doña Sol,   2075
»que las dedes por mugieres   a los yfantes de Carrión;
»semeiam' el casamiento   ondrado e con grant pro.
»Ellos vos las piden   e mándovoslo yo;
»della e della parte,   quantos que aquí son,

    2046. A zaga de Menéndez Pidal, Horrent enmienda *my[o]* te-
niendo presentes las razones del ilustre gallego y aduciendo el
v. 2050 (pero aquí el posesivo no se halla en la misma posición
tónica que ahí).
    2056. *nasco Ms.*
    2059. *creçiera Ms.*
    2075. Para los nombres de las hijas del Cid remito al lector a
la Introducción.

»los mios e los vuestros   que sean rogadores,   2080
»dándoslas, Myo Çid,   ¡ sí vos vala el Criador !»
—«Non abría fijas de casar»,   respuso el Campeador,
«ca non han grant hedad   e de días pequenas son.
»De grandes nuevas   son los yfantes de Carrión;
»perteneçen pora mis fijas   e aun pora meiores.   2085
»Hyo las engendré amas   e criásteslas vós,
»entre yo y ellas   en vuestra merçed somos nós;
»afellas en vuestra mano   don Elvira e doña Sol,
»dadlas a qui quisiéredes vós,   ca yo pagado só.»
—«Graçias», dixo el rey,   «a vós e a tod esta cort».   2090
    Luego se levantaron   los yffantes de Carrión,
ban besar las manos   al que en ora buena naçió,
camearon las espadas   ant'el rey don Alfonsso.
Fabló el rey don Alfonsso   commo tan buen señor: 2094
—«Grado e graçias, Çid, commo tan bueno   e primero al
                                                            [Criador,
»quem' dades vuestras fijas   pora los yfantes de Carrión; *43r*
»d'aquí las prendo por mis manos,   don Elvira e dona Sol,
»e dolas por veladas   a los yfantes de Carrión;
»hyo las caso a vuestras fijas   con vuestro amor,
»al Criador plega   que ayades ende sabor.   2100
»Afellos en vuestras manos   los yfantes de Carrión,
»ellos vayan convusco   ca d'aquén me torno yo;
»trezientos marcos de plata   en ayuda les do yo,
»que metan en sus bodas   o do quisiéredes vós.
»Pués fueren en vuestro poder   en Valençia la mayor,   2105
»los yernos e las fijas   todos vuestros fijos son,
»lo que vos plogiere,   dellos fet, Campeador.»
Myo Çid ge los reçibe,   las manos le besó:
—«Mucho vos lo gradesco,   commo a rey e a señor;
»vós casades mis fijas,   ca non ge las do yo.»   2110

2080. *rogadores*: 'el que solemnemente pide en matrimonio la
novia'. Véase para esto Châlon, 1976, p. 148.
2081. Quizá este verso pudiera ponerse en boca de los oyentes
(*rogadores, cf.* v. 2090) o de los infantes de Carrión, mejor que
en la del rey.
2083. hedand *Ms.*
2093. *camearon*: 'cambiaron'. Con el beso y el intercambio de
espadas se sella una alianza y un vínculo de vasallaje.
2098. *veladas*: 'casadas'.
2099. *amor*: 'consentimiento'.
2102. *d'aquén*: 'desde aquí'.
2104. *metan*: 'gasten, empleen'.
2105. *Pués fueren*: 'después de que estuvieran'.

Las palabras son puestas   que otro día mañana quando
[salie el sol
ques' tornasse cada uno   d'on salidos son.
    Aquís' metió en nuevas   Myo Çid el Campeador,
tanta gruessa mula   e tanto palafré de sazón,
conpeçó Myo Çid a dar   a quien quiere prender so don: 2115
tantas buenas vestiduras   que d'alfaya son,
cada uno lo que pide   nadi nol' dize de no;
Myo Çid de los cavallos   LX dio en don.
Todos son pagados de las vistas   quantos que ý son;   *43v*
partirse quieren,   que entrada era la noch.   2120
El rey a los yfantes   a las manos les tomó,
metiólos en poder   de Myo Çid el Campeador:
—«Evad aquí vuestros fijos,   quando vuestros yernos son;
»de oy más   sabed qué fer dellos, Campeador.»
—«Gradéscolo, rey,   e prendo vuestro don,   2125
»Dios que está en çielo   dem' dent buen galardón.»
    Sobr'el' so cavallo Bavieca   Myo Çid salto d[io]:
—«Aquí lo digo   ante myo señor el rey Alfonsso,

2111-2112. las palabras son puestas que otro dia mañana /
quando saliel *el sol ques tornasse cada uno* don salidos son *Ms*.
Menéndez Pidal y Horrent reconstruyen el primer verso con la
conjetura de un hemistiquio *(las palabras son puestas* [*e los
omenaies dados son*]). En *saliel* el corrector ha añadido una *-e*
[*salide*] seguramente para insinuar *saliese,* ya que repetía el artículo originalmente contracto con el verbo *(salie'l).*
2115-2116. Tanto Menéndez Pidal como Horrent invierten el
orden de estos versos.
2116. *d'alfaya:* 'preciados, de valor'.
2124. *oy de mas Ms.* Enmendamos en la forma que lo hacen
Menéndez Pidal, Smith y Horrent (entre otros) y nos adherimos
a las razones gramaticales de este último (1982, p. 202).
2126. Contra lo que nos recomiendan Menéndez Pidal y Smith,
dejamos *dem* y no corregimos *de vos* (véanse los motivos en
Horrent, 1982, p. 202): el Cid expresa una optación para que
todo vaya a bien.
2127-2130. Menéndez Pidal y Horrent emplazan estos versos
detrás del 2156 para cuadrarlos mejor con la sucesión cronológica (*cf.* Horrent, 1982, p. 203). Sin embargo, no hay ningún dato
definitivo (el orden de la *Crónica de veinte reyes* que nos aduce
Menéndez Pidal se explicaría por la racionalización a que pudo
someterla su historiador): el Cid ya se dispone a partir (v. 2120),
se cumple el último acto jurídico de las vistas (con la entrega
de los infantes) y empiezan, ya de camino (y seguramente también el rey), a dialogar. Hemos de suponer, pues, que el Cid y
Minaya (y el rey; véase v. 2135) están ya sobre sus respectivos
caballos en disposición de partir. dana *Ms.*

»qui quiere yr comigo a las bodas   o reçebir mi don,
»d'aquend vaya comigo,   cuedo quel' avrá pro.   2130

[105]

»Yo vos pido merçed   a vós, rey natural,
»pues que casades mys fijas   así commo a vós plaz,
»dad manero a qui las dé,   quando vós las tomades;
»non ge las daré yo con mi mano,   nin de[n]d non se ala-
                                  [barán.»
Respondió el rey: —«Afé aquí Albarfánez;   2135
»prendellas con vuestras manos   e daldas a los yfantes,
»assí commo yo las prendo d'aquent   commo si fosse delant,
»sed padrino dell[a]s   a tod el velar;
»quando vos iuntáredes comigo,   quem' digades la verdat.»
Dixo Albarfánez: —«Señor,   a fe que me plaz.»   2140

[106]

    Tod esto es puesto,   sabed, en grant recabdo.
—«Hya, rey don Alfonsso,   señor tan ondrado,
»destas vistas que oviemos   de mý tomedes algo;   *44r*
»tráyovos XX palafrés,   éstos bien adobados,
»e XXX cavallos coredores,   éstos bien enssellados;   2145
»tomad aquesto   e beso vuestras manos.»
Dixo el rey don Alfonsso: —«Mucho me avedes enbargado,
»reçibo este don   que me avedes mandado;
»plega al Criador,   con todos los sos sanctos
»este plazer quem' feches   que bien sea galardonado.   2150
»Myo Çid Ruy Díaz,   mucho me avedes ondrado;
»de vós bien só servido   e tengo[m'] por pagado:
»aún bivo seyendo,   de mí ayades algo.
»A Dios vos acomiendo,   destas vistas me parto;
»¡afé Dios del çielo   que lo ponga en buen logar!»   2155

2133. *dad manero*: 'designad un representante del rey para la
ceremonia de la boda'. Véase Châlon, 1976, p. 150.
2137. *d'aquent*: 'aquí'.
2138. dellos *Ms. el velar*: 'la ceremonia de las velaciones'.
2147. *enbargado*: 'abrumado'.
2150. *este plazer* continúa el v. 2149.
2152. tengon *Ms.*
2153. *aún bivo seyendo*: 'si vivo'.
2155. Menéndez Pidal y Horrent enmiendan el segundo hemistiquio de este verso de transición: *que lo ponga en buen* [*recabdo*].

[107]

Hyas' espidió Myo Çid   de so señor Alfonsso;
non quiere quel' escura,   quitól' dessí luego.
Veriedes cavalleros,   que bien andantes son,
besar las manos,   espedirse del rey Alfonsso:
—«Merçed vos sea   e fazednos este perdón;   2160
»hyremos en poder de Myo Çid   a. Valençia la mayor,
»seremos a las bodas   de los yfantes de Carrión
»he de las fijas de Myo Çid,   de don Elvira e doña Sol.»
Esto plogo al rey   e a todos los soltó:
la conpaña del Çid creçe   e la del rey mengó.   2165
Grandes son las yentes   que van con el Canpeador,   44v
adelinan pora Valençia,   la que en buen punto ganó.
E a don Fernando e a don Diego   aguardar los mandó
a Pero Vermuez   e Muno Gustioz,
—en casa de Myo Çid   non á dos meiores—,   2170
que sopiessen sos mañas   de los yfantes de Carrión.
E va ý Asur González,   que era bulidor,
que es largo de lengua,   mas en lo ál non es tan pro.
Grant ondra les dan   a los yfantes de Carrión.
Afelos en Valençia,   la que Myo Çid gañó;   2175
quando a ella assomaro,   los gozos son mayores.
Dixo Myo Çid   a don Pero e a Muño Gustioz:
—«Dadles un reyal   a los yfantes de Carrión;
»vós con ellos sed,   que assí vos lo mando yo.
»Quando viniere la mañana   que apuntare el sol,   2180
»verán a sus esposas,   a don Elvira e a dona Sol.»

[108]

Todos essa noch   fueron a sus posadas,
Myo Çid el Campeador   al alcáçar entrava,
reçibiólo doña Ximena   e sus fijas amas:
—«¡Venides, Campeador,   en buena ora çinxiestes espada,

2157. *escura*: 'escolte'. *dessí luego*: 'de allí en seguida'.
2172. *Asur González*: era probablemente hermano mayor de
los infantes de Carrión. *bulidor*: 'amigo de bulla'.
2173. *largo de lengua*: 'hablador'.
2178. *reyal*: 'albergue, alojamiento'. *reyal*] e *add. Ms.*
2185. El corrector interlinea *en* y *ora*; hay que suplirlos porque no se documenta una fórmula *buena cinxiestes espada*
(Horrent, 1982, p. 205).

»muchos días vos veamos   con los oios de las caras!»   2186
—«Grado al criador vengo,   mugier ondrada;
»hyernos vos adugo,   de que avremos ondrança;
»gradídmelo, mis fijas,   ca bien vos he casadas.»
Besáronle las manos   la mugier e las fijas amas   *45r*
e todas las dueñas   que las sirven [sin falla]:   2191

[109]

—«Grado al Criador   e a vós, Çid, barba velida,
»todo lo que vós feches   es de buena guisa,
»non serán menguadas   en todos vuestros días.»
—«Quando vós nos casaredes   bien seremos ricas.»   2195

[110]

—«Mugier doña Ximena,   grado al Criador;
»a vós digo,   mis fijas don Elvira e doña Sol,
»deste vu[e]stro casamiento   creçremos en onor,
»mas bien sabet verdad   que non lo levanté yo;
»pedidas vos ha e rogadas   el myo señor Alfonsso   2200
»atán firmemientre   e de todo coraçón,
»que yo nulla cosa   nol' sope dezir de no;
»metívos en sus manos,   fijas, amas a dos,
»bien me lo creades,   que él vos casa, ca non yo.»

[111]

Penssaron de adobar   essora el palaçio: 2205
por el suelo e suso   tan bien encortinado,
tanta pórpola e tanto xámed   e tanto paño preciado:
¡sabor abriedes de ser   e de comer en el palaçio!

2191. Adoptamos la razonable enmienda de Smith, que completa el segundo hemistiquio. Horrent, a zaga de Menéndez Pidal, propone llevar más lejos la corrección y agrupar los vv. 2190 y 2191 con los de la siguiente tirada.
2196. criador *Ms*.
2199-2204. El Cid insiste aquí en hacer responsable de las bodas de sus hijas al rey para recordárselo luego en la «cort» (*cf.* v. 3150).
2207. *pórpola*: 'tela de púrpura'. *xámed*: 'tela de seda'.

Todos sus cavalleros   apriessa son iuntados;   2210
por los yffantes de Carrión   essora enbiaron.
Cavalgan los yffantes,   adelant adelinavan al palaçio,
con buenas vestiduras   e fuertemientre adobados,
de pie e a sabor,   ¡Dios, qué quedos entraron!
Reçibiólos Myo Çid   con todos sus vasallos;   *45v*
a él e a su mugier   delant se le omillaron   2215
e yvan posar   en un preçioso escaño.
Todos los de Myo Çid   tan bien son acordados:
están parando mientes   al que en buen ora nasco.
El Campeador   en pie es levantado:
—«Pues que a fazer lo avemos,   ¿por qué lo ymos tardando?
»Venit acá, Albarfánez,   el que yo quiero e amo,   2221
»afé amas mis fijas,   métolas en vuestra mano,
»sabedes que al rey   assí ge lo he mandado,
»no lo quiero falir por nada   de quanto ay parado.
»A los yfantes de Carrión   dadlas con vuestra mano   2225
»e prendan bendiçiones   e vayamos recabdando.»
—«Esto[n]z», dixo Minaya,   «esto faré yo de grado».
        Levántanse derechas   e metiógelas en mano.
A los yfantes de Carrión   Minaya va fablando:
—«Afevos delant Minaya,   amos sodes hermanos,   2230
»por mano del rey Alfonsso,   que a mí lo ovo mandado,
»dovos estas dueñas,   amas son fijasdalgo,
»que las tomássedes por mugieres,   a ondra e a recabdo.»
        Amos las reçiben   d'amor e de grado,
a Myo Çid e a su mugier   van besar la mano.   2235
Quando ovieron aquesto fecho,   salieron del palaçio,
pora Sancta María   apriessa adelinnando.
El obispo don Iherónimo   vistiós' tan privado,   *46r*
a la puerta de la eclegia   sediellos sperando;
dioles bendictiones,   la missa á cantado.   2240
Al salir de la ecclegia   cavalgaron tan privado,
a la glera de Valençia   fuera dieron salto.
¡Dios, qué bien tovieron armas   el Çid e sus vassalos!
Tres cavallos cameó   el que en buen ora nasco.
Myo Çid de lo que veye   mucho era pagado.   2245
Los yfantes de Carrión   bien an cavalgado.

2213. *quedos*: 'quietos, comedidos' (Menéndez Pidal, p. 814,
también nos sugiere 'contentos').
2226. *recabdando*: 'acabando'.
2227. Gracias a la mano correctora el ms. lee *estoze* (cf. Horrent, 1982, p. 206).

Tórnanse con las dueñas, a Valençia an entrado.
Ricas fueron las bodas en el alcáçar ondrado
e al otro día fizo Myo Çid fincar VII tablados;
antes que entrassen a iantar todos los quebrantaron. 2250
  Quinze días conplidos en las bodas duraron;
hya çerca de los XV días yas' van los fijosdalgo.
Myo Çid don Rodrigo, el que en buen ora nasco,
entre palafrés e mulas e corredores cavallos,
en bestias sines al C son mandados; 2255
mantos e pelliçones e otros vestidos largos;
non fueron en cuenta los averes monedados.
Los vassallos de Myo Çid assí son acordados:
cada uno por sí sos dones avien dados.
Qui aver quiere prender bien era abastado; 2260
ricos tornan a Castiella los que a las bodas legaron. *46v*
  Hyas' yvan partiendo aquestos ospedados,
espidiéndos' de Ruy Díaz, el que en buen ora nasco,
e a todas las dueñas e a los fijosdalgo.
Por pagados se parten de Myo Çid e de sus vassallos, 2265
grant bien dizen dellos, ca será aguisado.
  Mucho eran alegres Diego e Fernando,
éstos fueron fijos del conde don Gonçalo.
  Venidos son a Castiella aquestos ospedados,
el Çid e sos hyernos en Valençia son rastados. 2270
Hý moran los yfantes bien cerca de dos años;
los amores que les fazen mucho eran sobeianos,
alegre era el Çid e todos sus vassallos.
¡Plega a Sancta María e al Padre sancto
ques' page des' casamiento Myo Çid o el que lo ovo [a]
                                                      [algo!
  Las coplas deste cantar aquís' van acabando, 2276
¡el Criador vos valla con todos los sos sanctos!

2251. duraron en las bodas *Ms.*
2255. *bestias sines*: 'animales para cabalgar o para cargar'.
2263. *espidiéndos' de... a...*: 'despidiéndose de... de...'.
2270. *son rastados*: 'permanecen'.
2275. Este verso fue leído con reactivos por Menéndez Pidal
y ahora está ilegible; aceptamos la lectura de Menéndez Pidal y
de Horrent.
2276. M. Garci-Gómez, 1975, pp. 155-171, eleva a categoría de
recurso el contraste entre este final alegre y el principio lloroso
(así también se le antoja cortados por ese patrón el episodio de
Rachel y Vidas, el del Conde de Barcelona y los combates contra
los moros); y por ahí cree probar la *initio in medias res* respecto a todo el *Poema*.

[CANTAR TERCERO]

[112]

En Valençia sey   Myo Çid con todos sus vassallos,
con él amos sus yernos   los yfantes de Carrión.
Yazies' en un escaño,   durmie el Campeador;   2280
mala sobrevienta,   sabed, que les cuntió:
saliós' de la red   e desatós' el león,
en grant miedo se vieron   por medio de la cort;
enbraçan los mantos   los del Campeador
e çercan el escaño   e fincan sobre so señor.   2285
Fernán Gonçález non vio allí dos' alçasse,   nin cámara abier-
                                   [ta nin torre,   47r

metiós' so'l escaño,   ¡tanto ovo el pavor!
Diego Gonçález   por la puerta salió,
diziendo de la boca: —«¡Non veré Carrión!»
Tras una viga lagar   metiós' con grant pavor;   2290
el manto e el brial   todo suzio lo sacó.
En esto despertó   el que en buen ora naçió;
vio çercado el escaño   de sus buenos varones:

2278-2310. Aun admitiendo ciertas reminiscencias bíblicas en
el pasaje, no nos decidimos a asentir a las interpretaciones sim-
bólico-alegóricas de Spitzer, 1938, pp. 525-530, A. Henry, 1939,
pp. 94-95, P. R. Olson, 1962, pp. 499-511, C. Bandera, 1956, pp. 345-
351, y M. Garci-Gómez, 1975, pp. 172-206, a las que alude (connivente) C. Smith, 1983, pp. 153-154. M. E. Lacarra, 1980, pp. 84-89,
nos ha aclarado las implicaciones jurídicas del episodio: «las
causas que motivan el *riepto* en el poema derivan del episodio
del león que escapó del palacio del Cid, y de su consecuencia,
la afrenta de Corpes» (p. 84). No obstante, para la tradición del
león reverente, pueden verse las páginas de Garci-Gómez (*ibid.*).
    2278. Menéndez Pidal y Horrent enmiendan este verso de
transición: *En Valençia seye Myo Cid con todos [los sos]. sey*
(3.ª pers. sing. imp. ind. de *ser*): 'estaba'.
    2281. *sobrevienta*: 'sobresalto, sorpresa'. *cuntió* (3.ª pers. sing.
pret. ind. de *cuntir*): 'aconteció'.
    2284. *enbraçan*: 'embrazan'.
    2291. *brial*: «vestido propio de los dos sexos, especie de 'tú-
nica'» (Menéndez Pidal, p. 513).

—«¿Qu'es esto, mesnadas, o qué queredes vós?»
—«Hya, señor ondrado, rebata nos dio el león.»   2295
Myo Çid fincó el cobdo, en pie se levantó,
el manto trae al cuello e adelinó pora['l] león.
El león quando lo vio assí envergonçó,
ante Myo Çid la cabeça premió e el rostro fincó.
Myo Çid don Rodrigo al cuello lo tomó,   2300
e liévalo adestrando, en la red le metió.
A maravilla lo han quantos que ý son,
e tornáronse al palaçio pora la cort.
   Myo Çid por sos yernos demandó e no los falló;
mager los están lamando, ninguno non responde.   2305
Quando los fallaron e ellos vinieron, assí vinieron sin color:
¡non viestes tal guego commo yva por la cort!
Mandólo vedar Myo Çid el Campeador.
Muchos tovieron por enbaýdos los yfantes de Carrión;
¡fiera cosa les pesa desto que les cuntió!   2310

[113]

   Ellos en esto estando don avien grant pesar,
fuerças de Marruecos Valençia vienen çercar.   47v
Cinquaenta mill tiendas fincadas ha de las cabdales;
aquéste era el rey Búcar, sil' ouiestes contar.

[114]

   Alegravas' el Çid e todos sus varones   2315
que les creçe la ganançia grado al Criador.
Mas, sabed, de cuer les pesa a los yfantes de Carrión,
ca veyen tantas tiendas de moros de que non avie[n] sabor.
Amos hermanos apart salidos son:
—«Catamos la ganançia e la pérdida no;   2320
»ya en esta batalla a entrar abremos nós.
»Esto es aguisado por non ver Carrión;

2303. tornaron sal apalaçio *Ms.*
2307. *guego*: 'burla'.
2311-2490. C. Smith, 1977, pp. 146-149, y 1983, p. 163, muestra
algunos paralelos entre este episodio y otros del *Ogier.*
2309. *enbaýdos*: 'atropellados'.
2314. *rey Búcar*: este nombre es probablemente el del famoso
general almorávide Sir ben Abu-Beker.

»bibdas remandrán   fijas del Campeador.»
Oyó la poridad   aquel Muño Gustioz;   2324
vino con estas nuevas   a Myo Çid Ruy Díaz el Campeador:
—«Evades que pavor han vuestros yernos: tan osados
                                                              ([son];
»por entrar en batalla,   desean Carrión;
»hydlos conortar,   sí vos vala el Criador,
»que sean en paz   e non ayan ý raçión.
»Nós convusco la vencremos   e valer nos ha el Criador.»
Myo Çid don Rodrigo   sonrisando salió: 2331
—«Dios vos salve, yernos,   yfantes de Carrión;
»en braços tenedes mis fijas,   tan blancas commo el sol.
»Hyo desseo lides   e vós a Carrión;
»en Valençia folgad   a todo vuestro sabor,   2335
»ca d'aquelos moros   yo só sabidor:
»arrancar me los trevo   con la merçed del Criador.»

.   .   .   .

[115]

—«... aun vea el ora   que vos meresca dos tanto.»   48r
En una conpaña   tornados son amos.
Assí lo otorga don Pero   cuemo se alaba Ferrando;   2340
plogo a Myo Çid   e a todos sos vassallos:
—«Aún si Dios quisiere   e el Padre que está en alto,
»amos los myos yernos   buenos serán en ca[m]po.»
    Esto van diziendo*   e las yentes se alegando;
en la ueste de los moros   los atamores sonando: 2345
a marav[i]lla lo avien   muchos dessos christianos,
ca nunqua lo vieran,   ca nuevos son legados.
Más se maravillan   entre Diego e Ferrando,
por la su voluntad   non serien allí legados.
    Oýd lo que fabló   el que en buen ora nasco: 2350
—«Alá, Pero Vermuez,   el myo sobrino caro,
»cúriesme a Diego   e cúriesme a don Fernando,

2323. *bibdas*: 'viudas'.
2326. Aceptamos la solución de Menéndez Pidal refrendada
por Smith y Horrent (quienes añaden *son* al verso para completar acordemente con la asonancia).
2327. *por*: 'en vez de'.
2337. *trevo* (aux. de modo, con infinitivo): 'atrevo a'. Falta
después un folio en el manuscrito.
2343. *semran Ms.*

»myos yernos amos a dos,   la cosa que mucho amo,
»ca los moros, con Dios,   non fincarán en canpo.»

[116]

—«Hyo vos digo, Çid,   por toda caridad,   2355
»que oy los yfantes   a mí por amo non abrán;
»¡cúrielos quiquier,   ca dellos poco m'incal!
»Hyo con los myos   ferir quiero delant;
»vós con los vuestros   firmemientre a la çaga tengades:
»si cueta fuere,   bien me podredes huviar.»   2360
Aquí legó   Mynaya Albarfánez:
—«Oýd ya, Çid,   canpeador leal,   2361b
»esta batalla   el Criador la ferá,
»e vós, tan dinno   que con Él avedes part;
»mandádno'los ferir   de qual part vos semeiar.
»El debdo que a cada uno   a conplir será   48v
»verlo hemos con Dios   e con la vuestra auze.»   2366
Dixo Myo Çid: —«Ayamos más de vagar.»
     Afevos el obispo don Iherónimo,   muy bien armado
                                                    ([está],
paravas' delant al Campeador   siempre con la buen auze:
—«Oy vos dix la missa   de Sancta Trinidade;   2370
»por esso salí de mi tierra   e vinvos buscar,
»por sabor que avía   de algún moro matar;
»mi orden e mis manos   querríalas ondrar
»e a estas feridas   yo quiero yr delant:
»pendón trayo a corças   e armas de señal;   2375
»si plogiesse a Dios,   querríalas ensayar:
»myo coraçón   que pudiesse folgar
»e vos, Myo Çid,   de mí más vos pagar.
»Si este amor non feches,   yo de vós me quiero quitar.»
Essora dixo Myo Çid: —«Lo que vós querades plazme;
»afé los moros a oio,   ydlos ensayar.   2381
»Nós d'aquent veremos   cómmo lidia el abbat.»

2353. El corrector arregla *las cosas*.
2357. *m'incal*: 'me importa'.
2362. *ferá* (3.ª pers. sing. fut. ind. de *fazer*): 'hará'.
2368. Con Menéndez Pidal y Horrent, creemos conveniente
completar el hemistiquio.
2375. corças Ms. Restituimos *corças* de acuerdo con las opi-
niones más autorizadas.

[117]

El obispo don Iherónimo   priso a espolonada
e ývalos ferir   a cabo del albergada.
Por la su ventura   e Dios quel' amava,   2385
a los primeros colpes   dos moros matava de la lança;
el ástil á quebrado   e metió mano al espada.
Ensayavas' el obispo,   ¡Dios, qué bien lidiava! :
dos mató con lança   e V con el espada.
Los moros son muchos,   derredor le çercavan;   49v
dávanle grandes colpes,   mas no!' falsan las armas.   2391
El que en buen ora nasco   los oios le fincava;
enbraçó el escudo   e abaxó el asta,
aguijó a Bavieca,   el cavallo que bien anda,
hývalos ferir   de coraçón e de alma.   2395
En las azes primeras   el Campeador entrava,
abatió a VII   e a IIII matava.
Plogo a Dios   aquesta fue el arrancada.
Myo Çid con los suyos   cae en alcança.
¡Veriedes quebrar tantas cuerdas   e arrancarse las estacas,
e acostarse los tendales,   con huebras eran tantas!   2401
Los de Myo Çid a los de Búcar   de las tiendas los sacan.

[118]

Sácanlos de las tiendas,   cáenlos en alcaz:
¡tanto braço con loriga   veriedes caer apart;
tantas cabeças con yelmos   que por el campo caen;   2405
cavallos sin duenos   salir a todas partes!
VII migeros conplidos   duró el segudar;
Myo Çid al rey Búcar   cayól' en alcaz:
—¡Acá torna, Búcar,   venist d'alént mar,
»verte as con el Çid,   el de la barba grant;   2410
»saludar nos hemos amos   e taiaremos amista[d]!»
Respuso Búcar al Çid: —«¡Confonda Dios tal amistad!

2383.   *priso a espolonada*: «'arremetida de caballeros', en general es la que unos pocos caballeros, adelantándose a su hueste,
hacen contra el enemigo» (Menéndez Pidal, p. 671).
2384.   *a cabo del albergada*: 'junto a campamento moro'.
2401.   *huebras*: 'adornos, labores'.
2403.   *alcaz*: 'persecución'.
2407.   *migeros*: 'millas'.
2411.   *taiaremos*: 'trabaremos'. amistas *Ms*.
2412.   *Confonda*: 'cofunda'.

»El espada tienes desnuda en la mano   e veot' aguiiar:
»así commo semeia,   en mí la quieres ensayar.
»Mas si el cavallo non estropieça,   o comigo non caye,   *49v*
»non te iuntarás comigo   fata dentro en la mar.»   2416
Aquí respuso Myo Çid: —«Esto non será verdad.»
    Buen cavallo tiene Búcar   e grandes saltos faz,
mas Bavieca, el de Myo Çid,   alcançándolo va.
Alcançólo el Çid a Búcar   a tres braças del mar;   2420
arriba alçó Colada,   un grant colpe dádol' ha,
las carbonclas del yelmo   tollidas ge la[s] ha;
cortól' el yelmo   e librado todo lo hal,
fata la çintura   el espada legado ha:
mató a Búcar,   el rey de alén mar,   2425
e ganó a Tizón,   que mill marcos d'oro val.
Vençió la batalla,   maravillosa e grant.
Aquís' ondró Myo Çid   e quantos con él [están].

[119]

    Con estas gananças   yas' yvan tornando;
sabet, todos de firme   robavan el campo.   2430
A las tiendas   eran legados,
do estava   el que en buen ora nasco.
Myo Çid Ruy Díaz,   el Campeador contado,
con dos espadas,   que él preçiava algo,
por la matança   vinía tan privado.   2435
La cara fronzida   e almófar soltado,
cofia sobre los pelos,   fronzida della yaquanto.
Algo vie Myo Çid   de lo que era pagado.
Alçó sos oios,   esteva adelant catando,
e vio venir   a Diego e a Fernando,   *50r*

2420. *braças*: 'brazas'.
2426. *Tizón* (de *Titione*): podría tratarse de la misma *Tizó*
que usó Jaime I de Aragón y que después figurará sucesivamente en la armería de Pedro IV el Ceremonioso y en la del rey
Martín. También encontramos una *Tizona* entre los tesoros de la
cámara real de Castilla, que se había apropiado don Alvaro de
Luna, y luego en la armería de Isabel la Católica.
2428. *son Ms.*
2431-2432. En el ms. *do estava* forma parte del verso anterior.
2437. *yaquanto* (pron. indef.): 'algo'.
2439. *esteva*: 'estaba'.

amos son fijos   del conde don Go[n]çalo.   2441
Alegrós' Myo Çid,   fermoso sonrisando:
—«Venides, myos yernos,   myos fijos sodes amos;
»sé que de lidiar   bien sodes pagados;
»a Carrión de vós   yrán buenos mandados,   2445
»cómmo al rey Búcar   avemos arrancado.
»Commo yo fio por Dios   e en todos los sos sanctos,
»desta arrancada   nós yremos pagados.»
    Mynaya Albarfánez   essora es legado,
el escudo trae al cuello   e todo espad[ad]o;   2450
de los colpes de las lanças   non avie recabdo:
aquelos que ge los dieran   non ge lo avien logrado;
por el cobdo ayuso   la sangre destellando:
de XX arriba   ha moros matado.
De todas partes   sos vassalos van legando: 2455
—«Grado a Dios e al Padre,   que está en alto,
»e a vós, Çid,   que en buen ora fuestes nado,
»matastes a Búcar   e arrancamos el canpo.
»Todos estos bienes   de vós son e de vuestros vassallos.
»E vuestros yernos   aquí son ensayados,   2460
»fartos de lidiar   con moros en el campo.»
Dixo Myo Çid: —«Yo desto só pagado:
»quando agora son buenos,   adelant serán preçiados.»
Por bien lo dixo el Çid,   mas ellos lo tovieron a mal[o].

[120]

Todas las ganançias   a Valençia son legadas,   50v
alegre es Myo Çid   con todas sus conpañas,   2466
que a la raçión caye   seysçientos marcos de plata.

[121]

Los yernos de Myo Çid   quando este aver tomaron
desta arrancada,   que lo tenien en so salvo,
cuydaron que en sus días   nunqua serien minguados.   2470

2450. espado *Ms.*
2464. mal *Ms.*
2465-2467. Nos adherimos a la opinión de Horrent, para quien
«le trois verses forment une courte laisse impecable». *raçión:*
'porción en un reparto'.

Fueron en Valençia   muy bien arreados,
conduchos a sazones,   buenas pieles e buenos mantos.
Mucho son alegres   Myo Çid e sus vassallos.

[122]

Grant fue el día   [en] la cort del Campeador
después que esta batalla vençieron   e al rey Búcar mató.
Alçó la mano,   a la barba se tomó: 2476
—«Grado a Christus,   que del mundo es señor,
»quando veo   lo que avía sabor,
»que lidiaran comigo en campo   myos yernos amos a dos;
»mandados buenos   yrán dellos a Carrión,   2480
»cómmo son ondrados   e avervos grant pro.

[123]

«Sobeianas son las ganançias   que todos an ganad[o],
»lo uno es nuestro,   lo otro an en salvo.»
Mandó Myo Çid,   el que en buen ora nasco,
desta batalla   que han arrancado   2485
que todos prisiessen   so derecho contado
e la su quinta   non fuesse olbidado.
Assí lo fazen todos,   ca eran acordados.
Cayéronle en quinta al Çid   seyxçientos cavallos
e otras azémillas   e camelos largos: 51r
¡tantos son de muchos,   que non serien contados!   2491

[124]

Todas estas ganançias   fizo el Canpeador:
—«Grado a Dios,   que del mundó es señor,

2472.   *conduchos a sazones*: 'alimentos de excelente calidad'
('bien comidos').
2473.   Muchos *Ms*.
2481.   auer uos *Ms*.
2482.   ganadas *Ms*. Corregimos como Horrent, por más que no
acabamos de entender bien el pasaje. El parlamento del Cid
podría acabar con la tirada para que el juglar continuase con
su narración. De ser así, habría que reconocer un error en el
primer hemistiquio del v. 2482 (concretamente en *nuestro*).
2490.   *camelos largos*: 'muchos camellos'.

»antes fu minguado,   agora rico só,
»que he aver e tierra   e oro e onor,   2495
»e son myos yernos   yfantes de Carrión;
»arranco las lides   commo plaze al Criador;
»moros e christianos   de mí han grant pavor.
»Alá dentro en Marruecos,   ó las mezquitas son,
»que abrán de mí salto   quiçab alguna noch;   2500
»ellos lo temen,   ca non lo pie[n]sso yo:
»no los yré buscar,   en Valençia seré yo,
»ellos me darán parias   con aiuda del Criador;
»que paguen a mí   o a qui yo ovier sabor.»

   Grandes son los gozos en Valençia   con Myo Çid el Can-
                                                        [peador
de todas sus conpañas   e de todos sus vassallos;   2506
grandes son los gozos   de sus yernos amos a dos.
D'aquesta arrancada,   que lidiaron de coraçón,
valía de çinco mill marcos   ganaron amos a dos.
Muchos tienen por ricos   los yfantes de Carrión.   2510
Ellos con los otros   vinieron a la cort.
Aquí está con Myo Çid   el obispo don Iherónimo,
e'l bueno de Albarfánez,   cavallero lidiador,
e otros muchos   que crió el Campeador.

   Quando entraron   los yfantes de Carrión   2515
reçibiólos Mynaya   por Myo Çid el Campeador: *51v*
—«Acá venid, cuñados,   que más valemos por vós.»
Assí commo legaron,   pagós' el Campeador:
—«Evades aquí, yernos,   la mi mugier de pro
»e amas las mys fijas,   don Elvira e doña Sol,   2520
»bien vos abraçen   e sírvanvos de coraçón.
»Grado a Sancta María,   madre del nuestro señor Dios,   2524
»destos nuestros casamientos   vós abredes honor: 2525
»buenos mandados yrán   a tierras de Carrión.»

[125]

A estas palabras   fabló Fer[r]án Gonçález:
—«Grado al Criador   e a vós, Çid ondrado

2501.   *piensso*: 'pienso'.
2527.   Menéndez Pidal enmendó el segundo hemistiquio de
este verso de transición: *fablo ifant Ferrando*; Horrent prefiere *fablo Feran[do]*. Sin embargo, de ser necesaria la enmienda,
se podría sugerir: *fablo [Diego e] Ferrando*.

»tantos avemos de averes   que no son contados,
»por vós avemos ondra   e avemos lidiado,   2530
»vençiémos moros en campo   e matamos   2522
»a aquel rey Búcar,   traydor provado.   2523
»Pensad de lo otro,   que lo nuestro tenésmoslo en salvo.»
    Vassallos de Myo Çid   seyense sonrisando,
quién lidiara meior   o quién fuera en alcanço,
mas non fallavan ý   a Diego ni a Ferrando.
Por aquestos guegos   que yvan levantando   2535
e las noches e los días   tan mal los escarmentando
tan mal se consseiaron   estos yffantes amos.
Amos salieron apart   —veramientre son hermanos—;
desto que ellos fablaron   nós parte non ayamos:
—«Vayamos pora Carrión,   aquí mucho detardamos;   2540
»los averes que tenemos   grandes son e sobeianos,
»mientra que visquiéremos,   despender no lo podremos.

[126]

»Pidamos nuestras mugieres   al Çid campeador,
»digamos que las levaremos   a tierras de Carrión   52r
»enseñar las hemos   dó las heredades son;   2545
»sacar las hemos de Valençia   de poder del Campeador.
»Después en la carrera   feremos nuestro sabor,
»ante que nos retrayan   lo que cuntió del león.
»Nós de natura somos   de condes de Carrión;
»averes levaremos grandes,   que valen grant valor.   2550
»Escarniremos   las fijas del Canpeador.
»D'aquestos averes   sienpre seremos ricos omnes:
»podremos casar con fijas   de reyes o de enperadores,
»ca de natura somos   de condes de Carrión.
»Assí las escarniremos   a las fijas del Campeador,   2555

    2539. Como casi todos los editores, puntuamos este pasaje
colocando el verso fuera del parlamento de los infantes. No obstante, y contra lo que quiere Michael, no hay que rechazar en
absoluto la posibilidad —ni Garci-Gómez ni Clarke nos inclinan
a obrar con tal conjetura— de que el verso estuviera en boca
de los infantes. Así las cosas, los infantes vendrían a confirmarse en su escaso espíritu bélico y, en ese sentido, a excusarse ante
sí mismos: 'A lo que ellos hablaron [de la batalla y la participación en la vida militar valenciana], no tenemos ninguna obligación; por tanto, volvámonos a nuestra tierra'.
    2551. *Escarniremos*: 'escarneceremos'.

»antes que nos retrayan   lo que fue del león.»
  Con aqueste consseio   amos tornados son.
Fabló Fer[r]án Gonçález   e fizo callar la cort:
—«Sí vos vala el Criador,   Çid campeador,
»que plega a doña Ximena   e primero a vós   2560
»e a Mynaya Albarfánez   e a quantos aquí son,
»dadnos nuestras mugieres   que avemos a bendiçiones,
»levar las hemos   a nuestras tierras de Carrión,
»en las villas   meter las hemos [nós],
»que les diemos   por arras e por onores.   2565
»Verán vuestras fijas   lo que avemos nós,
»los fijos que oviéremos   en qué avrán partición.»
Dixo el Campeador: —«Darvos he mys fijas e algo de lo
[myo»
—el Çid, que no's curiava   de assí ser afontado—;   2569
«vós les diestes villas e tierras por arras   en tierras de
[Carrión,
»hyo quiéroles dar axuvar   III mill marcos de [valor];
»darvos é mulas e palafrés   muy gruessos de sazón,
»cavallos pora en diestro   fuertes e corredores   52v
»e muchas vestiduras   de paños e de çiclatones;
»darvos he dos espadas,   a Colada e a Tizón: 2575
»bien lo sabedes vós   que las gané a guisa de varón.
»Mios fijos sodes amos   quando mis fijas vos dó;
»allá me levades   las telas del coraçón.
»Que lo sepan en Gallizia   e en Castiella e en León
»con qué riqueza enbio   mios yernos amos a dos.   2580
»A mis fijas sirvades,   que vuestras mugieres son;
»si bien las servides,   yo vos rendré buen galardón».

2564. meter las hemos en las villas Ms. Hacemos caso, pues,
a la enmienda de Horrent, 1982, p. 215.
    2568-2569. Menéndez Pidal y Horrent invierten el orden de los
versos. Con todo, preferimos considerar el v. 2569 como un in-
ciso climático del poeta. Eso sí, y como nos dice Horrent, de todas
las correcciones propuestas para ese verso la más razonable es
la de Menéndez Pidal: No's curiava de fonta mio Cid el Campeador. El mismo Horrent edita, sin embargo, No's curiaua de assí
ser afontado el Campeador.
    2571. plata Ms. Enmendamos en compañía de Menéndez Pi-
dal, Smith y Horrent.
    2572. muy gruessos de sazón: 'de condición excelente'. é: in-
terlineado. Desde nuestro punto de vista, no creemos acertado
las consideraciones de Horrent para omitir é.
    2574. çiclatones: «'tela de seda' que solía estar tejida con oro»
(Menéndez Pidal, p. 573).

Atorgado lo han esto   los yffantes de Carrión;
aquí reçiben   las fijas del Campeador;
conpieçan a reçebir   lo que el Çid mandó.   2585
Quando son pagados   a todo so sabor,
hya mandavan cargar   yffantes de Carrión.
Grandes son las nuevas   por Valençia la mayor;
todos prenden armas   e cavalgan a vigor,
porque escurren sus fijas del Campeador   a tierras de Ca-
                                               [rrión.
Hya quieren cavalgar,   en espidimiento son.   2591
Amas hermanas   don Elvira e doña Sol
fincaron los ynoios   ant'el Çid Campeador:
—«Merçed vos pedimos, padre,   sí vos vala el Criador;
»vós nos engendrastes,   nuestra madre nos parió;   2595
»delant sodes amos,   señora e señor,
»agora nos enviades   a tierras de Carrión,
»debdo non es a cunplir   lo que mandáredes vos;   *53r*
»assí vos pedimos merçed   nós amas a dos
»que ayades vuestros menssaies   en tierras de Carrión.»
    Abraçólas Myo Çid   e saludólas amas a dos.   2601

[127]

Él fizo aquesto,   la madre lo doblava:
—«Andad, fijas, d'aquí,   el Criador vos vala,
»de mí e de vuestro padre   bien avedes nuestra graçia;
»hyd a Carrión,   do sodes heredadas.   2605
»Assí como yo tengo,   bien vos he casadas.»
Al padre e a la madre   las manos les besavan;
amos las bendixieron   e diéronles su graçia.
    Myo Çid e los otros   de cavalgar penssavan,
a grandes guarnimientos,   a cavallos e armas.   2610
Hya salien los yfantes   de Valençia la clara,
espiendos' de las dueñas   e de todas sus compañas;
por la huerta de Valençia   teniendo salien armas.
Alegre va Myo Çid   con todas sus compañas.
Violo a los avueros   el que en buen ora çinxó espada   2615

2586. *son*: es adición del corrector.
2590. *escurren*: 'acompañar al que va de viaje, saliendo con
él a despedirle'.
2591. *espidimiento*: 'despedida'.
2615. *avueros*: 'agüeros'.

que estos casamientos   non serien sin alguna tacha;
nos' puede repentir,   que casadas las ha amas.

[128]

—«¿Ó heres, myo sobrino,   tú, Félez Munoz?
»Primo eres de mis fijas amas   d'alma e de coraçón,
»mandot' que vayas con ellas   fata dentro en Carrión;   2620
»verás las heredades   que a mis fijas dadas son.
»Con aquestas nuevas   vernás al Campeador.»
Dixo Félez Munoz: —«Plazme d'alma e de coraçón.»
    Minaya Albarfánez   ante Myo Çid se paró: 53v
—«Tornémosnos, Çid,   a Valençia la mayor,   2625
»que si a Dios ploguiere   e al Padre Criador,
»hyr las hemos ver   a tierras de Carrión.»
—«A Dios vos hacomendamos,   don Elvira e doña Sol;
»atales cosas fed   que en plazer caya a nós.»
Respondien los yernos: —«Assí lo mande Dios.»   2630
    Grandes fueron los duelos   a la departiçión;
el padre con las fijas   loran de coraçón;
assí fazían   los cavalleros del Campeador.
—«Oyas, sobrino,   tú, Félez Munoz,
»por Molina yredes,   ý iazredes una noch;   2635
»saludad a myo amigo   el moro Avengalvón:
»reçiba a myos yernos   commo él pudier meior;
»dil' que enbío mis fijas   a tierras de Carrión,
»de lo que ovieren huebos   sírvanlas a so sabor.
»Desí, escúrralas fasta Medina   por la mi amor.   2640
»De quanto él fiziere,   yol' dar[é] por ello buen galardón.»
    Cuemo la uña de la carne   ellos partidos son,
hyas' tornó pora Valençia   el que en buen ora nasçió.
Piénssanse de yr   los yfantes de Carrión.
Por Sancta María d'Alvarrazín   fazían la posada   2645
Aguijan quanto pueden   yfantes de Carrión;
felos en Molina   con el moro Avengalvón.
El moro quando lo sopo   plógol' de coraçón;
saliólos recebir   con grandes avorozes.
¡Dios, qué bien los sirvió   a todo so sabor!   2650

    2635.   una noch y iazredes Ms.
    2645.   Horrent restituye, con Menéndez Pidal, la pasada fe-
cha fo.
    2649.   avorozes: 'alborozo'.

Otro día mañana   con ellos cavalgó;   54r
con dozientos cavalleros   escurrir los mandó;
hyvan troçir los montes,   los que dizen de Luzón.
A las fijas del Çid   el moro sus donnas dio,
buenos seños cavallos   a los yfantes de Carrión.   2655
Troçieron Arbuxuelo   e legaron a Salón;
ó dizen el Anssarera   ellos posados son.
Tod esto les fizo el moro   por el amor del Çid Campead[or].
Ellos veyen la riqueza   que el moro sacó;
entramos hermanos   consseiaron traçión: 2660
—«Hya pues que a dexar avemos   fijas del Campeador,
»si pudiéssemos matar   el moro Avengalvón,
»quanta riquiza tiene   aver la yemos nós;
»tan en salvo lo abremos   commo lo de Carrión.
»Nunqua avrie derecho de nos   el Çid Campeador.»   2665
   Quando esta falssedad   dizien los de Carrión
un moro latinado   bien ge lo entendió;
non tiene poridad,   díxolo [a] Avengalvón:
—«Acayaz, cúriate déstos,   ca eres myo señor,
»tu muert oý co[n]sseiar   a los yfantes de Carrión.»   2670

[**129**]

   El moro Avengalvón   mucho era buen barragán,
co[n] dozientos que tiene   yva cavalgar.
Armas yva teniendo,   parós' ante los yfantes;
de lo que el moro dixo   a los yfantes non plaze:
—«Dezidme qué vos fiz,   yfantes de Carrión;   2675
»hyo sirviéndovos sin art,   e vós consseiastes pora mi muert.
»Si no lo dexás   por Myo Çid el de Bivar,
»tal cosa vos faría   que por el mundo sonás,   54v
»e luego levaría sus fijas   el Campeador leal;
»vos nu[n]qua en Carrión   entrariedes iamás.   2680

   2657. *Anssarera*: lugar desconocido.
   2669. *Acayaz*: 'alcaide, quien tiene a su cargo el mando de una fortaleza' (Menéndez Pidal, p. 444).
   2671. *barragán*: 'valiente'.
   2675. Menéndez Pidal desplaza este verso tras el 2680, con lo que inaugura nueva tirada; Horrent, sin embargo, postula la supresión de *de Carrión*.

[130]

»Aquím' parto de vos   commo de malos e de traydores;
»hyré con vuestra graçia,   don Elvira e doña Sol.
»Poco preçio las nuevas   de los de Carrión.
»¡Dios lo quiera e lo mande,   que de tod el mundo es señor,
»d'aqueste casamiento   que[s'] grade el Campeador!»   2685
    Esto les ha dicho   e el moro se tornó.
Teniendo yvan armas   al troçir de Salón.
Cuemmo de buen seso,   a Molina se tornó.
    Ya movieron del Anssarera   los yfantes de Carrión;
acoiense a andar   de día e de noch.   2690
A siniestro dexan Atienza,   una peña muy fuert;
la sierra de Miedes   passáronla estoz;
por los Montes Claros   aguijan a espolón.
A siniestro dexan a Griza,   que Alamos pobló;

2691. atineza *Ms. Atiença*: ciudad que está a 35 km. al noroeste de Medinaceli.
2693. *Montes Claros*: «con ser nombre muy común, parece
tenerse que identificar con el rincón de la provincia de Guadalajara, que comprende la cuenca alta del río Jarama, hasta el
vado; el término de este pueblo y el de otros cuatro, que son
Colmenar, El Cardoso, Bocígano y Peñalba, se conoce hoy con
el nombre de Montes Claros; antes este nombre tenía acaso
mayor extensión por las tierras vecinas» (Menéndez Pidal, p. 51).
Ian Michael, «Geografical Problems in the *PMC*. II. The Corpes
route», en *«Mio Cid» Studies*, p. 84, dada la dudosa historicidad
del pasaje, se siente atraído por una explicación literaria: pudo
buscar ahí (otro tanto pretenderían los autores del *Libro de
Alexandre*, 2461c, y *Poema de Fernán González*, 36b, etc.), con su
inclusión, un «poetic or magical effect».
2694. *Griza*: supuesta localidad de la que no hay ningún rastro en los documentos de la época. Menéndez Pidal sospecha sea
una lección errada de Riaza, pueblo de la provincia de Segovia
(cuya distancia respecto al itinerario de los infantes lo obliga a
suponer un cambio —hacia el norte— consciente en el poeta).
Para superar tal escollo, Michael sugería que Riaza pudo referirse a algún punto del río homónimo en su curso hacia el
Duero. A P. E. Russell, 1978, p. 178, esas posibilidades no le
acababan de encajar en el contexto de la obra. El mismo Russell,
id., p. 179, se ha detenido otro tanto en la explicación del ¿an-
tropónimo? *Alamos*: así, en el latín clásico de Marcial y Lucano
se lee *Alanus* (entiéndase la *m* del *PMC* error de copista: *Ala-
nos*) con el sentido de «hombre bárbaro y feroz». Sólo hacía
falta concordar ese sujeto con su predicado («pobló») mediante
el recurso al significado (de nuevo) clásico y cristiano de *popu-
lare* («devastar», «saquear»). Michael cree es referencia mutilada
a las alamedas de Riaza.

POEMA DE MIO CID

allí son caños   do a Elpha ençerró.   2695
A diestro dexan a Sant Estevan,   mas cae aluén.
   Entrados son los yfantes   al robredo de Corpes;
los montes son altos,   las ramas puian con las nues,
e las bestias fieras   que andan aderredor.
Falaron un vergel   con una linpia fuent;   2700
mandan fincar la tienda   yfantes de Carrión.
Con quantos que ellos traen   ý iazen essa noch.

2695. A Menéndez Pidal, 1963, pp. 193-198, se le ocurrió tardíamente una interpretación de ese verso: imagina ahí el en-
cierro de una «ninfa o sílfide» (del apelativo germánico *Elfe*)
«de los bosques, de canto fascinador..., terrible en sus vengan-
zas...» en una caverna («caños»). Quizá «Elpha» —según P. E. Russell, 1978, pp. 179-180— oculte alguna llamada *Elphis*, nombre de
mujer frecuente en las inscripciones romanas (antes y después
de la era cristiana).
2697-2812. Si Walker, 1977, pp. 335-347, se apresuraba a desve-
larnos algunas analogías de ese pasaje con otros de la *Chanson
de Florence de Rome* (correspondencias que le negaron —por
cuestiones de cronología— Deyermond y Hook, 1981-1982, pp. 12-
37, para ir a buscarlas al libro VI de las *Metamorfosis* de Ovi-
dio), C. Smith, 1983, pp. 163-164, ha venido a añadir otras con
momentos del *Parise la duchese* (parece reconocer el «¡cortandos las cabeças, martires seremos nos!» de nuestro poema en
el «Quant serai relevée, si se me copez le chié» de su modelo).
Por otra parte, Menéndez Pidal, 1963, pp. 140-144, reconstruyó
las briznas que del episodio daban ya (aunque en forma ligeramente distinta) la *Historia Roderici* («suam uxorem et liberos
in custodis illaqueatos crudeliter retrudi...»), la *Crónica de veinte reyes* y la *Crónica de 1344*. J. K. Walsh, 1970-1971, pp. 165-172,
y H. S. Martínez, 1973, pp. 59-103, lo han visto dentro de la tradición literaria e iconográfica de los mártires. En una honda
parecida, D. J. Gilford, 1977, pp. 49-62, nos ha filtrado algunos
de sus aspectos folclóricos que cumple retrotraer a las Luper-
cales romanas. Curtius, 1955, p. 288, contempla el arranque a
la luz del zarandeado *tópos* del *locus amoenus* (idea que rápidamente impugnó Menéndez Pidal, 1963, pp. 110-113). Véanse también los trabajos de U. Leo, 1959, pp. 291-304, y H. Mendeloff,
1965, pp. 92-94.
2697. *robredo de Corpes*: Gracias a «una donación hecha en
914 por el famoso conde Fernán González y su madre Mumadue-
ña al monasterio de San Pedro de Arlanza», donde viene que
«per illos Ualles que exeunt ad Corpes usque in cabo de Ualles
ad illas coronas, sine de contra Montego usque ad illa quintana
que est de Steuano Euenarias in Ual de Vacas», Menéndez Pidal
ha podido dar casi por firme que se trata de un «robredo que
existió al Suroeste de San Esteban de Gormaz» (pp. 53-56 y 597).
2698. *Cf.* las razones de Horrent para enmendar este verso
(las rramas puian con las nues, altos son los montes). En este
pasaje se advierte cierto grado de corrupción en las asonancias.
puian: 'suben'. *nues*: 'nubes'.

Con sus mugieres en braços   demuéstranles amor:
mal ge lo cunplieron   quando salie el sol.
    Mandaron cargar las azémilas   con grandes averes;   2705
cogida han la tienda   do albergaron de noch.   55r
Adelant eran ydos   los de criazón:
assí lo mandaron   los yfantes de Carrión,
que non ý fincas ninguno   mugier nin varón,
sinon amas sus mugieres   doña Elvira e doña Sol: 2710
deportar se quieren con ellas   a todo su sabor.
Todos eran ydos,   ellos IIII solos son;
tanto mal comidieron   los yfantes de Carrión:
—«Bien lo creades,   don Elvira e doña Sol,
»aquí seredes escarnidas   en estos fieros montes;   2715
»oy nos partiremos   e dexadas seredes de nós:
»non abredes part   en tierras de Carrión.
»Hyrán aquestos mandados   al Çid Campeador.
»Nós vengaremos aquesta   por la del león.»
    Allí les tuellen   los mantos e los pelliçones;   2720
páranlas en cuerpos   e en camisas e en çiclatones.
Espuelas tienen calçadas   los malos traydores;
en mano prenden las çinchas,   fuertes e duradores.
Quando esto vieron las dueñas,   fablava doña Sol:
—«Por Dios vos rogamos,   don Diego e don Fer[r]ando,   2725
»dos espadas tenedes   fuertes e taiadores,
»al una dizen Colada   e al otra Tizón,
»cortandos las cabeças,   mártires seremos nós;
»moros e christianos   departirán desta razón,
»que por lo que nós mereçemos,   no lo prendemos nós:
»atán malos enssienplos   non fagades sobre nós;   2731
»si nós fuéremos maiadas,   abiltaredes a vós;

    2703.   Por ahí María Eugenia Lacarra da por consumado el
matrimonio entre los Infantes de Carrión y las hijas del Cid; y
en ese sentido apura una explicación para el verso 3231.
    2706.   cogida han: 'plegaron, recogieron'.
    2707.   de criazón: 'los criados'.
    2711.   deportar se: 'holgarse, solazarse'.
    2721.   páranlas en cuerpos: 'déjanlas en cueros'.
    2723.   duradores: 'duras'.
    2725.   Mientras Menéndez Pidal conjetura Por Dios vos roga-
mos, don Diago e don Ferando vos, Horrent traspone los términos: rogamos uos, don Diego e don Ferando, por Dios.
    2729.   departirán: 'hablarán, murmurarán'.
    2732.   maiadas: 'golpeadas, azotadas'. abiltaredes (2.ª pers. pl.
de fut. ind. de abiltar): 'avergonzaréis'.

»retraer vos lo an   en vistas o en cortes.»
    Lo que ruegan las duenas   non les ha ningún pro.   55v
Essora les conpieçan a dar   los yfantes de Carrión,   2735
con las çinchas corredizas   máianlas tan sin sabor,
con las espuelas agudas,   don ellas an mal sabor;
ronpien las camisas e las carnes   a ellas amas a dos;
linpia salie la sangre   sobre los çiclatones.
Ya lo sienten ellas   en los sos coraçones: 2740
¡quál ventura serie ésta   si ploguiesse al Criador
que assomasse essora   el Çid Campeador!
    Tanto las maiaron,   que sin cosimente son,
sangrientas en las camisas   e todos los çiclatones.
Canssados son de ferir · ellos amos a dos,   2745
ensayándos' amos   quál dará meiores colpes.
Hya non pueden fablar   don Elvira e dona Sol,
por muertas las dexaron   en el robredo de Corpes.

[131]

    Leváronles los mantos   e las pieles arminas,
mal dexan las maridas   en briales e camisas,   2750
e a las aves del monte   e a las bestias de la fiera guisa:

    2733.   La palabra *cort* ha sido mencionada en el *PMC* con
cierta frecuencia. Detengámonos un momento (de la mano de
M. E. Lacarra, 1980, p. 69) en sus varios significados. «A veces
significa lugar, morada del rey o señor» (2283). «Otras veces
designa la reunión de personas allegadas al rey o al Cid» (1360
y 2835). «Creo que este significado de Corte, como reunión del
rey, sus oficiales y nobles allegados, puede entenderse como la
Corte ordinaria... El tercer significado de *Cort* en el *Poema* es
el de *Corte extraordinaria*» (a que aluden ahora las hijas del Cid
para ganarse la benevolencia de sus agresores). Esa interpretación doblemente jurídica ya la había planteado Hinojosa, 1899,
pp. 574-579, y resumido L. Châlon, 1976, pp. 153-155. La palabra
Cort vino a sustituir a *Curia*: «usada en singular reemplazó a
lo que técnicamente se llama curia *reducida* u *ordinaria*, y en
plural a curia *plena* o *extraordinaria*...» (*ibid.*, p. 153).
    2743.   Verso ambiguo: todo depende del sentido que se le atri-
buya a *cosimente* (si lo leemos por 'merced, favor', tendremos de
sujeto a los Infantes de Carrión ['tanto las maltrataron, pues
ellos son unos despiadados']; si lo hacemos por 'fuerza, vigor
físico', habremos de colocar a las hijas del Cid en esa función
sintáctica ['tanto las maltrataron, que las dejaron sin fuerzas']).
    2748.   robredo *Ms.*
    2750.   *maridas*: 'afligidas'.

por muertas las dexaron,   sabed, que non por bivas.
¡Quál ventura serie   si assomás essora el Çid [Ruiz Díaz]!

[132]

Los yfantes de Carrión en el Robredo de Corpes   por
[muertas las dexaron,   2754-5
que el una al otra   nol' torna recabdo.
Por los montes do yvan   ellos ývanse alabando:
—«De nuestros casamientos   agora somos vengados: 56r
»nos las deviemos tomar por varraganas,   si non fuéssemos
[rogados,   2759-60
»pues nuestras pareias   non eran pora en braços;
»la desondra del león   assís' yrá vengando.»

[133]

Alabándos' yvan   los yfantes de Carrión.
Mas yo vos diré   d'aquel Félez Munoz,
—sobrino era   del Çid Campeador—.   2765
Mandáronle yr adelante,   mas de su grado non fue.
En la carrera do yva   doliól' el coraçón;
de todos los otros   aparte se salió.
En un monte espesso   Félez Munoz se metió,
fasta que viesse venir   sus primas amas a dos   2770
o qué an fecho   los yfantes de Carrión.
Viólos venir   e oyó una razón.
Ellos nol' vien   ni dend sabien ración;
sabet bien que, si ellos le viessen,   non escapara de muert.
Vansse los yfantes   aguijan a espolón.   2775
Por el rastro   tornós' Félez Munoz.
Falló sus primas   amorteçidas amas a dos;
lamando: —«¡Primas, primas!»   luego descavalgó.

2753. Aceptamos la enmienda de Menéndez Pidal y Horrent.
Canpeador *Ms.*
2754-2755. Este verso, de una extensión desmesurada, ha sido
regularizado por Menéndez Pidal y Horrent (entre otros); pero
se nos antoja innecesaria la supresión del sujeto, sobre todo en
inicio de tirada. Aceptamos, aun con riesgo y según hace I. Michael, este verso largo.
2759. *varraganas*: 'concubinas'.

Arrendó el caVallo,   a ellas adelinó:
—«¡ Ya primas, las mis primas,   don Elvira e doña Sol,
»mal se ensayaron   los yfantes de Carrión!   2781
»¡ A Dios plega e a sancta María   que dent prendan ellos mal
[galardón!»
    Valas tornando   a ellas amas a dos;
tanto son de traspuestas   que dezir nada non pueden.
Partiéronsele las tellas   de dentro de los coraçones,   2785
lamando: —«¡ Primas, primas,   don Elvira e don Sol!,
»despertedes, primas,   por amor del Criador,
»mientra es el día,   ante que entre la noch,   56v
»los ganados fieros   non nos coman en aqueste mont.»
    Van recordando   don Elvira e doña Sol;   2790
abrieron los oios   e vieron a Félez Munoz:
—«Esforçadvos, primas,   por amor del Criador;
»de que non me fallaren   los yfantes de Carrión,
»a grant priessa   seré buscado yo:
»si Dios non nos vale,   aquí morremos nós.»   2795
    Tan a grant duelo   fablava doña Sol:
—«Sí vos lo meresca,   myo primo,   ñuestro padre el Can-
[peador;
»dándos del agua,   ¡sí vos vala el Criador!»
    Con un sonbrero   que tiene Félez Munoz,
nuevo era e fresco,   que de Valençial' sacó,   2800
cogió del agua en él   e a sus primas dio.
Mucho son lazradas   e amas las fartó.
Tanto las rogó   fata que las assentó;
valas conortando   e metiendo coraçón
fata que esfuerçan   e amas las tomó   2805
e privado   en el cavallo las cavalgó.
Con el so manto   a amas las cubrió.
El cavallo priso por la rienda   e luego dent las part[ió].
Todos tres señeros   por los robredos de Corpes,

2779. *Arrendó*: 'ató el caballo por las riendas para que no se marchara'.
2783. *Valas tornando*: 'hízolas volver en su acuerdo' (Menéndez Pidal, p. 869).
2784. Que non pueden dezir nada *Ms*.
2785. Como la mayoría de editores enmendamos *de los coraçones*, aunque de tener alguna documentación fisiológica o anatómica podría interpretarse como referidos a los corazones de las muchachas, que desmayadas tienen 'los corazones partidos'.
2790. *recordando*: 'despertando'.
2809. *señeros*: 'solos'.

entre noch e día,   salieron de los montes.   2810
A las aguas de Duero   ellos arribados son,
a la torre de don Urraca   elle las dexó;
a Sant Estevan   vino Félez Munoz;
falló a Diego Téllez,   el que de Albarfánez fue.
Quando él lo oyó,   pesól' de coraçón.   57r
Priso bestias   e vestidos de pro;   2816
hyva reçebir   a don Elvira e a doña Sol.
En Sant Estavan   dentro las metió;
quanto él meior puede,   allí las ondró.
Los de Sant Estevan   siempre mesurados son,   2820
quando sabien esto,   pesóles de coraçón;
a llas fijas del Çid   danles esfuerço.
Allí sovieron ellas   fata que sañas son.
    Allabándos' seyan   los yfantes de Carrión.
De cuer pessó esto   al buen rey don Alfonsso.   2825
Van aquestos mandados   a Valençia la mayor.
Quando ge lo dizen   a Myo Çid el Campeador,
una grand ora   penssó e comidió;
alçó la su mano,   a la barba se tomó:
—«Grado a Christus,   que del mundo es señor,   2830
»quando tal ondra me an dada   los yfantes de Carrión.
»Par aquesta barba   que nadi non messó,
»non la lograrán   los yfantes de Carrión,
»que a mis fijas   bien las casaré yo.»
    Pesó a Myo Çid   e a toda su cort,   2835
e [a] Albar Fánez   d'alma e de coraçón.   2835b
Cavalgó Minaya   con Pero Vermuez
e Martín Antolínez,   el burgalés de pro,

2812. *torre de don Urraca*: esta torre (hoy La Torre a secas),
en realidad, se halla a unos 5 km. del río Duero «y en situación
que conviene mal para el papel que el poeta aquí le atribuye»
(P. E. Russell, 1978, p. 171).
    2814. *Diego Téllez*: este nombre figura en los documentos ju-
rídicos de Castilla entre los años 1063 y 1106 emparejado, por un
lado, con Teresa y, por otro, con Paula. El uno hizo una donación a Silos en 1088 (en cuyo monasterio se conserva el sepulcro
de su consorte). El otro, o quizá el mismo, fue gobernador de
Sepúlveda en 1086 (según diploma de San Millán): algunos años
antes (en 1076) Álvar Fáñez había desempeñado un papel importante en la repoblación de esa ciudad (de ahí el v. 2814). Al fin
y a la postre, todo pudo ser mera invención del poeta. *Cf.* C.
Smith, 1983, pp. 168-169.
    2823. *sovieron* (3.ª pers. pl. pret. ind. de *ser*): 'estuvieron, per-
manecieron'.

con CC cavalleros   quales Myo Çid mandó.
Díxoles fuertemientre   que andidiessen de día e de noch,
aduxiessen a sus fijas   a Valençia la mayor.   2840
Non lo detardan   el mandado de su señor;   57v
apriessa cavalgan   andan los días e las noches;
vinieron a Gormaz,   un castiello tan fuert.
Hý albergaron,   por verdad, una noch.
A Sant Estevan   el mandado legó,   2845
que vinie Mynaya   por sus primas amas a dos.
Varones de Sant Estevan,   a guisa de muy pros,
reçiben a Minaya   e a todos sus varones.
Presentan a Minaya   essa noche grant enffurçión;
non ge lo quiso tomar,   mas mucho ge lo gradió: 2850
—«Graçias, varones de Sant Estevan,   que sodes connosçe-
                                                    [dores,
»por aquesta ondra   que vos diestes   a esto que nos cuntió,
»mucho vos lo gradeçe   allá do está Myo Çid el Campeador:
»assí lo fago yo,   que aquí estó;
»affé, Dios de los çielos,   que vos dé dent buen galardón.»
     Todos ge lo gradeçen   e sos pagados son.   2856
Adelinan a posar   pora folgar essa noch.
Minaya va ver   sus primas dó son.
En él fincan los oios   don Elvira e doña Sol:
—«Atanto vos lo gradimos,   commo si viéssemos al Criador;
»e vós a Él lo gradid   quando bivas somos nós.   2861
»En los días de vagar,   toda nuestra rencura sabremos
                                                    [contar.»

2843.   Sant esteuan de Gormaz Ms. (cuya lectura enmendamos con la mayoría de editores).
2849.   enffurçión: 'tributo en viandas y granos, que pagaba el
pechero al señor por razón del solar que éste le daba'.
2861.   Menéndez Pidal agrupó este verso con los de la tirada
133 reconstruyéndolo en dos: En los días de vagar, en Valençia la Mayor / toda nuestra rencura sabremos contar nos. Horrent sólo añade nos, admisible en el caso de que se hubiera perdido el final del verso (por su extensión) en el antígrafo (pérdida que no acertó a reconstruir nuestro copista más atento a la
asonancia de la tirada siguiente, a la que se incorporó el verso).
Sin embargo, podía sugerirse un vos métricamente tónico.

[134]

Loravan de los oios   las dueñas e Albarfánez,
e Pero Vermuez   [conortado] las ha:
—«Don Elvira e doña Sol,   cuydado non ayades,   2865
»quando vós sodes sañas   e bivas e sin otro mal.
»Buen casamiento perdiestes,   meior podredes ganar.
»¡Aún veamos el día   que vos podamos vengar!»   58r
    Hý iazen essa noche   e tan grand gozo que fazen;
otro día mañana   pienssan de cavalgar.   2870
Los de Sant Estevan   escurriéndolos van,
fata río d'Amor   dándoles solaz.
D'allent se espidieron,   dellos piénssanse de tornar,
e Minaya con las dueñas   yva cab'adelant.
Troçieron Alcoçeva,   a diestro de[x]an Gormaz,   2875
ó dizen Bado de Rey   allá yvan p[a]sar;
a la casa de Berlanga   posada presa han.
Otro día mañana   métense a andar;
a qual dizen Medina   yvan albergar;
e de Medina a Molina   en otro día van.   2880
Al moro Avengalvón   de coraçón le plaz.
Saliólos a reçebir   de buena voluntad;
por amor de Myo Çid   rica cena les da.
Dent pora Valençia   adelinechos van.
    Al que en buen ora nasco   legava el menssaie,   2885
privado cavalga,   a reçebir los sale,
armas yva teniendo   e grant gozo que faze.
Myo Çid a sus fijas   ývalas abraçar;
besándolas a amas   tornós' de sonrisar:
—«Venides, mis fijas,   ¡Dios vos curie de mal!   2890
»Hyo tomé el casamiento,   mas non osé dezir ál.

2864. Casi todos los editores respetan el segundo hemistiquio.
Hace bien Horrent (por lo menos, paleográfica y rítmicamente, ya
que es, según aserto de Menéndez Pidal, «expresión desconocida») en enmendar, con Restori, *otro tanto* en *conortado*.
    2872. *río d'Amor*: de ubicación desconocida.
    2874. *cab'adelant*: 'hacia adelante'.
    2875. *Alcoçeva*: «lugar hoy despoblado, cerca de Gormaz» (Me-
néndez Pidal, p. 450), a diestro de sant esteuan de gormaz *Ms.*
(es necesaria la enmienda a la luz de las razones de Menéndez
Pidal, p. 59).
    2876. *Bado de Rey*: «lugar hoy despoblado, en la provincia
de Soria, cerca de Berlanga» (Menéndez Pidal, p. 492).
    2877. *Berlanga*: 32 km. al suroeste de San Esteban.

»Plega al Criador,   que en çielo está,
»que vos vea meior casadas   d'aquí en adelant.
»¡De myos yernos de Carrión   Dios me faga vengar!»
Besaron las manos   las fijas al padre.   2895
      Teniendo yvan armas,   entráronse a la cibdad.   *58v*
Grand gozo fizo con ellas   doña Ximena, su madre.
El que en buen ora nasco   non quiso tardar;
fablós' con los sos   en su poridad;
al rey Alfonsso de Castiella   penssó de enbiar: 2900

[135]

—«¿Ó eres, Muño Gustioz,   myo vassallo de pro,
»en buen ora te crié   a ti en la mi cort;
»lieves el mandado   a Castiella al rey Alfonsso:
»por mí bésale la mano,   d'alma e de coraçón,
»cuemo yo só vassallo   e él es myo señor.   2905
»Desta desondra que me an fecha   los yfantes de Carrión,
»quel' pese al buen rey   d'alma e de coraçón:
»él casó mis fijas,   ca non ge las di yo;
»quando las han dexadas   a grant desonor,
»si desondra ý cabe   alguna contra nós,   2910
»la poca e la grant   toda es de myo señor.
»Myos averes se me an levado,   que sobeianos son,
»esso me puede pesar   con la otra desonor:
»adúgamelos a vistas   o a iuntas o a cortes,
»commo aya derecho   de yfantes de Carrión,   2915
»ca tan grant es la rencura   dentro en mi coraçón.»
      Muño Gustioz   privado cavalgó,
con él dos cavalleros   quel' sirvan a so sabor
e con él escuderos   que son de criazón.
Salien de Valençia   e andan quanto pueden;   2920
nos' dan vagar   los días e las noches.
      Al rey   en San Fagúnt lo falló,   *59r*
rey es de Castiella   e rey es de León,
e de las Asturias,   bien á San Çalvador,
fasta dentro en Sanct Yaguo   de todo es señor   2925
e llos condes galliz[i]anos   a él tienen por señor.

2919. *criazón:* 'crianza que el señor da al vasallo'.
2924. De tratarse de San Salvador de Oviedo, podría posponerse la fecha del *PMC*, pues la primera vez que se lo declara
lugar santo es a fines del siglo XII (*cf.* Ubieto, 1973, pp. 68-69).

Assí commo descavalga   aquel Muño Gustioz,
omillós' a los santos   e rogó a[l] Criador.
Adelinó pora'l palaçio   do estava la cort;
con él dos cavalleros   quel' aguardan cum a señor.   2930
Assí commo entraron   por medio de la cort,
violos el rey   e connosçió a Muño Gustioz.
Levantós' el rey,   tan bien los reçibió;
delant el rey   los ynoios fincó
besávale los pies   aquel Muño Gustioz;   2935
—«Merçed, rey Alfonsso,   de largos reynos a vós dizen
[señor,

»los pies e las manos   vos besa el Campeador;
»ele es vuestro vassallo   e vós sodes so señor;
»casastes sus fijas   con yfantes de Carrión,
»alto fue el casamien[t]o,   ca lo quisiestes vós.   2940
»Hya vós sabedes la ondra   que es cuntida a nós,
»cuémo nos han abiltados   yfantes de Carrión:
»mal maiaron sus fijas   del Çid Campeador;
»maiadas e desnudas   a grande desonor,
»desenparadas las dexaron   en el robredo de Corpes   2945
»a las bestias fieras   e a las aves del mont.
»Afélas sus fijas   en Valençia do son.
»Por esto vos besa las manos,   commo vassallo a señor,   59v
»que ge los levedes a vistas   o a iuntas o a cortes.
»Tienes' por desondrado,   mas la vuestra es mayor: 2950
»e que vos pese, rey,   commo sodes sabidor;
»que aya Myo Çid derecho   de yfantes de Carrión.»
    El rey una grand ora   calló e comidió:
—«Verdad te digo yo   que me pesa de coraçón
»e verdad dizes en esto,   tú, Muño Gustioz,   2955
»ca yo casé sus fijas   con yfantes de Carrión;
»fizlo por bien   que fuesse a su pro.
»¡ Siquier el casamiento   fecho non fuesse oy!
»Entre yo e Myo Çid   pésanos de coraçón;
»aiudar l'é a derecho,   ¡sí[m'] salve el Criador!,   2960
»lo que non cuydava fer   de toda esta sazón.
»Andarán myos porteros   por todo myo reyno,
»pregonarán mi cort   pora dentro en Tolledo,
»que allá me vayan   cuendes e yfançones;

2934. Aceptamos la corrección de Bello, Smith y Horrent (entre otros).
2951. *sabidor*: 'entendido, prudente'.
2960. *sím'*: 'así me'. sin *Ms.*

»mandaré cómmo ý vayan   yfantes de Carrión,   2965
»e cómmo den derecho   a Myo Çid el Campeador,
»e que no aya rencura,   podiendo vedallo yo.»

[136]

»Dezidle al Campeador,   que en buen ora nasco,
»que destas VII semanas   adobes' con sus vassallos;
»vengan a Toledo: estol' dó de plazo.   2970
»Por amor de Myo Çid   esta cort yo fago.
»Saludádmelos a todos,   entr'ellos aya espaçio:
»desto que les abino   aún bien serán ondrados.»   *60r*
    Espidiós' Muño Gustioz,   a Myo Çid es tornado.
Assí commo lo dixo,   suyo era el cuydado: 2975
non lo detiene por nada   Alfonsso el castellano;
enbía sus cartas   pora León e a Sanctiyaguo,
a los portogaleses   e a galizianos,
e a los de Carrión   e a varones castellanos
que cort fazie en Tolledo   aquel rey ondrado,   2980
a cabo de VII semanas   que ý fuessen iuntados,
qui non viniesse a la cort   non se toviesse por su vassallo.
Por todas sus tierras   assí lo yvan penssando,
que non faliessen   de lo que el rey avye mandado.

[137]

    Hya les va pesando   a los yfantes de Carrión   2985
porque el rey fazie   en Tolledo cort;
miedo han que ý verná   Myo Çid el Campeador.
Prenden so consseio,   assí parientes commo son,
ruegan al rey   que los quite desta cort.
Dixo el rey: —«No lo feré, ¡sí[m]' salve Dios!,   2990
»ca ý verná   Myo Çid el Campeador,
»dar l'edes derecho,   ca rencura ha de vós;
»qui lo fer non quisiesse   o no yr a mi cort,
»quite myo reyno,   ca dél non he sabor.»

2967.   podiendo yo vedallo *Ms.* Corregimos con Horrent.
2984.   *non faliessen de:* 'no dejaran de cumplir'.
2986.   cort en Tolledo *Ms.*
2990.   sin *Ms.*

Hya lo vieron que es a fer   los yfantes de Carrión,   2995
prenden consseio,   parientes commo son.
El conde don Garçía   en estas nuevas fue,
enemigo de Myo Çid,   que mal siemprel' buscó,
aquéste consseió   los yfantes de Carrión.   *60v*
                                                   3000

Legava el plazo,   querien yr a la cort;
en los primeros   va el buen rey don Alfonsso,
el conde don Anrich   e el conde don Remond,
aquéste fue padre   del buen enperador,
el ocnde don Fruella   e el conde don Beltrán.
                                                   3005
Fueron ý de su reyno   otros muchos sabidores,
de toda Castiella   todos los meiores.
El conde don García   con yfantes de Carrión,
e Asur Gonçález   e Gonçalo Assúrez,
e Diego e Ferrando   ý son amos a dos,
e con ellos grand bando   que aduxieron a la cort, 3010
e[n]bayr le cuydan   a Myo Çid el Campeador.

De todas partes   allí iuntados son.
Aún non era legado   el que en buen ora naçió;

2995. *que es a fer*: 'que tienen que hacerlo'.
2998. que siemprel busco mal *Ms.* Corregimos en compañía
de Menéndez Pidal, Smith, Horrent, etc.
3002. *Anrich*: cuarto hijo de Enrique de Borgoña y, por lo
tanto, nieto de Roberto I (duque de Borgoña) y biznieto del rey
de Francia Roberto II; también era sobrino de la reina Constanza, mujer de Alfonso VI. *Remond*: era conde de Amous en
Borgoña e hijo cuarto de Guillermo I Têtehardie (conde soberano de Borgoña) y de Etiennette de Vienne. En 1807 estaba ya
casado con doña Urraca (hija del rey y de doña Constanza). Murió
cuando su hijo (Alfonso VII el Emperador) aún no había cumplido los tres años.
3003. A. Ubieto, 1973, pp. 20-22, impugnó el argumento de Menéndez Pidal revolviendo algunos documentos de finales del siglo XII y principios del XIII donde se alude a Alfonso VII en términos parecidos. En cualquier caso, el propio Menéndez Pidal
respondía en 1960 (recogido por 1963, p. 179) al Ubieto de 1957,
pp. 745-770, haciéndole notar que en *avus meus Imperator* «la
palabra que precisamente determina la persona es *avus* y no
Imperator a secas» (*ibid.*).
3004. *Fruella*: es el conde Froila Díaz, que aparece con frecuencia, entre los años 1077 y 1110, en los diplomas conocidos por
Menéndez Pidal como conde de León, de Aguilar, de Astorga y
como Mayordomo del *conde don Remond*, yerno de Alfonso VI.
Beltrán: la *Crónica de veinte Reyes* lo sustituye por *Birvon*. El
conde en cuestión era desconocido en vida del Cid y sus memorias (conde de Carrión desde 1117) empiezan dieciocho años después de la muerte de don Rodrigo.
3005. *sabidores*: 'peritos en leyes'.

porque se tarda, el rey non ha sabor.
Al quinto día venido es Myo Çid el Campeador.   3015
[A] Alvar Fáñez adelantel' enbió,
que besasse las manos al rey, so señor:
bien lo sopiesse que ý serie essa noch.
Quando lo oyó el rey plógol' de coraçón;
con grandes yentes el rey cavalgó   3020
e yva reçebir al que en buen ora naçió.
Bien aguisado viene el Çid con todos los sos,
buenas conpañas que assí an tal señor.
Quando l'ovo a oio el buen rey don Alfonsso,
firiós' a tierra Myo Çid el Campeador,   *61r*
biltar se quiere e ondrar a so señor.   3026
Quando lo [v]yo el rey, por nada non tardó:
—«Par Sant Esidro, verdad non será oy,
»cavalgad, Çid, si non, non avría de[n]d sabor;
»saludar nos hemos d'alma e de coraçón.   3030
»De lo que a vós pesa, a mí duele el coraçón.
»¡Dios lo mande que por vós se ondre oy la cort!»
—«Amén», dixo Myo Çid el Campeador.
Besóle la mano e después le saludó:
—«Grado a Dios, quando vos veo, señor,   3035
»omíllom' a vós e al conde do[n] Remond,
»e al conde don A[n]rrich e a quantos que ý son;
»Dios salve a nuestros amigos, e a vós más, señor.
»Mi mugier doña Ximena, dueña es de pro,
»bésavos las manos e mis fijas amas a dos: 3040
»desto que nos abino que vos pese, señor.»
Respondió el rey: —«Sí fago, sí[m'] salve Dios.»

[138]

Pora Tolledo el rey tornada da.
Essa noch Myo Çid Taio non quiso passar:
—«Merçed ya, rey, sí el Criador vos salve,   3045

3015-3103. C. Smith, 1977, pp. 142-144, nos señala el origen de
la escena en un episodio de *Girart de Rousillon* (a. «son ciento
los hombres»; b. «van a la iglesia antes de ir a la corte»; c. «el
nombre de la iglesia francesa, *Sant Symon*, pudo recordar a Per
Abad [*sic*] el nombre de *San Serván*..., ambas fuera de la ciudad al otro lado del río»).
3027. oyo *Ms*.
3042. sin *Ms*.

»penssad, señor,   de entrar a la çibdad,
»e yo con los myos   posaré a San Serván;
»las mis compañas   esta noche legarán,
»terné vigilia   en aqueste sancto logar;
»cras mañana   entraré a la çibdad   3050
»e yré a la cort   enantes de iantar.»
Dixo el rey: —«Plazme de veluntad.»
     El rey don Alfonsso   a Tolledo es entrado,   61v
Myo Çid Ruy Díaz   en San Serván posado.
     Mandó fazer candelas   e poner en el altar,   3055
sabor á de velar   en essa santidad,
al Criador rogando   e fablando en poridad.
Entre Minaya   e los buenos que ý ha
acordados fueron   quando vino la man.
Matines e prima   dixieron faza'l alba.   3060

[139]

Suelta fue la missa   antes que saliesse el sol
e su ofrenda han fecha   muy buena e [a sazón]:
—«Vós, Mynaya Albarfánez,   el myo braço meior,
»vós yredes comigo   e el obispo don Iherónimo,
»e Pero Vermuez   e aqueste Muño Gustioz,   3065
»e Martín Antolínez,   el burgalés de pro,
»e Albar Álbarez   e Albar Salvadórez
»e Martín Munoz,   que en buen punto naçió,
»e myo sobrino   Félez Munoz;
»comigo yrá Malanda,   que es bien sabidor,   3070

     3047. *San Serván*: es la basílica dedicada a los mártires Ser-
vando y Germano, que fue destruida dos veces.
     3061-3062. Por estos versos y algunos más de la escena, C.
Smith, 1977, p. 144, se remonta a los versos 232-235 («Jusqu'a de-
main que il dut esclarier. / Nostre empereres s'est vestus et chau-
ciez. / Messe et matines vait oir au monstier, / Il fist s'offrande
puis s'en est repairiez») del poema de *Amis et Amilie*.
     3062. conplida *Ms.*
     3070. *Malanda*: posiblemente dueño de un molino en Vi-
llahizán de Treviño donde el Cid, según la carta de arras de
doña Jimena, poseía heredades. «Es difícil —apostilla Russell,
1978. p. 26, las bases históricas que sobre el personaje aduce
Menéndez Pidal, p. 740— evitar aquí la sospecha de que fuera
el poeta, con su mentalidad legalista, quien, al entender que
en el difícil trance toledano su héroe debía necesitar a su lado
alguien que supiera de derecho y no encontrar a nadie en sus

»e Galind Garçiez, el bueno d'Aragón;
»con éstos, cúnplansse çiento de los buenos que ý son.
»Velmezes vestidos, por sufrir las guarnizones,
»de suso las lorigas, tan blancas commo el sol;
»sobre las lorigas, arminos e peliçones,   3075
»e que non parescan las armas, bien presos los cordones;
»so los mantos las espadas dulçes e taiadores.
»D'aquesta guisa quiero yr a la cort
»por demandar myos derechos e dezir mi razón;   62r
»si desobra buscaren yfantes de Carrión,   3080
»do tales çiento tovier bien seré sin pavor.»
Respondieron todos: —«Nós esso queremos, señor.»
 Assí commo lo á dicho, todos adobados son.
Nos' detiene por nada el que en buen ora naçió.
Calças de buen paño en sus camas metió,   3085
sobr'ellas unos çapatos, que a grant huebra son;
vistió camisa de rançal tan blanca commo el sol,
con oro e con plata todas las presas son,
al puno bien están, ca él se lo mandó;
sobr'ella un brial primo de çiclatón,   3090
obrado es con oro, pareçen por ó son;
sobr'esto una piel vermeia, las bandas d'oro son,
siempre la viste Myo Çid el Campeador;
una cofia sobre los pelos d'un escarín de pro,
con oro es obrada, fecha por razón   3095
que non le contalassen los pelos al buen Çid Canpeador;
la barba avie luenga e prísola con el cordón:
por tal lo faze esto que recabdar quiere todo lo [só];
desuso cubrió un manto, que es de grant valor,
en él abrien que ver quantos que ý son.   3100
 Con aquestos çiento que adobar mandó
apriessa cavalga, de San Serván salió.
Assí yva Myo Çid adobado alla cort.

---

fuentes narrativas, orales o escritas, insertara el nombre de Mal Anda, enterado de que por aquel tiempo ese individuo hubiera ejercido su profesión de legista junto al Cid.»
 3073. *Velmezes*: 'vestiduras que se ponían sobre la camisa para evitar que la loriga y demás guarniciones molestasen al cuerpo'.
 3080. *desobra* (palabra desconocida, quizá derivada de *de-supra*): 'demasía'.
 3094. *escarín*: 'tela muy fina de hilo'.
 3098. suyo *Ms*.

A la puerta de fuera   descavalga a sabor,
cuerdamientr[e] entra   Myo Çid con todos los sos.   3105
Él va en medio   e los çiento aderredor.
Quando lo vieron entrar   al que en buen ora naçió,
levantós' en pie   el buen rey don Alfonsso
e el conde don Anrich   e el conde don Remont,
e, desí adelant, sabet,   todos los otros.   3110
A grant ondra lo reçiben   al que en buen ora naçió.
Nos' quiso levantar   el Crespo de Grañón,
nin todos los del bando   de yfantes de Carrión.
El rey dixo al Çid: —«Venid acá ser, Campeador,
»en aqueste escano   quem' diestes vós en don;   3115
»mager que algunos pesa,   meior sodes que nós.»
Essora dixo muchas merçedes   el que Valençia gañó,
—«Sed en vuestro escaño   commo rey e señor,
»acá posaré   con todos aquestos mios.»
Lo que dixo el Çid   al rey plogo de coraçón.   3120
En un escaño torniño   essora Myo Çid posó;
los çiento quel' aguardan   posan aderredor.
Catando están a Myo Çid   quantos ha en la cort
a la barba que avie luenga   e presa con el cordón,
en sos aguisamientos   bien semeia varón.   3125
Nol' pueden catar de vergüença   yfantes de Carrión.

    Essora se levó en pie   el buen rey don Alfonsso:
—«Oýd, mesnadas,   sí vos vala el Criador,
»hyo de que fu rey   non fiz más de dos cortes,
»la una fue en Burgos   e la otra en Carrión;   3130
»esta terçera   a Tolledo la vin fer oy,
»por el amor de Myo Çid,   el que en buen ora naçió,
»que reçiba derecho   de yfantes de Carrión;   63r
»grande tuerto le han tenido,   sabémoslo todos nós.

3104-3694. E. de Hinojosa, 1899, pp. 562-563, Châlon, 1976, páginas 152-161, Smith, 1977, pp. 75-76, y Lacarra, 1980, pp. 64-77, han
resaltado el aspecto jurídico del litigio; C. Smith, 1983, pp. 165-166,
ha tirado de los modelos épicos franceses (en especial, del duelo
entre Béranguer y Milon de la *Parise la duchesse*) para asentir
al que le allegó Walsh, 1977, pp. 100-109 (la lid entre Gui d'Ale-
maigne y Guillaume en el *Couronnement de Louis*, amén de otros
análogos en la épica vernácula). Horrent, 1973, pp. 369-370, le ha
negado todo posible arrimo al pleito de Ganelón en la *Chanson de Roland*.
3105. cuerda mientra *Ms*.
3112. *el Crespo de Grañón*: apodo del Conde García Ordóñez.
3121. *torniño*: 'torneado'.

»Alcaldes sean desto   el conde don Anrich e el conde don
[Remond
»e estos otros condes   que del vando non sodes;   3136
»todos meted ý mientes,   ca sodes connosçedores,
»por escoger el derecho,   ca tuerto non mando yo.
»Della e della part   en paz seamos oy:
»Juro por Sant Esidro   el que bolviere my cort   3140
»quitar me á el reyno,   perderá mi amor.
»Con el que toviere derecho   yo dessa parte me só.
»Agora demande   Myo Çid el Campeador;
»sabremos qué responden   yfantes de Carrión.»
    Myo Çid la mano besó al rey   e en pie se levantó: 3145
—«Mucho vos lo gradesco,   commo a rey e a señor,
»por quanto esta cort   fiziestes por mi amor.
»Esto les demando   a yfantes de Carrión:
»por mis fijas quem' dexaron,   yo non he desonor,
»ca vós las casastes, rey,   sabredes qué fer oy.   3150
»Mas quando sacaron mis fijas   de Valençia la mayor,
»hyo bien l[o]s quería   d'alma e de coraçón,
»diles dos espadas,   a Colada e a Tizón,
»—éstas yo las gané   a guisa de varón—,
»ques' ondrassen con ellas   e sirviessen a vés.   3155
»Quando dexaron mis fijas   en el robredo de Corpes,
»comigo non quisieron aver nada   e perdieron mi amor,
»denme mis espadas,   quando myos yernos non son.»
    Atorgan los alcaldes: —«Tod'esto es razón.»   63v
    Dixo el conde don Garçía: —«A esto fablemos nós.»
Essora salien aparte   yffantes de Carrión,   3161
con todos sus parientes   e el vando, que ý son.
Apriessa lo yvan trayendo   e acuerdan la razón:
—«Aún grand amor nos faze   el Çid Campeador,
»quando desondra de sus fijas   no nos demanda oy;   3165
»bien nos abendremos   con el rey don Alfonsso;
»démosle sus espadas   quando assí finca la boz,
»e quando las toviere   partir se á la cort;
»hya más non avrá derecho   de nós el Çid Canpeador.»
    Con aquesta fabla   tornaron a la cort: 3170
—«Merçed ya rey don Alfonsso,   sodes nuestro señor,

3137. *connosçedores*: 'expertos en derecho'.
3140. *bolviere*: 'alborotase, perturbase'.
3152. *las Ms.*
3160. *nos fablemos Ms.*
3167. *finca la boz*: 'acaba'.

»no lo podemos negar,   ca dos espadas nos dio;
»quando las demanda   e dellas ha sabor,
»dar ge las queremos,   dellant estando vós.»
Sacaron las espadas   Colada e Tizón,   3175
pusiéronlas en mano   del rey, so señor.
Saca las espadas   e relumbra toda la cort:
las maçanas e los arriazes   todos d'oro son,
maravíllanse dellas   todos los omnes buenos de la cort.
[A Myo Çid   el rey ge las dio.]   3179b
Reçibió las espadas,   las manos le besó.   3180
Tornós' al escaño   don se levantó;
en las manos las tiene   e amas las cató.
Nos' le pueden camear,   ca el Çid bien las conosçe.
Alegrós'le tod'el cuerpo,   sonrisós' de coraçón.
Alçava la mano,   a la barba se tomó: 3185
—«Par aquesta barba,   que nadi non messó,
»assís' yrán vengando   don Elvira e doña Sol.»   64r
    »A so sobrino [Per Vermuez]   por nonbrel' lamó,
tendió el braço,   la espada Tizón le dio:
—«Prendetla, sobrino,   ca meiora en señor.»   3190
A Martín Antolínez,   el burgalés de pro,
tendió el braço,   el espada Coladal' dio:
—«Martín Antolínez,   myo vassalo de pro,
»prended a Colada,   ganéla de buen señor,
»del conde d[on] Remont Verengel,   de Barçilona la mayor;
»por esso vos la dó,   que la bien curiedes vós.   3196
»Sé que, si vos acaeçiere,   con ella ganaredes grand prez e
                                                        [grand valor.»
Besóle la mano,   el espada tomó e reçibió.
    Luego se levantó   Myo Çid el Campeador:
—«Grado al Criador   e a vós, rey señor,   3200
»hya pagado só de mis espadas,   de Colada e de Tizón.
»Otra rencura he   de yfantes de Carrión:
»quando sacaron de Valençia   mis fijas amas a dos,
»en oro e en plata   tres mill marcos de plata les d'io;
»hyo faziendo esto,   ellos acabaron lo só;   3205
»denme mis averes   quando myos yernos non son.»

    3178. *maçanas*: 'pomos de la espada'. *arriazes*: 'gavilanes de
la espada'.
    3188. Aceptamos la edición de Horrent.
    3195. de *Ms*.
    3204. tres mill marcos de plata les dio *Ms*. Suprimimos como
Smith, Horrent y otros.

¡Aquí veriedes quexarse   yfantes de Carrión!
Dize el conde don Remond: —«Dezid de sí o de no.»
Essora responden   yfantes de Carrión:
—«Por essol' diemos sus espadas   al Çid Campeador,   3210
»que ál no nos demandasse,   que aquí fincó la boz.»
—«A lo que demanda el Çid   quel' recudades vós:
»si ploguiere al rey   assí dezimos nós.»
Dixo el buen rey: —«Assí lo otorgo yo.»   *64v*
Dixo levantándos' en pie   el Çid Canpeador: 3215
—«Destos averes   que vos di yo
»si me los dades   o dedes dello raçón.»   *3216b*
    Essora salien aparte   yfantes de Carrión,
non acuerdan en consseio,   ca los haveres grandes son,
espesos los han   yfantes de Carrión.
Tornan con el consseio   e fablavan a so sabor: 3220
—«Mucho nos afinca   el que Valençia gañó,
»quando de nuestros averes   assil' prende sabor;
»pagar le hemos de heredades   en tierras de Carrión.»
Dixieron los alcaldes   quando manfestados son:
—«Si esso plogiere al Çid,   non ge lo vedamos nós,   3225
»mas en nuestro iuvizio   assí lo mandamos nós
»que aquí lo entergedes   dentro en la cort.»
A estas palabras   fabló el rey don Alfonsso:
—«Nós bien la sabemos   aquesta razón,
»que derecho demanda   el Çid Campeador;   3230
»destos III mill marcos,   los CC tengo yo,
»entramos me los dieron   los yfantes de Carrión;
»tornar ge los quiero,   ca [tan desfechos] son,

3212. El copista continúa el verso: *diro el rey, recudades*: 'respondáis'.
3215. Detrás de *Dixo* el ms. trae *Albar fanez*, que apartamos como la mayoría de editores.
3219. *espesos los han*: 'los han gastado'.
3231. Los infantes habrían cumplido con sus obligaciones de vasallaje al entregar parte del botín de Valencia al rey. Tal hipótesis no pone fuera de circulación la de García González, 1961, pp. 563-564 (los infantes habían pagado al rey —responsable de la boda— por el delito de abandono de sus respectivas consortes); hipótesis que ha venido a compartir María Eugenia Lacarra tanto en su libro [1980, pp. 57-58] como en su edición [1982, p. 185]) («La ley del *Forum Conchae* [cap. IX, IV, V] prescribía que si el esposo después de conocer carnalmente a la esposa la repudiaba debía pagar 100 monedas de oro y salir como enemigo»).
3233. En el ms. apenas alcanzamos a leer alguna cosa (sí pudo hacerlo Menéndez Pidal que leyó *todos fechos son*). Enmendamos en compañía del mismo Menéndez Pidal y de otros editores.

»enterguen a Myo Çid, el que en buen ora naçió:
»quando ellos los an a pechar, non ge los quiero yo.» 3235
Fabló Ferrán Go[n]çález: —«Averes monedados non tene-
[mos nós.»

Luego respondió el conde don Remond:
—«El oro e la plata espendiesteslo vós;
»por juvizio los damos ant'el rey don Alfonsso:
»págenle en apreçiadura e préndalo el Campeador.» 3240
Hya vieron que es a fer los yfantes de Carrión.
Veriedes aduzir tanto cavallo corredor, 65r
tanta gruessa mula, tanto palafré de sazón,
tanta buena espada con toda guarnizón.
Reçibiólo Myo Çid commo apreçiaron en la cort. 3245
Sobre los dozientos marcos que tenie el rey Alfonsso
pagaron los yfantes al que en buen ora na[çi]ó;
enpréstanles de lo ageno, que non les cumple lo s[ó]:
mal escapan iogados, sabed, desta razón.

[140]

Estas apreçiaduras Myo Çid presas las ha, 3250
sos omnes las tienen e dellas penssarán.
Mas, quando esto ovo acabado, penssaron luego d'ál.
—«¡Merçed [ya], rey señor, por amor de caridad!
»La rencura mayor non se me puede olbidar.
»Oýdme, toda la cort, e pésevos de myo mal, 3255
»de los yfantes de Carrión quem' desondraron tan mal:
»a menos de riebtos no los puedo dexar.

3240. *apreçiadura*: 'especie (opuesto a dinero), cosas equiva-
lentes a una cantidad de metal precioso o moneda' (Menéndez
Pidal, p. 469).
3247. nasco *Ms*.
3248. suyo *Ms*.
3249. *mal escapan iogados*: 'salen escarnecidos'.
3251. Creemos que también sería posible editar *penssar han*.
penssarán: 'cuidarán'.
3253. ay *Ms*.
3257. *riebtos*: 'duelos'. Para los efectos jurídicos del duelo,
véase Châlon, 1976, pp. 166-170, y Lacarra, 1980, pp. 84-102.

[141]

»Dezid, ¿qué vos mereçí,   yffantes [de Carrión]
»en juego o en vero   o en alguna razón?
»Aquí lo meioraré   a juvizyo de la cort.   *3259b*
»¿A quém' descubriestes   las telas del coraçón?   *3260*
»A la salida de Valençia   mis fijas vos di yo,
»con muy grand ondra   e averes a nombre;
»quando las non queriedes,   ya canes traydores,
»¿por qué las sacávades   de Valençia sus honores?
»¿A qué las firiestes   a çinchas e a espolones?   *3265*
»Solas las dexastes   en el robredo de Corpes
»a las bestias fieras   e a las aves del mont.
»Por quanto las fiziestes   menos valedes vós.
»Si non recudedes,   véalo esta cort.»   *65v*

[142]

El conde don Garçía   en pie se levantava: *3270*
—«Merçed ya, rey,   el meior de toda España;
»vezós' Myo Çid   a las cortes pregonadas;
»dexóla creçer   e luenga trae la barba,
»los unos le han miedo   e los otros espanta.
»Los de Carrión   son de natura ta[n] [alta],   *3275*
»non ge las devien querer   sus fijas por varraganas,
»¿o quién ge las diera   por pareias o por veladas?
»Derecho fizieron   porque las han dexadas.
»Quanto él dize   non ge lo preçiamos nada.»
Essora el Campeador   prisos' a la barba: *3280*
—«Grado a Dios,   que çielo e tiera manda,
»por esso es lue[n]ga,   que a deliçio fue criada.
»¿Qué avedes vós, conde,   por retraer la mi barba?
»Ca de quando nasco   a deliçio fue criada;
»ca non me piso a ella   fijo de mugier nada,   *3285*

3258. Dezid que uos mereçi yfantes en juego o en vero / o en
alguna razon aqui lo meiorare a junizyo dela cart *Ms.* Incorporamos la enmienda de Menéndez Pidal, Horrent, etc.
3262. *a nombre*: 'abundantes'.
3272. *vezós'*: 'se adornó' (Bello), 'acaso' (Sánchez), 'he aquí'
(Hinard). 'Ya tiene experiencia de' (Michael).
3275. *tal Ms.* Corregimos como Bello, Menéndez Pidal y Horrent.

»nimbla messó   fijo de moro nin de christiana,
»commo yo a vos, conde,   en el castiello de Cabra,
»quando pris a Cabra   e a vos por la barba.
»Non ý ovo rapaz   que non messó su pulgada;
»la que yo messé   aún non es eguada.»   3290

[143]

Ferrán Go[n]çález   en pie se levantó,
a altas vozes   odredes qué fabló:
—«¡Dexássedes vós, Çid,   de aquesta razón;
»de vuestros averes   de todos pagado sodes:
»non creçies' varaja   entre nos e vos.   3295
»De natura somos   de condes de Carrión;   66r
»deviemos casar   con fijas de reyes o de enperadores,
»ca non perteneçien   fijas de yfançones;
»porque las dexamos   derecho fiziemos nós;
»más nos preçiamos,   sabet, que menos no.»   3300

[144]

Myo Çid Ruy Díaz   a Pero Vermuez cata:
—«Fabla, Peromudo,   varón que tanto callas;
»yo las he fijas   e tú primas cormanas:
»a mí lo diżen   a ti dan las oreiadas;
»si yo respondier,   tú non entrarás en armas.»   3305

[145]

Pero Vermuez   conpeçó de fablar,
detiénes'le la lengua,   non puede delibrar,
mas quando enpieça,   sabed, nol' da vagar:
—«Dirévos, Çid,   costu[m]bres avedes tales,

3286.   *nimbla*: 'ni me la'. *messó*: 'arrancó'.
3290.   *eguada*: 'igualada'.
3292.   ondredes *Ms.*
3295.   *varaja*: 'pelea, riña'.
3303.   *primas cormanas*: 'primas hermanas'.
3304.   *a ti dan las oreiadas*: 'te lo dicen indirectamente, eso
va contigo' (Menéndez Pidal, p. 779).

»siempre en las cortes   Peromudo me lamades;   3310
»bien lo sabedes   que yo non puedo más:
»por lo que yo ovier a fer   por mí non mancará.
»¡Mientes, Ferrando,   de quanto dicho has!
»Por el Campeador   mucho valiestes más.
»Las tus mañas   yo te las sabré contar: 3315
»¿miembrat' quando lidiamos   çerca Valençia la grand?
»Pedist las feridas primeras   al Canpeador leal;
»vist un moro,   fústel' ensayar,
»antes fuxiste   que a [é]l te alegasses;   3318*b*
»si yo non uvias,   el moro te jugara mal;
»passé por ti,   con el moro me off de aiuntar,   3320
»de los primeros colpes   ofle de arrancar;
»did' el cavallo,   tóveldo en poridad,
»fasta este día   no lo descubrí a nadi.
»Delant Myo Çid e delante todos   ovístete de alabar   66*v*
»que mataras el moro   e que fizieras barnax,   3325
»croviérontelo todos,   mas non saben la verdad.
»E eres fermoso,   mas mal varragán,
»lengua sin manos,   ¿cuémo osas fablar?

[146]

»Di, Ferrando,   otorga esta razón;
»¿non te viene en miente   en Valençia lo del león?   3330
»Quando durmie Myo Çid   el león se desató,
»e tú, Ferrando,   ¿qué fizist con el pavor?
»Metistet' tras el escaño   de Myo Çid el Campeador;
»metistet', Ferrando,   por ó menos vales oy.
»Nós çercamos el escaño   por curiar nuestro señor,   3335
»fasta do despertó Myo Çid,   el que Valençia ganó,
»levantós' del escaño,   fues' pora'l león;
»el león premió la cabeça,   a Myo Çid esperó,
»dexós'le prender al cuelo   e a la red le metió.
»Quando se tornó   el buen Campeador,   3340
»a sos vassalos   violos aderredor;
»demandó por sus yernos,   ninguno non falló.

3318b. alte *Ms.*
3320. *off* (1.ª pers. sing. pret. ind. de *aver*): 'hube'.
3322. *tóveldo* (metátesis normal: *tóvetelo*, 1.ª pers. sing. pret. ind. de *tener*): 'te lo mantuve'.
3325. *barnax:* 'hazaña'.

»¡Riebtot' el cuerpo   por malo e por traydor!
»Estot' lidiaré aquí   ant'el rey don Alfonsso
»por fijas del Çid   don Elvira e dona Sol,   3345
»por quanto las dexastes,   menos valedes vós;
»ellas son mugieres   e vós sodes varones,
»en todas guisas   más valen que vós.
»Quando fuere la lid,   si ploguiere al Criador,
»tú lo otorgarás,   a guisa de traydor.   67r
»De quanto he dicho   verdadero seré yo.»   3351
D'aquestos amos   aquí quedó la razón.

[147]

Diego Gonçález   odredes lo que dixo:
—«De natura somos   de los condes más li[m]pios;
»¡estos casamientos   non fuessen apareçidos,   3355
»por consagrar   con Myo Çid don Rodrigo!
»Porque dexamos sus fijas   aún no nos repentimos;
»mientra que bivan,   pueden aver sospiros;
»lo que les fiziemos   ser les ha retraýdo;
»esto lidiaré   a tod el más ardido,   3359b
»que, porque las dexamos,   ondrados somos nós [mismos].»

[148]

Martín Antolínez   en pie se levantava: 3361
—«Cala, alevoso,   boca sin verdad,
»lo del león   non se te deve olbidar:
»saliste por la puerta,   metístet' al coral,
»fusted' meter   tras la viga lagar,   3365
»mas non vesti[s]d   el manto nin el brial.
»Hyo lo lidiaré,   non passará por ál,
»fijas del Çid   porque las vós dexastes,
»en todas guisas, sabed,   que más que vos valen.

3359. *ser les ha retraýdo*: 'se les echará en cara'.
3360. Menéndez Pidal propuso completar el verso: *ondrados somos venidos*. Horrent (y nosotros con él) también se inclina por esa solución.
3366. vestid *Ms*.
3369. que mas valen que vos *Ms*. Editamos como Menéndez Pidal, Smith, Horrent, etc.

POEMA DE MIO CID

»Al partir de la lid   por tu boca lo dirás,   3370
»que eres traydor   e mintist de quanto dicho has.»
Destos amos   la razón finc[ado ha].

[149]

Asur Gonçález   entrava por el palaçio,
manto armino   e un brial rastrando,
vermeio viene,   ca era almorzado;   3375
en lo que fabló   avie poco recabdo: 67v

[150]

—«Hya, varones,   ¿quién vio nunca tal mal?
»¿Quién nos darie nuevas   de Myo Çid el de Bivar?
»Fuesse a río d'Ovirna   los molinos picar
»e prender maquilas   commo lo suele far;   3380
»¿quíl' darie   con los de Carrión a casar?»

[151]

Essora Muno Gustioz   en pie se levantó:
—«Cala, alevoso,   malo e traydor,
»antes almuerzas   que vayas a oraçión,
»a los que das paz   fártaslos aderredor.   3385
»Non dizes verdad,   [a] amigo ni a señor,
»falsso a todos   e más al Criador;
»en tu amistad   non quiero aver raçión:
»fazértelo [he] dezir   que tal eres qual digo yo.»
     Dixo el rey Alfonsso: —«Calle ya esta razón;   3390

3372. finco *Ms.* Menéndez Pidal enmienda en *ha fincado* y
mete todo el verso dentro de la tirada siguiente. Enmendamos
como Horrent.
    3379. *río d'Ovirna*: el río Ubierna para por Vivar y desem-
boca en el Arlanzón. *los molinos picar*: 'picar las muelas gasta-
das por el uso' (Menéndez Pidal, p. 796).
    3380. *maquilas*: 'porción dada al molinero por la molienda'.
    3385. 'Asqueas a todos los que están a tu lado cuando les das
el ósculo de la paz en la misa' (con tus regüeldos o apestando a
vino y a comida) (C. Smith), 'eructas sobre aquellos a quienes
das las paz' (Michael).

»los que an rebtado lidiarán, si[m'] salve Dios.»
   Assí commo acaban   esta razón
affé dos cavalleros   entraron por la cort;
al uno dizen Oiarra   e al otro Yénego Siménez,
el uno es [del] yfante   de Navarra [rogador],   3395
e el otro   [del] yfante de Aragón.
Besan las manos   al rey don Alfonsso,
piden sus fijas   a Myo Çid el Campeador
por ser reynas   de Navarra e de Aragón,
e que ge las diessen   a ondra e a bendiçión.   3400
A esto callaron   e ascuchó toda la cort;   *68r*
levantós' en pie   Myo Çid el Campeador:
—«Merçed, rey Alfonsso.   vos sodes myo señor,
»esto gradesco yo   al Criador
»quando me las demandan   de Navarra e de Aragón.   3405
»Vos las casastes antes,   ca yo non;
»afé mis fijas,   en vuestras manos son,
»sin vuestro mandado   nada non feré yo.»
   Levantós' el rey,   fizo callar la cort:
—«Ruégovos, Çid,   caboso Campeador,   3410
»que plega a vos   e atorgar lo he yo:
»este casamiento   oy se otorge en esta cort,
»ca créçevos ý ondra   e tierra e onor.»
   Levantós' Myo Çid,   al rey las manos le besó:
—«Quando a vos plaze,   otórgolo yo, señor.»   3415
Essora dixo el rey: —«¡Dios vos dé den buen galardón!
»A vós, Oiarra,   e a vós, Yenego Ximénez,
»este casamiento   otórgovosle yo
»de fijas de Myo Çid,   don Elvira e doña Sol,
»pora los yfantes   de Navarra e de Aragón,   3420
»que vos las dé   a ondra e a bendiçión.»
   Levantós' en pie   Oiarra e Ynego Ximénez,

   3391.   sin *Ms*.
   3394.   *Oiarra: personaje desconocido. Yénego Siménez*: «hubo
un Enneco Semenones» —nos dice Menéndez Pidal, p. 718— «coe-
táneo del Cid, y más joven que él, pues le sobrevivió bastante.
Gobernaba en Meltria o Etria, hacia 1107».
   3395.   Aceptamos, como Smith y Horrent, las enmiendas de
Menéndez Pidal, el uno es yfante de manera / e el otro yfante
de aragón *Ms*. Pero no son los mismos infantes sino sus segui-
dores o procuradores.
   3399.   Véase Introducción.
   3421.   Hay una tilde sobre *de*, pero de diferente mano. Su sujeto sería «el Cid»; y no creemos, a diferencia de Michael, que
den sea mejor lectura.

besaron las manos   del rey don Alfonsso
e, después,   de Myo Çid el Campeador;
metieron las fes   e los omenaies dados son,   3425
que, cuemo es dicho,   así sea o meior.   68v
A muchos plaze   de tod esta cort,
mas non plaze   a los yfantes de Carrión.
    Mynaya Alba[r]fánez   en pie se levantó: 3430
—«Merçed vos pido,   commo a rey e a señor,
»e que non pese esto   al Çid Campeador,
»bien vos di vagar   en toda esta cort,
»dezir querría   yaquanto de lo myo.»
Dixo el rey: —«Plazme de coraçón;   3435
»dezid, Mynaya,   lo que oviéredes sabor.»
—«Hyo vos ruego   que me oyades, toda la cort,
»ca grand rencura he   de yfantes de Carrión;
»hyo les di mis primas,   por mandado del rey Alfonsso,
»ellos las prisieron   a ondra e a bendiçión,
»grandes averes les dio   Myo Çid el Campeador;   3440
»ellos las han dexadas   a pesar de nós.
»Riébtosles los cuerpos   por malos e por traydores.
»De natura sodes   de los de Vanigómez,
»onde salien   condes de prez e de valor;
»mas bien sabemos   las mañas que ellos han [oy].   3445
»Esto gradesco   yo al Criador
»quando piden mi primas   don Elvira e doña Sol
»los yfantes   de Navarra e de Aragón;
»antes las aviedes pareias   pora en braços las tener [vós],
»agora besaredes sus manos   e lamarlas hedes señoras;
»aver las hedes a servir   mal que vos pese a vós.   3451
»Grado a Dios del çielo   e aquel rey don Alfonsso,
»así' creçe la ondra   a Myo Çid el Campeador.   69r
»En todas guisas   tales sodes quales digo yo;
»si ay qui responda   o dize de no,   3455
»hyo só Albarfánez   pora tod'el meior.»
    Gómez Pelayet   en pie se levantó:

3442. rriebtos de *Ms*.
3445. Incorporamos *oy*, como Menéndez Pidal, Smith, Horrent, etc.
3449. Añadimos *vós* como posible enmienda (pora en braços
las dos *MP*; pora en braços las tener [las dos] *Horrent*).
3450. sioras *Ms*.
3457. *Gómez Peláyet*: un conde con ese nombre figura, entre
los años 1096 y 1135, en varios documentos de la época (Menéndez Pidal imagina que sea hijo de Pelayo Gómez). Es más: «El
mismo Gómez Peláez, con Álbar Díaz y Diego González, persona-

—«¿Qué val, Minaya,   toda essa razón?
»Ca en esta cort   afarto ha pora vós
»e qui ál quisiesse   serie su ocasión.   3460
»Si Dios quisiere   que désta bien salgamos nós,
»después veredes   qué dixiestes o qué no.»
    Dixo el rey: —«Fine esta razón,
»non diga ninguno   della más una entençión.
»Cras sea la lid,   quando saliere el sol,   3465
»destos III por tres   que rebtaron en la cort.»
Luego fablaron   yfantes de Carrión:
—«Dandos, rey, plazo,   ca cras ser non puede,
»armas e cavallos   tienen los del Canpeador,
»nós antes abremos a yr   a tierras de Carrión.»   3470
Fabló el rey   contra'l Campeador:
—«Sea esta lid   ó mandaredes vós.»
En ess'ora dixo Myo Çid: —«No lo faré, señor,
»más quiero a Valençia   que tierras de Carrión.»
En ess'ora dixo el rey: —«A osadas, Campeador,   3475
»dadme vuestros cavalleros   con todas vuestras guarnizones,
»vayan comigo,   yo seré el curiador.»
«Hyo vos lo sobrelievo,   commo [a] buen vassallo faze
                                                  [señor.
»Que non prendan fuerça   de conde nin de yfançón.
»Aquí les pongo plazo   de dentro en mi cort   69v
»a cabo de tres semanas   en begas de Carrión,   3481
»que fagan esta lid   delant estando yo.
»Quien non viniere al plazo   pierda la razón,
»desí sea vençido   e escape por traydor.»
    Prisieron el juizio   yfantes de Carrión.   3485
Myo Çid al rey   las manos le besó;
e dixo: —«Plazme, señor;   3486b
»estos mis tres cavalleros   en vuestra mano son,
»d'aquí vos los acomiendo,   como a rey e a señor;

---

jes que según el Cantar pertenecen al bando de Carrión, confirma
en 1096 la donación del monasterio de Santa Eufemia de Coxue-
los, hecha por Alfonso VI a la catedral de Burgos» (Menéndez
Pidal, p. 709).
    3459. *afarto ha pora vós*: 'hay suficiente para vos' (i. e.,
que [allí] encontrará a alguien con quien poder satisfazer sus
ganas de lid).
    3467. Antes de *yfantes* en el ms. se lee *yfallaron* tachado.
    3477. *curiador*: 'curador, fiador, el que protege'.
    3478. *sobrelievo*: 'garantizo'. *commo buen vassallo faze a señor*
Ms. Enmendamos en la misma forma que la mayoría de editores.

»ellos son adobados   pora cumplir todo lo só;
»ondrados me los enbiad a Valençia,   por amor del Cria-
[dor.»

Ess'ora respuso el rey: —«Assí lo mande Dios.»   3491
    Allí se tollió el capielo   el Çid Campeador,
la cofia de rançal   que blanca era commo el sol,
e soltava la barba   e sacóla del cordón.
Nos' fartan de catarle   quantos ha en la cort.   3495
Adelinó a él el conde don Anrich   e el conde don Remond;
abraçólos tan bien   e ruégalos de coraçón
que prendan de sus averes   quanto ovieren sabor;
a essos e a los otros,   que de buena parte son,
a todos los rogava   assí commo han sabor;   3500
tales ý á que prenden,   tales ý á que non.
Los CC marcos   al rey los soltó;
de lo ál tanto priso   quant'ovo sabor:
—«Merçed vos pido, rey,   por amor del Criador,
»quando todas estas nuevas   assí puestas son   3505
»beso vuestras manos   con vuestra graçia. señor,
»e yrme quiero pora Valençia,   con afán la gané yo.»

    . . . .
El rey alçó la mano,   la cara se sanctigó: 70r
—«Hyo lo juro,   par Sant Esidro el de León,
»que en todas nuestras tierras   non ha tan buen varón.»   3510
Myo Çid en el cavallo   adelant se legó,
fue besar la mano   a so señor Alfonsso:
—«Mandástesme mover   a Bavieca el corredor,
»en moros ni en christianos   otro tal non ha oy;
»hy[o] vos le dó en don,   mandéde'le tomar, señor.»   3515
Ess'ora dixo el rey: —«Desto non he sabor;
»si a vós le tolliés el cavallo,   non havrie tan buen señor,
»mas atal cavallo cum est   pora tal commo vós,
»pora arrancar moros del campo   e ser segudador;
»quien vos lo toller quisiere   nol' vala el Criador,   3520
»ca por vós e por el cavallo   ondrados somo[s] nós.»
    Ess'ora se espidieron   e luegos' partió la cort.
El Campeador a los que han lidiar   tan bien los castigó:
—«Hya, Martín Antolínez,   e vós, Pero Vermuez
»e Muno Gustioz,   firmes sed en campo a guisa de varones,
»buenos mandados me vayan   a Valençia de vós.»   3526

    3496. a el el *Ms.*
    3507. Falta un folio en el ms. Se suple un probable contenido
con la *Crónica de veinte reyes* (según procede Menéndez Pidal).

Dixo Martín Antolínez: —«¿Por qué lo dezides, señor?
»Preso avemos el debdo   e a passar es por nós:
»podedes oýr de muertos,   ca de vencidos no.»
Alegre fue d'aquesto   el que en buen ora nació.   3530
Espidiós' de todos   los que sos amigos son.
Myo Çid pora Valençia   e el rey pora Carrión.

    Mas tres semanas de plazo   todas complidas son;   70v
félos al plazo   los del Campeador,
cunplir quieren el debdo   que les mandó so señor.   3535
Ellos son en p[o]der del rey   don Alfonsso el de León.
Dos días atendieron   a yfantes de Carrión,
mucho vienen bien adobados   de cavallos e de guarnizones,
e todos sus parientes   con ellos [acordados] son,
que si los pudiessen apartar   a los del Campeador,   3540
que los matassen en campo   por desondra de so señor.
El cometer fue malo,   que lo ál nos' enpeçó,
ca grand miedo ovieron   a Alfonsso el de León.
De noche belaron las armas   e rogaron al Criãdor.

    Troçida es la noche,   ya quiebran los albores,   3545
muchos se juntaron   de buenos ricos omnes,
por ver esta lid,   ca avien ende sabor.
De más sobre todos   ý es el rey don Alfonsso
por querer el derecho   e non consentir el tuerto.
Hyas' metien en armas   los del buen Campeador;   3550
todos tres se acuerdan,   ca son de un señor.
En otro logar se arman   los yfantes de Carrión,
sedielos castigando   el conde Garçiordónez.
Andidieron en pleyto.   dixiéronlo al rey Alfonsso,
que non fuessen en la batalla   las espadas taiadores Colada
                                                       [e Tizón,
que non lidiassen con ellas   los del Canpeador: 3556
mucho eran repentidos los yfantes   por quanto dadas son.
Dixiérongelo al rey,   mas non ge lo conloyó:
—«Non sacastes ninguna   quando oviemos la cort;
»si buenas las tenedes,   pro abrán a vós,   71r
»otrosí farán   a los del Canpeador;   3561
»levad e salid al campo,   yfantes de Carrión,
»huebos vos es que lidiedes   a guisa de varones,

3539. Nos parece necesaria (también a Horrent) la adición de Menéndez Pidal basándose en el relato de la *Primera crónica general.*
3558. *conloyó:* 'aprobó'.

»que nada non mancará   por los del Campeador.
»Si del campo bien salides,   grand ondra avredes vós;   3565
»e si fuér[ed]es vençidos,   non rebtedes a nós,
»ca todos lo saben   que lo buscastes vós.»
    Hya se van repintiendo   yfantes de Carrión;
de lo que avien fecho   mucho repisos son:
no lo querrien aver fecho   por quanto ha en Carrión.   3570
    Todos tres son armados   los del Campeador;
hývalos ver   el rey don Alfonsso.
Dixieron   los del Campeador:
—«Besámosvos las manos,   commo a rey e a señor,
»que fiel seades oy   dellos e de nós,   3575
»a derecho nos valed,   a ningún tuerto no.
»Aquí tienen su vando   los yfantes de Carrión:
»non sabemos   qués’ comidrán ellos o qué non;
»en vuestra mano   nos metió nuestro señor.
»tenendos a derecho,   por amor del Criador.»   3580
Ess’ora dixo el rey: —«D’alma e de coraçón.»
    Adúzenles los cavallos,   buenos e corredores;
santiguaron las sielas   e cavalgan a vigor;
los escudos a los cuellos,   que bien blocados son;
e[n] mano prenden las astas   de los fierros taiadores;   *71v*
estas tres lanças   traen senos que pendones;   3586
e derredor dellos   muchos buenos varones.
Hya salieron al campo,   do eran los moiones.
Todos tres son acordados   los del Campeador
que cada uno dellos   bien fos ferir el so.   3590
    Fevos de la otra part   los yfantes de Carrión,
muy bien aconpañados,   ca muchos parientes son.
El rey dioles fieles   por dezir el derecho e ál non,
que non varagen con ellos   de sí o de non.
Do sedien en el campo   fabló el rey don Alfonsso: 3595
—«Oýd qué vos digo,   yfantes de Carrión,

3566. fueres *Ms. rebtedes*: ‘culpéis’.
3569. *repisos*: ‘arrepentidos’.
3573. Como Menéndez Pidal, Horrent suple *Essora* en el primer hemistiquio.
3578. *qués’ comidrán* (3.ª pers. pl. fut. ind. de *comedir*): ‘qué
maquinarán’.
3583. *santiguaron las sielas*: ‘se santiguaron al montar a caballo para ir a la lid del reto’.
3593-3594. ‘El rey les asignó fieles para establecer lo que era
justo y nada más, que no disputasen entre sí sobre lo que era,
o no, correcto’ (C. Smith).

»esta lid en Toledo la fiziérades, mas non quisiestes vós;
»estos tres cavalleros de Myo Çid el Campeador
»hyo los adux a salvo a tierras de Carrión;
»aved vuestro derecho, tuerto non querades vós,   3600
»ca qui tuerto quisiere fazer, mal ge lo vedaré yo,
»en todo myo reyno non avrá buena sabor.»
Hya les va pesando a los yfantes de Carrión.

   Los fieles e el rey enseñaron los moiones;
librávanse del campo todos aderredor;   3605
bien ge lo demostraron a todos VI cómmo son,
qui por ý serie vençido qui saliesse del moión.

   Todas las yentes esconbraron aderredor,
más de VI astas de lanças que non legassen al moión.

   Sorteávanles el campo, ya les partien el sol;   3610
salien los fieles de medio, ellos cara por cara son.
Desí vinien los de Myo Çid a los yfantes de Carrión,   72r
e los yfantes de Carrión a los del Campeador.
Cada uno dellos mientes tiene al so.
Abraçan los escudos delant los coraçones;   3615
abaxan las lanças abueltas con los pendones;
enclinavan las caras sobre los arzones;
batien los cavallos con los espolones;
tembrar querie la tierra do[n]d eran movedores.
Cada uno dellos mientes tiene al so;   3620
todos tres pos tres ya juntados son.
Cuédanse que ess'ora cadrán muertos los que están ade-
                             [rredor.

   Pero Vermuez, el que antes rebtó.
con Ferrá[n] Gonçález de cara se juntó.
Firiensse en los escudos, sin todo pavor.   3625
Ferrán Go[n]çález a Pero Vermuez el escudol' passó,
prisol' en vazio, en carne nol' tomó;
bien en dos logares el ástil le quebró.
Firme estido Pero Vermuez, por esso nos' encamó:
un colpe reçibiera, mas otro firió;   3630

   3601. *mal ge lo vedaré*: 'se lo impediré con firmeza'.
   3608. *esconbraron*: 'despejaron, dejaron libre el lugar'.
   3609. Incorporamos (con Smith) *más*, que ha sido añadido
al margen.
   3618. Smith, 1983, p. 165, va acotando los análogos incluso a las
mismas *verba*: «Il hurte le cheval des esperons dorez» (*Parise la
duchese*, I. 521).
   3629. *nos' encamó*: 'no se ladeó, no perdió el equilibrio'.

quebrantó la b[l]oca del escudo,   apart ge la echó;
passógelo todo,   que nada nol' valió;
metiól' la lança   por los pechos [çerca del coraçón].
Tres dobles de loriga tenie Fernando,   aquestol' prestó:
las dos le desmanchan   e la terçera fincó;   3635
el belmez con la camisa   e con la guarnizón
de dentro en la carne   una mano ge l[o] metió.
Por la boca afuera   la sangrel' salió.
Quebráronle las çinchas,   ninguna nol' ovo pro;   72v
por la copla del cavallo   en tierra lo echó.   3640
Assí lo tenien las yentes   que mal ferido es de muert.
Él dexó la lança   e al espada mano metió.
Quando lo vio Ferrán Go[n]çález   conuvo a Tizón;
antes que el colpe esperasse,   dixo: —«Vençudo só.»
Atorgárongelo los fieles,   Pero Vermuez le dexó.   3645

[152]

Martín Antolínez e Diego Gonçález   firiéronse de las
[lanças,
tales fueron los colpes   que les quebraron amas.
Martín Antolínez   mano metió al espada,
relumbra tod el campo,   tanto es linpia e clara;
diol' un colpe,   de traviessol' tomava,   3650
el casco de somo   apart ge lo echava,
las moncluras del yelmo   todas ge las cortava.
Allá levó el almófar,   fata la cofia legava,
la cofia e el almófar   todo ge lo levava.
Raxól' los pelos de la cabeça,   bien a la carne legava;   3655
lo uno cayó en el campo   e lo ál suso fincava.
Quando este colpe á ferido   Colada la preçiada,

3633. Se repite aquí el segundo hemistiquio del verso anterior. Aunque podría considerarse como una iteración climática, es más razonable suponer un error; por eso aceptamos la enmienda de Menéndez Pidal basada en la prosificación de la *Primera crónica general.*
3637. la *Ms.* Enmendamos con Smith y Horrent.
3639. «Les cengles sont ronpues qu'il avoit renoé» (*Parise*, I. 580). *Cf.* Smith, *ibid.*
3642. metio mano *Ms.*
3643. *conuvo* (3.ª pers. sing. pret. ind. de *connoscer*): 'reconoció'.
3652. *moncluras*: probablemente 'las lazadas de cuero que ataban el yelmo al almófar' (Menéndez Pidal, p. 765).

vio Diego Gonçález   que no escaparie con el alma.
Bolvió la rienda al cavallo,   por tornasse de cara;
ess'ora Martín Antolínez   reçibió' con el espada;   3660
un colpel' dio de lano,   con lo agudo nol' tomava.
Diagonçález espada tiene en mano,   mas no la ensayava.   3662-3
    Es'ora el yfante   tan grandes vozes dava: 73r
—«¡Valme Dios glorioso, Señor,   e cúriam' desta spada.»
El cavallo a sorrienda   e mesurándol' del espada,   3666
sacól' del moión;   Martín Antolínez en el campo fincava.
    Essora dixo el rey: —«Venid vós a mi compaña;
»por quanto avedes fecho   vençida avedes esta batalla.»
Otórgangelo los fieles   que dize verdadera palabra.   3670

[153]

    Los dos han arrancado   —dirévos de Muno Gustioz,
con Assur Gonçález   cómmo se adobó—;
firienssen en los escudos   unos tan grandes colpes.
Assur Gonçález,   forçudo e de valor,
firió en el escudo   a don Muno Gustioz;   3675
tras el escudo,   falssóge la guarnizón;
en vazio fue la lança,   ca en carne nol' tomó.
Este colpe fecho,   otro dio Muno Gustioz: 3678
por medio de la bloca   el escudol' quebrantó;   3680
nol' pudo guarir,   falssóge la guarnizón;
apart le priso,   que non cab'el coraçón.
Metiól' por la carne adentro   la lança con el pendón;
de la otra part   una braça ge la echó.
Con él dio una tuerta,   de la siella la encamó;   3685
al tirar de la lança,   en tierra lo echó.
Vermeio salió el ástil,   e la lança e el pendón:
todos se cuedan   que ferido es de muert.

3659. Smith, *ibid.*, sigue reconociendo paralelos muy concre-
tos en el *Parise*: «Li gloz torne sa regne, s'a la sselle versé» (I.
579).
3661. *colpel' dio de lano*: 'le dio un cintarazo'.
3662-3663. diagonçalez espada tiene en mano mas no la / en-
sayaua *Ms.* No creemos que sea necesario alterar el orden de los
versos en este pasaje, como hacen Menéndez Pidal y Horrent.
3679. Se repite el v. 3676, que está de más: la acción del
v. 3679 genera la ruptura del escudo (3680) y de la guarnición
(3681).
3680. del escudol *Ms.*

La lança recombró   e sobr'él se paró.
Dixo Gonçalo Assúrez: —«¡Nol' firgades, por Dios!»   73v
    Vençudo es el campo   quando esto se acabó.   3691
Dixieron los fieles: —«Esto oýmos nós.»
Mandó librar el canpo   el buen rey don Alfonsso.
    Las armas que ý rastaron   él se las tomó.
Por ondrados se parten   los del buen Campeador;   3695
vençieron esta lid,   grado al Criador.
Grandes son los pesares   por tierras de Carrión.
El rey a los de Myo Çid   de noche los enbió,
que no les diessen salto,   nin oviessen pavor.
    A guisa de menbrados,   andan días e noches.   3700
Felos en Valençia,   con Myo Çid el Campeador.
Por malos los dexaron   a los yfantes de Carrión:
conplido han el debdo   que les mandó so señor.
Alegre fue d'aquesto   Myo Çid el Campeador.
Grant es la biltança   de yfantes de Carrión.   3705
¡Qui buena duena escarneçe   e la dexa después,
atal le contesca,   o siquier peor!
    Dexémonos de pleytos   de yfantes de Carrión:
de lo que an preso   mucho an mal sabor.
Fablemos nós d'aqueste   que en buen ora naçió.   3710
    Grandes son los gozos   en Valençia la mayor,
porque tan ondrados fueron   los del Campeador.
Prisos' a la barba   Ruy Díaz, so señor:
—«Grado al rey el çielo,   mis fijas vengadas son,   74r
»agora las ayan quitas   heredades de Carrión.   3715
»Sin vergüença las casaré,   o a qui pese o a qui non.»
    Andidieron en pleytos   los de Navarra e de Aragón,
ovieron su aiunta   con Alfonsso el de León;
fizieron sus casamientos   con don Elvira e con doña Sol.
Los primeros fueron grandes,   mas aquestos son miiores:
a mayor ondra las casa   que lo que primero fue.   3721
¡Ved quál ondra creçe   al que en buen ora naçió,
quando señoras son sus fijas   de Navarra e de Aragón!
Oy los reyes d'España   sos parientes son.

3689. *recombró*: 'recobró lo perdido'.
3690-3692. Smith vuelve a reconocer en estos versos (y los 3644-3645) otros, con algunas variantes, del *Parise*: «Et Miles li escrie: 'Merci, por amor Dé! / Je me rant recréus; gardez ne m'ociez!' / Quant les gardes l'oïrent, cele part sont alé.»
3705. *biltança*: 'humillación'.
3724-3725. Véase A. Ubieto, 1973, pp. 23-28. «Todo el mundo sabe que Menéndez Pidal prefiere la fecha de los esponsales de

A todos alcança ondra   por el que en buen ora nació.   3725
  Passado es deste sieglo el día de Çinqaeesma,   de Chris-
                            [tus aya perdón.   3726-7
Assí fagamos nós todos,   iustos e peccadores.
  Estas son las nuevas   de Myo Çid el Campeador.
En este logar   se acaba esta razón.   3730
Quien escrivió este libro   del' Dios paraýso. Amen.
  Per Abbat le escrivió   en el mes de mayo,
en era de mill e CC   XLV años.

Blanca de Navarra y Sancho de Castilla, en 1140, a la de su boda,
debido a la importancia histórica del acontecimiento (que sirvió
para evitar una guerra entre Navarra y Castilla). Pero ¿puede considerarse pariente del rey al padre de la prometida por los sim-
ples esponsales de su hija con el infante heredero? Por muy re-
sonantes que sean tales esponsales, sólo el matrimonio puede
hacer tales vínculos más sólidos, y sólo por el matrimonio es
como los eruditos aceptan la unión del Cid con las casas de Navarra y de Aragón. ¿Por qué iba a ser distinto con la de Castilla?» (J. Horrent, 1973, p. 257).
  3726-3727. No estamos totalmente de acuerdo con Menéndez
Pidal ni con Horrent (que restituyen un segundo hemistiquio
para el v. 3726) ni con aquellos que respetan el pasaje. Quizá la
especificación temporal fuera un añadido posterior y, en caso
de enmendar, podría suprimirse.
  3731. Para los problemas del Explicit, véase el Prólogo.
  3783. Aún se añade en el ms. una petición juglaresca: *El el
romanz / [e]s leydo, dat nos del vino si non tenedes dineros /
echad la unos paños, que bien vos lo dararan sobrelos.* Para
este añadido, véase Colin Smith, 1983, pp. 207-218.